COLLE

D0491546

Henry Corbin

Histoire de la philosophie islamique

I

DES ORIGINES
JUSQU'A LA MORT D'AVERROËS (1198)

*avec la collaboration
de Seyyed Hosseïn Nasr
et Osman Yahya*

nrf

Gallimard

Avant-propos

Quelques lignes sont nécessaires pour expliquer l'intitulation et la structure de la présente étude, pour laquelle nous n'avions guère de devanciers qui nous aient frayé la voie.

1. Tout d'abord nous parlons de « philosophie islamique » et non pas, comme l'usage en prévalut longtemps depuis le Moyen Age, de « philosophie arabe ». Le prophète de l'Islam était, certes, un arabe d'Arabie ; l'arabe littéral est la langue de la Révélation qorânique, la langue liturgique de la Prière, la langue et l'outil conceptuel qui furent utilisés par des Arabes comme par des non-Arabes, pour édifier l'une des littératures les plus abondantes du monde, celle où s'exprime la culture islamique. Cependant, le sens des désignations ethniques évolue avec les siècles. De nos jours le terme « arabe » réfère, dans l'usage courant comme dans l'usage officiel, à un concept ethnique, national et politique précis, avec lequel ne coïncident ni le concept religieux « Islam » ni les limites de son univers. Les peuples arabes ou arabisés ne sont même qu'une fraction minoritaire dans la totalité du monde islamique. L'œcuménicité du concept religieux « Islam » ne peut être ni transférée ni restreinte aux limites d'un concept ethnique ou national, profane. C'est une évidence qui va de soi pour quiconque a vécu en pays d'Islam non-arabe.

Certes, on a pu et l'on pourrait faire valoir que la désignation de « philosophie arabe » est à entendre simplement
d'une philosophie écrite en langue arabe, c'est-à-dire en
cet arabe littéral qui, de nos jours encore, est le lien liturgique aussi bien entre les membres non-arabes de la
Communauté islamique qu'entre les fractions de la nation
arabe, particularisée chacune par son arabe dialectal.
Malheureusement, cette définition « linguistique » est
inadéquate et manque son propos. Si on l'acceptait, on
ne saurait plus où classer des penseurs iraniens tels que
le philosophe ismaélien *Nâsir-e Khosraw* (XIᵉ siècle)
ou *Afzaloddîn Kâshânî* (XIIIᵉ siècle), élève de *Nasi-
roddîn Tûsî*, dont toutes les œuvres sont intégralement
écrites en langue persane, sans parler de tous ceux qui,
depuis *Avicenne* et *Sohrawardî* jusqu'à *Mîr Dâmâd*
(XVIIᵉ siècle), *Hâdî Sabzavârî* (XIXᵉ siècle) et nos
contemporains, ont écrit tantôt en persan, tantôt en arabe
littéral. La langue persane n'a jamais cessé de jouer, elle
aussi, son rôle de langue de culture (voire de « langue
liturgique » chez les Ismaéliens du Pamir, par exemple).
Aussi bien, s'il est vrai que certains traités de Descartes,
Spinoza, Kant, Hegel, sont écrits en latin, leurs auteurs
ne sont pas pour autant des philosophes « latins » ou
« romains ».

Pour désigner le monde de pensée dont il va être traité
dans les pages qui suivent, il faut donc une désignation
qui soit assez large pour sauvegarder l'œcuménicité spirituelle du concept « Islam », et qui, du même coup, main-
tienne le concept « arabe » à la hauteur de l'horizon prophétique auquel il fit son apparition dans l'histoire avec
la Révélation qorânique. Sans préjuger des opinions ou
de l' « orthodoxie » mettant en question la qualité « musulmane » de tel ou tel de nos philosophes, nous parlerons
de « philosophie islamique », comme de la philosophie
dont l'essor et les modalités sont liés essentiellement au
fait religieux et spirituel Islam, et qui est là pour attester

*que l'Islam ne trouve son expression ni adéquate ni
décisive, comme on l'a dit abusivement, dans le seul droit
canonique (fiqh).*

2. *Il s'ensuit que le concept de philosophie islamique
ne peut être limité au schéma longtemps traditionnel
dans nos manuels d'histoire de la philosophie, ne rete-
nant que quelques grands noms, ceux des penseurs de
l'Islam qui avaient été connus en traduction latine par
notre Scolastique médiévale. Certes, les traductions d'œuvres arabes en latin, à Tolède et en Sicile, furent un
épisode culturel d'une importance majeure, mais il est
radicalement insuffisant pour suggérer une orientation d'ensemble qui permette de saisir le sens et le développement
de la méditation philosophique en Islam. Il est radicalement faux que celle-ci ait été close avec la mort d'Averroës
(1198). Quant à ce qui s'est trouvé clos lors de celle-ci,
on tentera de le suggérer plus loin, à la fin de la 1ᵉ partie
de la présente étude. Traduite en latin, l'œuvre du philosophe de Cordoue a donné en Occident l'averroïsme,
lequel submergea ce que l'on a appelé l' « avicennisme
latin ». En Orient, nommément en Iran, l'averroïsme
passa inaperçu, et la critique de la philosophie par
Ghazâlî ne fut jamais regardée comme ayant mis fin à
la tradition inaugurée par Avicenne.*

3. *La signification et la perpétuation de la méditation philosophique en Islam ne se peuvent vraiment
comprendre qu'à la condition de ne point prétendre y
retrouver, à tout prix, l'équivalent exact de ce que nous
appelons en propre, en Occident, depuis quelques siècles
« philosophie ». Même les termes de falsafa et faylasûf,
résultant de la transcription des termes grecs en arabe,
et rapportés aux péripatéticiens et néoplatoniciens des
premiers siècles de l'Islam, n'équivalent pas exactement
à nos concepts de « philosophie » et de « philosophe ».
La distinction nettement tranchée entre « philosophie »
et « théologie » remonte, en Occident, à la Scolastique médié-*

*vale. Elle présuppose une « sécularisation » dont l'idée
ne pouvait venir en Islam, pour la première raison que
l'Islam n'a pas connu le phénomène Église, avec ses
implications et ses conséquences.*

*Comme on le précisera dans les pages qui suivent, le
terme hikmat est l'équivalent du grec sophia; le terme
hikmat ilâhîya est l'équivalent littéral du grec théo-
sophia. La métaphysique est désignée en général comme
traitant des Ilâhîyât, les Divinalia. Le terme de 'ilm
ilâhî (scientia divina) ne peut ni ne doit se traduire par
celui de « théodicée ». L'idée que les historiens musulmans
(de Shahrastânî, au XIIᵉ siècle, jusqu'à Qotboddîn
Ashkevarî, au XVIIᵉ siècle) se font des « Sages grecs »,
c'est que la sagesse de ces derniers provenait, elle aussi,
de la « Niche aux lumières de la prophétie ». C'est pourquoi, si l'on se contente de transposer en Islam la question des rapports entre la philosophie et la religion, telle
qu'elle est posée traditionnellement en Occident, on pose
la question en porte à faux, parce que l'on ne retient
qu'une partie de la situation. La philosophie a, certes,
connu en Islam plus d'une situation difficile; les difficultés n'étaient pas les mêmes qu'en chrétienté. Là où
la recherche philosophique (tahqîq) fut « chez elle » en
Islam, ce fut là où l'on réfléchit sur le fait fondamental
de la prophétie et de la Révélation prophétique, avec les
problèmes et la situation herméneutiques que ce fait
fondamental implique. La philosophie prend alors la
forme d'une « philosophie prophétique ». C'est pourquoi
nous avons donné la place initiale, dans la présente étude,
à la philosophie prophétique du shî'isme sous ses deux
formes principales : l'Imâmisme duodécimain et l'Ismaélisme. Les recherches récentes concernant l'un et l'autre
n'ont encore été condensées en aucune étude de ce genre.
Nous n'avons pas demandé nos informations aux « héré-
siographes ». Nous sommes allés aux sources mêmes.*

Corollairement, on ne pourrait exposer ce qu'il en fut

de la hikmat *en Islam, sans traiter de la mystique, c'est-à-dire du soufisme sous ses différents aspects, tant ceux de son expérience spirituelle que ceux de sa théosophie spéculative, laquelle a ses racines dans l'ésotérisme* shî'ite. *Comme on le verra, l'effort d'un Sohrawardî, et à sa suite celui de toute l'école des Ishrâqîyûn, a été de conjoindre la recherche philosophique et la réalisation spirituelle personnelle. En Islam tout particulièrement, histoire de la philosophie et histoire de la spiritualité demeurent inséparables.*

4. Nous étions astreints, pour la présente étude, à d'étroites limites. Il nous a été impossible de donner à l'exposé de certains problèmes, chez certains penseurs, toute l'étendue qui aurait été nécessaire. Cependant, comme il s'agit le plus souvent de doctrines très peu connues, sinon entièrement inconnues, et les pages suivantes s'adressant au philosophe tout court, non pas seulement à l'Orientaliste, nous ne pouvions nous contenter d'allusions ni nous limiter à de simples notices de dictionnaire. Nous croyons avoir dit le minimum nécessaire.

Bien entendu, le schéma habituel qui partage l'histoire de la philosophie, comme l'histoire en général, en trois périodes dénommées Antiquité, Moyen Age, Temps moderne, ne pourrait être rapporté à la périodisation de l'histoire de la philosophie islamique que par un artifice verbal. Il serait aussi inopérant de dire que le Moyen Age a continué jusqu'à nos jours, car la notion même de Moyen Age présuppose une vision de l'histoire thématisée à partir d'une certaine situation. Il y a des indices plus sérieux et plus durables pour caractériser un « type de pensée » que les simples références chronologiques, et il y a en Islam certains types de pensée différenciés qui persistent depuis les origines jusqu'à nos jours. Aussi bien le souci de périodisation chez nos penseurs islamiques s'est-il concrétisé en un schéma qui leur est propre (et qui n'est pas étranger à leur représentation des cycles

de la prophétie). Qotboddîn Ashkevarî, par exemple,
partage son histoire des penseurs et des spirituels en
trois grands cycles : les penseurs antérieurs à l'Islam ; les
penseurs de l'Islam sunnite ; les penseurs de l'Islam shî'ite.

A notre tour, nous ne pouvons les faire rentrer de force
dans le schéma d'une périodisation rapportée de l'extérieur. Nous distinguerons les trois grandes périodes
suivantes :

a) Une première période nous conduit depuis les origines jusqu'à la mort d'Averroës (595-1198). Sous certains de ses aspects, cette période est celle qui a été la
moins mal connue jusqu'ici. On précisera, en arrivant
à son terme, pourquoi s'est imposé le choix de cette délimitation. Avec Averroës quelque chose s'est terminé en
Islam occidental. A la même époque, avec Sohrawardî
et Ibn 'Arabî, commence quelque chose qui en Orient
allait se perpétuer jusqu'à nos jours.

Déjà pour cette période, il nous a fallu mettre ici en
lumière plusieurs aspects qui ne sont apparus qu'au
cours des vingt dernières années de recherches. Mais
les limites qui nous étaient imposées, et le minimum
au-dessous duquel ne pouvait cependant descendre un
exposé philosophique cohérent, ont fait que nous n'avons
pu dépasser ici le terme de cette première période, constituant la première partie de la présente étude.

b) Une seconde période s'étend sur les trois siècles qui
précédèrent la Renaissance safavide en Iran. Elle est
principalement marquée par ce qu'il convient d'appeler
la « métaphysique du soufisme » : la croissance de l'école
d'Ibn 'Arabî et de l'école issue de Najm Kobrâ, la rejonction du soufisme d'une part avec le shî'isme duodécimain, d'autre part avec l'Ismaélisme réformé, postérieurement à la ruine d'Alamût par les Mongols (1256).

c) Troisième période. Alors que l'on considère que
partout ailleurs en Islam, depuis Averroës, la recherche
philosophique est réduite au silence (ce qui motiva le

jugement sommaire dénoncé plus haut), voici qu'au XVIᵉ siècle, avec la Renaissance safavide, s'affirme en Iran un prodigieux essor de pensée et de penseurs, dont les effets se perpétueront, à travers la période qâjare, jusqu'à nos jours. Il y aura lieu d'analyser les raisons pour lesquelles le phénomène se produit précisément en Iran et en milieu shî'ite. A leur lumière, comme à celle d'autres écoles plus récemment écloses ailleurs en Islam, il y aura lieu de s'interroger sur le prochain avenir.

Inévitablement la première partie de l'étude que l'on peut lire ici réfère déjà à plusieurs des penseurs de la seconde et de la troisième période. Aussi bien, comment préciser, par exemple, ce qui fait l'essence de la pensée shî'ite, telle que l'expose l'enseignement des Imâms du shî'isme pendant les trois premiers siècles de l'hégire, sans tenir compte des philosophes qui plus tard ont commenté cet enseignement? L'étude détaillée de ces penseurs de la seconde et de la troisième période viendra dans la seconde et la troisième partie de cette étude.

Deux chers amis, l'un Iranien shî'ite, l'autre Arabe sunnite de Syrie, nous ont aidé à mener à bien cette première partie, en nous fournissant pour plusieurs paragraphes de nos huit chapitres un précieux matériel qui a été mis ici en commun. Ce sont M. Seyyed Hosseïn NASR, professeur à la Faculté des Lettres de l'Université de Téhéran, et M. Osman YAHYA, chargé de recherches au C. N. R. S. Il y a entre nous trois une profonde communauté de vue sur ce qui fait l'essence de l'Islam spirituel; les pages qui suivent, pensent en être le reflet.

Téhéran   Henry Corbin.
novembre 1962

Directeur d'études à l'École
des Hautes-Études (Sorbonne)
Directeur du Dépᵗ d'Iranologie
de l'Institut franco-iranien (Téhéran)

NB. TRANSCRIPTIONS. Les nécessités typographiques nous ont contraint de renoncer aux caractères munis de signes diacritiques pour transcrire certaines consonnes de l'écriture arabe ou persane. Le *'ayn* et le *hamza* sont représentés indifféremment par la simple apostrophe. Nous nous en excusons auprès des philosophes orientalistes, que ces simplifications inéluctables ne gêneront d'ailleurs pas outre mesure. Pour le lecteur non orientaliste observons ceci : le *h* représente toujours une aspiration qu'il est nécessaire de marquer. Le *ch* représente le français *tch*. Le *j* doit se prononcer *dj*. Le *kh* équivaut au *ch* allemand aspiré ou à la *jota* espagnole. Le *s* est toujours dur (= *ss*). L'accent circonflexe sur les voyelles représente la *scriptio plena* ; le *û* a toujours le son *ou* en français ; le *e* a le son du é français.

Lorsqu'un nom propre n'est pas précédé de l'article arabe *al*, c'est que l'on suit l'usage persan (il n'y a pas d'article en persan). Les noms en *a* (*at*) ont été transcrits conformément à la prononciation et à l'orthographe des mots arabes de ce type passés en persan, par exemple : *hikmat, nobowwat, walâyat*, etc, afin de ne pas avoir à changer de transcription selon que l'on réfère à un contexte arabe ou à un contexte persan.

Le mot *Imâm* se prononce *imâme*. On ne doit pas le confondre avec le mot *îmân* (la foi).

Nous avons conservé la transcription du mot *Qorân*. Toutes les références *qorâniques* sont données d'après le type d'édition qui a cours en Iran (numérotation des versets concordant avec l'édition Flügel). Les dates sont d'abord données en années de l'ère de l'Hégire, suivies de l'année correspondante dans l'ère chrétienne.

I. *Les sources*
de la méditation philosophique
en Islam

1. *L'exégèse spirituelle du Qorân.*

1. C'est une assertion assez courante en Occident, qu'il n'y a rien de mystique ni de philosophique dans le Qorân, et que philosophes et mystiques ne lui doivent rien. La question ne sera pas ici de discuter ce que les Occidentaux trouvent ou ne trouvent pas dans le Qorân, mais de savoir ce que les Musulmans y ont trouvé en fait.

La philosophie islamique se présente avant tout comme l'œuvre de penseurs appartenant à une communauté religieuse caractérisée par l'expression qorânique *Ahl al-Kitâb* : un peuple possédant un Livre saint, c'est-à-dire un peuple dont la religion est fondée sur un livre « descendu du Ciel », un Livre révélé à un prophète et qui lui a été enseigné par ce prophète. Les « peuples du Livre », ce sont en propre les Juifs, les Chrétiens, les Musulmans (les Zoroastriens, grâce à l'Avesta,

ont plus ou moins bénéficié du privilège ; ceux que l'on
a appelés les « Sabéens de Harran » ont été moins heu-
reux).

Toutes ces communautés ont en commun un problème, lequel leur est posé par le phénomène religieux
fondamental qui leur est commun : le phénomène du
Livre saint, règle de vie en ce monde et guide au-delà
de ce monde. La tâche première et dernière est de comprendre le *sens vrai* de ce Livre. Mais le mode de comprendre est conditionné par le mode d'être de celui qui
comprend ; réciproquement, tout le comportement
intérieur du croyant dérive de son mode de comprendre.
La situation vécue est essentiellement une *situation
herméneutique*, c'est-à-dire la situation où pour le croyant
éclôt le *sens vrai*, lequel du même coup rend son existence vraie. Cette vérité du sens, corrélative de la vérité
de l'être, vérité qui est réelle, réalité qui est vraie, c'est
tout cela qui s'exprime dans un des termes-clefs du
vocabulaire philosophique : le mot *haqîqat*.

Ce terme de *haqîqat* désigne, entre autres fonctions
multiples, le *sens vrai* des Révélations divines, c'est-
à-dire le sens qui, en étant la *vérité*, en est l'*essence*, et
par conséquent en est le *sens spirituel*. D'où l'on peut
dire que le phénomène du « Livre saint révélé » implique
une anthropologie propre, voire un type de culture spirituelle déterminée, et partant aussi postule, en même
temps qu'il stimule et oriente, un certain type de philosophie. Il y a quelque chose de commun dans les problèmes que la recherche du *sens vrai* en tant que *sens
spirituel* a posés respectivement, en Chrétienté et en
Islam, à l'herméneutique de la Bible et à l'herméneutique du Qorân. Mais il y a aussi de profondes différences. Analogies et différences seraient à analyser et à
exprimer en termes de structure.

Indiquer comme but l'atteinte du sens spirituel, cela
sous-entend qu'il y ait un sens qui n'est pas le sens

spirituel, et qu'entre celui-ci et celui qui ne l'est pas,
il y a peut-être toute une gradation, conduisant même
à une pluralité de sens spirituels. Tout dépend donc de
l'acte initial de la conscience qui projette la perspective,
avec les lois qui demeureront celles de cette perspective.
Cet acte par lequel la conscience se révèle à soi-même
cette perspective herméneutique, lui révèle simultanément le monde qu'elle a à organiser et à hiérarchiser.
De ce point de vue, le phénomène du Livre saint a sus-
cité des structures correspondantes en Chrétienté et en
Islam ; en revanche, dans la mesure où diffère le mode
d'approche du *sens vrai*, les situations et les difficultés
diffèrent de part et d'autre.

2. La première indication à relever, c'est l'absence,
en Islam, du phénomène Église. Pas plus qu'il n'y a,
en Islam, un clergé détenteur des « moyens de grâce »,
il n'y a de magistère dogmatique, ni autorité pontificale,
ni Concile définissant des dogmes. Dès le IIe siècle en
Chrétienté, avec la répression du mouvement monta-
niste, le magistère dogmatique de l'Église s'est substitué
à l'inspiration prophétique, et d'une manière générale
à la liberté d'une herméneutique spirituelle. D'autre
part, l'éclosion et l'essor de la conscience chrétienne
annoncent essentiellement l'éveil et la croissance de la
conscience historique. La pensée chrétienne est centrée
sur le fait advenu en l'an 1 de l'ère chrétienne ; l'Incarnation divine marque l'entrée de Dieu dans l'histoire.
En conséquence, ce que la conscience religieuse théma-
tisera avec une attention croissante, c'est le sens *historique*, identifié avec le sens littéral, le vrai sens des
Écritures.

On verra se développer, certes, la célèbre théorie des
quatre sens, laquelle a pour formule classique : *littera
(sensus historicus) gesta docet; quid credas, allegoria;
moralis, quid agas; quid speras, anagogia.* Cependant
il faut beaucoup de courage aujourd'hui pour infirmer

les conclusions déduites d'évidences archéologiques et
historiques, au nom d'une interprétation spirituelle.
La question, à peine indiquée ici, est complexe. Il y
aurait à se demander dans quelle mesure le phénomène
Église, du moins dans ses formes officielles, peut être
solidaire de la prédominance du sens littéral et historique. Et solidaire de cette prédominance, la décadence
conduisant à la confusion du symbole et de l'allégorie,
comme si la recherche du sens spirituel était de l'allé-
gorisme, alors qu'il s'agit de tout autre chose. L'allégorie est inoffensive ; le sens spirituel peut être révolutionnaire. Aussi est-ce dans les formations spirituelles
en marge des Églises que s'est perpétuée et renouvelée
l'herméneutique spirituelle. Il y a quelque chose de
commun dans la manière dont un Boehme ou un Swe-
denborg comprennent la Genèse, l'Exode ou l'Apoca-
lypse, et la manière dont les Shî'ites, ismaéliens et duodécimains, ou bien les théosophes soufis de l'école
d'Ibn 'Arabî comprennent le Qorân et le *corpus* des traditions qui l'explicitent. Ce quelque chose de commun,
c'est une perspective où s'étagent plusieurs plans
d'univers, une pluralité de mondes *symbolisant* les uns
avec les autres.

La conscience religieuse de l'Islam est centrée non
pas sur un fait de l'histoire, mais sur un fait de la *métahistoire* (ce qui veut dire non pas post-historique, mais
trans-historique). Ce fait primordial, antérieur au temps
de notre histoire empirique, c'est l'interrogation divine
posée aux Esprits des humains préexistant au monde
terrestre : « Ne suis-je pas votre Seigneur ? » (Qorân,
7/171). L'acclamation d'allégresse qui répondit à cette
question, conclut un pacte éternel de fidélité, et c'est
la fidélité à ce pacte que, de période en période, sont
venus rappeler aux hommes tous les prophètes ; leur
succession forme le « cycle de la prophétie ». De ce qu'ont
énoncé les prophètes, résulte la lettre des religions

positives : la Loi divine, la *sharî'at*. La question est alors celle-ci : y a-t-il à en rester à cette apparence littérale? (Les philosophes n'auraient alors plus rien à aire ici.) Ou bien s'agit-il de comprendre le *sens vrai*, le sens spirituel, la *haqîqat*?

Le célèbre philosophe Nâsir-e Khosraw (v[e]/xie s.), une des grandes figures de l'Ismaélisme iranien, énonce au mieux en quelques lignes ce dont il s'agit : « La religion positive (la *sharî'at*) est l'aspect exotérique de l'Idée (la *haqîqat*), et l'Idée est l'aspect ésotérique de la religion positive... La religion positive est le symbole (*mithâl*) ; l'Idée est le symbolisé (*mamthûl*). L'exotérique est en perpétuelle fluctuation avec les cycles et périodes du monde ; l'ésotérique est une Énergie divine qui n'est pas soumise au devenir. »

3. La *haqîqat* ne peut être, comme telle, définie à la manière des dogmes par un Magistère. Mais elle requiert des Guides, des Initiateurs qui y conduisent. Or, la prophétie est close ; il n'y aura plus de prophète. La question se pose alors : comment l'histoire religieuse de l'humanité continue-t-elle *après* le « Sceau des prophètes »? Question et réponse constituent essentiellement le phénomène religieux de l'Islam *shî'ite*, lequel est fondé sur la prophétologie s'amplifiant en une imâmologie. C'est pourquoi nous commencerons par insister dans la présente étude sur la « philosophie prophétique » du *shî'isme*. Elle a parmi ses prémisses la polarité de la *sharî'at* et de la *haqîqat* ; elle a pour mission la persistance et la sauvegarde du sens spirituel des Révélations divines, c'est-à-dire le sens caché, ésotérique. De cette sauvegarde dépend l'existence d'un Islam spirituel. Sinon, l'Islam succombera, avec ses variantes propres, au processus qui en Chrétienté laïcisa les systèmes théologiques en idéologies sociales et politiques, laïcisa le messianisme théologique, par exemple, en messianisme social.

Il est certain que la menace en Islam se présente dans des conditions différentes. Il a manqué jusqu'ici de philosophes pour les analyser en profondeur. On a presque totalement négligé le facteur shî'ite, alors que le sort de la philosophie en Islam, et corollairement la signification du soufisme, ne peuvent être méditées indépendamment de la signification du shî'isme. Du côté du shî'isme ismaélien, la Gnose islamique, avec ses grands thèmes et son lexique, était déjà constituée avant que fût né le philosophe Avicenne.

La pensée philosophique en Islam n'ayant pas eu à affronter les problèmes issus de ce que nous appelons la « conscience historique », se meut par un double mouvement : de progression depuis l'Origine (*mabda'*) et de retour à l'Origine (*ma'âd*), dans la dimension *verticale*. Les formes sont pensées dans l'espace plutôt que dans le temps. Nos penseurs ne voient pas le monde en « évolution » dans un sens rectiligne horizontal, mais en ascension ; le passé n'est pas derrière nous, mais « sous nos pieds ». C'est sur cet axe que s'échelonnent *les sens* des Révélations divines, sens qui correspondent à des hiérarchies spirituelles, à des niveaux d'univers s'ouvrant dès le seuil de la métahistoire. La pensée s'y meut librement, sans avoir à compter avec les interdits d'un magistère dogmatique. En revanche, ce qu'il lui faut affronter, c'est la *sharî'at*, dans le cas où celle-ci refuse la *haqîqat*. C'est le refus de ces perspectives ascendantes qui caractérise les littéralistes de la religion légalitaire, les docteurs de la Loi.

Mais ce ne sont pas les philosophes qui ont ouvert le drame. Celui-ci commence au lendemain même de la mort du Prophète. Tout l'enseignement des Imâms du shî'isme, venu jusqu'à nous en un *corpus* massif, nous permet d'en suivre les traces, et de comprendre comment et pourquoi ce fut en milieu shî'ite, au XVIe siècle, dans l'Iran safavide, que la philosophie devait connaître une magnifique renaissance.

Aussi bien, tout au long des siècles, les idées directrices de la prophétologie shî'ite ne cessent-elles d'être présentes. Bien des thèmes en procèdent : l'affirmation de l'identité de l'Ange de la Connaissance ('*Aql fa''âl*, l'Intelligence agente) et de l'Ange de la Révélation (*Rûh al-Qods*, l'Esprit-Saint, Ange Gabriel) ; le thème de la connaissance prophétique dans la gnoséologie de Fârâbî et d'Avicenne ; l'idée que la sagesse des Sages grecs provenait, elle aussi, de la « Niche aux lumières de la prophétie » ; l'idée même de cette *hikmat ilâhîya* qui est étymologiquement *theosophia*, non pas exactement philosophie ni théologie, au sens que nous donnons à ces mots. Précisément, la séparation de la théologie et de la philosophie, qui remonte en Occident à la Scolastique latine, est le premier indice de cette « laïcisation métaphysique » qui entraîne la dualité du croire et du savoir, à la limite l'idée de la « double vérité » professée, sinon par Averroës, du moins par un certain averroïsme ; mais cet averroïsme s'isole justement de la philosophie prophétique de l'Islam. C'est pourquoi il s'épuise en lui-même, et c'est pourquoi l'on a si longtemps considéré qu'il était le dernier mot de la philosophie islamique, alors qu'il n'en fut qu'une impasse, un épisode ignoré des penseurs de l'Islam oriental.

4. Limitons-nous ici à quelques textes où l'enseignement des Imâms du shî'isme nous permet de comprendre comment herméneutique qorânique et méditation philosophique étaient appelées à se « substantier » l'une l'autre. Il y a, par exemple, cette déclaration du VIᵉ Imâm, Ja'far Sâdiq (ob. 148/765) : « Le Livre de Dieu comprend quatre choses : il y a l'expression énoncée (*'ibârat*) ; il y a la portée allusive (*ishârat*) ; il y a les sens occultes, relatifs au monde supra-sensible (*latâ'if*) ; il y a les hautes doctrines spirituelles (*haqâ'iq*). L'expres-

sion littérale est pour le commun des fidèles (*'awâmm*).
La portée allusive concerne l'élite (*khawâss*). Les significations occultes appartiennent aux Amis de Dieu
(*Awliyâ*, cf. ci-dessous). Les hautes doctrines spirituelles
appartiennent aux prophètes (*anbiyâ*, plur. de *nabî*). »
Ou, selon une autre explication : l'énoncé littéral
s'adresse à l'audition ; l'allusion s'adresse à la compréhension spirituelle ; les significations occultes sont pour
la vision contemplative ; les hautes doctrines concernent la réalisation de l'Islam spirituel intégral.

Ces propos font écho à celui du Ier Imâm, 'Alî ibn
Abi-Tâlib (ob. 40/661) : « Il n'est point de verset
qorânique qui n'ait quatre sens : l'exotérique (*zâhir*),
l'ésotérique (*bâtin*), la limite (*hadd*), le projet divin
(*mottala'*). L'exotérique est pour la récitation orale ;
l'ésotérique est pour la compréhension intérieure ; la
limite, ce sont les énoncés statuant le licite et l'illicite ;
le projet divin, c'est ce que Dieu se propose de réaliser
dans l'homme par chaque verset. »

Ces quatre sens équivalent en nombre à ceux que
définissait la formule latine rappelée plus haut. Pourtant
l'on pressent déjà quelque chose d'autre : la différenciation des sens est en fonction d'une hiérarchie spirituelle entre les hommes, dont les degrés sont déterminés
par leurs capacités intérieures. L'Imâm Ja'far fait
encore allusion à sept modalités de la « descente »
(révélation) du Qorân, puis définit *neuf* modes de lecture et de compréhension possibles du texte qôranique.
Cet ésotérisme n'est donc nullement une construction
tardive, puisqu'il est essentiel déjà à l'enseignement
des Imâms, lequel en est même la source.

En accord avec le Ier Imâm, l'un des plus célèbres
compagnons du Prophète, 'Abdollah ibn 'Abbâs, s'écria
un jour au milieu d'un grand nombre d'hommes groupés
sur le mont 'Arafat (à 12 milles de La Mekke), et en
faisant allusion au verset qorânique 65/12 (relatif à

la création des Sept Cieux et des Sept Terres) : « O hommes! si je commentais devant vous ce verset, tel que je l'ai entendu commenter par le Prophète lui-même, vous me lapideriez. » Ce propos typifie parfaitement la situation de l'Islam ésotérique à l'égard de l'Islam légalitaire et littéraliste. C'est ce que fera mieux comprendre l'exposé de la prophétologie shî'ite donné plus loin.

Car c'est au Prophète lui-même que remonte le *hadîth*, la tradition, qui est pour ainsi dire la charte de tous les Esotéristes : « Le Qorân a une apparence extérieure et une profondeur cachée, un sens exotérique et un sens ésotérique ; à son tour ce sens ésotérique recèle un sens ésotérique (cette profondeur a une profondeur, à l'image des Sphères célestes emboîtées les unes dans les autres) ; ainsi de suite, jusqu'à sept sens ésotériques (sept profondeurs de profondeur cachée). Ce *hadîth* est fondamental pour le shî'isme, comme il le sera ensuite pour le soufisme ; chercher à l'expliciter, c'est mettre en cause toute la doctrine shî'ite. Le *ta'lîm*, la fonction initiatrice dont est investi l'Imâm, ne peut pas être comparé au magistère de l'autorité ecclésiastique dans le christianisme. L'Imâm, comme « homme de Dieu », est un inspiré ; le *ta'lîm* se rapporte essentiellement aux *haqâ'iq* (pluriel de *haqîqat*), c'est-à-dire à l'ésotérique (*bâtin*). Finalement c'est la parousie du Douzième Imâm (le Mahdî, l'Imâm caché, l'Imâm attendu) qui, à la fin de notre Aiôn, apportera la pleine révélation de l'ésotérique de toutes les Révélations divines.

5. L'idée de l'ésotérique qui est à l'origine même du shî'isme et en est constitutive, fructifie en dehors des milieux proprement shî'ites (on verra que plus d'un problème est ainsi posé). Elle fructifie chez les mystiques, les *soufis*, et elle fructifie chez les philosophes. L'intériorisation mystique tendra à revivre, dans l'articulation du texte qorânique, le mystère de son Enonciation

originelle. Mais ce n'est point là une innovation du soufisme. Il suffit de se référer au cas exemplaire de l'Imâm
Ja'far dont, certain jour, les disciples avaient respecté
le long silence extatique prolongeant la Prière canonique
(*salât*). « Je n'ai pas cessé de répéter ce verset, dit
l'Imâm, jusqu'à ce que je l'entendisse de celui-là même
(l'Ange) qui le prononça pour le Prophète. »

Il faut donc dire que le plus ancien commentaire
spirituel du Qorân est constitué par les enseignements
donnés par les Imâms du shî'isme, au cours de leurs
entretiens avec leurs disciples. Ce sont les principes de
leur herméneutique spirituelle qui ont été recueillis
par les soufis. Les textes du Ier et du VIe Imâm rapportés ci-dessus, sont insérés en bonne place dans la
préface du grand commentaire mystique où Rûzbehân
Baqlî de Shîrâz (ob. 606/1209) recueille, outre les témoignages de sa méditation personnelle, ceux de ses prédécesseurs (Jonayd, Solamî, etc.). Au vie/xiie siècle,
Rashîdoddîn Maybodî (ob. 520/1126) compose un monumental commentaire comprenant le *tafsîr* et le *ta'wîl*
mystique (en persan). Avec le commentaire (les *Ta'wîlât*)
composé par un insigne représentant de l'école d'Ibn
'Arabî, 'Abdorrazzâq Kâshânî, ce sont là trois des plus
célèbres commentaires *'irfânî*, c'est-à-dire explicitant
la *gnose mystique* du Qorân.

Au *hadîth* des « sept sens ésotériques » est consacré
tout un opuscule malheureusement anonyme (daté de
731/1331) montrant que ces sept sens correspondent
aux degrés selon lesquels se répartissent les Spirituels,
parce que chacun de ces niveaux de signification correspond à un mode d'être, à un état intérieur. C'est en
fonction de ces sept sens correspondant à sept degrés
spirituels, que Semmânî (ob. 736/1336) organise son
propre commentaire.

Il y a plus. Sans commenter la totalité du Qorân, de
nombreux philosophes et mystiques ont médité la

haqîqat d'une sourate, voire d'un verset privilégié
(le verset de la Lumière, le verset du Trône, etc.).
L'ensemble forme une littérature considérable. C'est
ainsi qu'Avicenne a écrit un *tafsîr* de plusieurs versets.
Citons, à titre d'exemple, le début de son commentaire
de la sourate 113 (l'avant-dernière du Qorân) : « Je
prends refuge auprès de Celui qui fait éclater l'aurore
(verset 1). C'est-à-dire : auprès de celui qui fait éclater
la ténèbre du non-être par la lumière de l'être, et qui
est le Principe primordial, l'Être nécessaire par soi-
même. Et cela (cet éclatement de lumière), comme
inhérent à sa bonté absolue, est en son ipséité même
par intention première. Le premier des Êtres qui émanent de lui (la première Intelligence) est son Émanation.
Le Mal n'existe pas en elle, hormis ce qui se trouve
occulté sous l'expansion de la lumière du Premier Être,
c'est-à-dire cette opacité qui est inhérente à la quiddité
qui procède de son essence. » Ces quelques lignes suffi-
raient à montrer comment et pourquoi l'exégèse spirituelle du Qorân doit figurer parmi les sources de la
méditation philosophique en Islam.

On ne peut citer ici que quelques autres exemples
typiques (l'inventaire des *Tafsîr* philosophiques et
mystiques reste à faire). Dans l'œuvre monumentale
de Mollâ Sadrâ de Shîrâz (ob. 1050/1640) figure
un *Tafsîr* de gnose shî'ite qui, tout en ne traitant que
de quelques sourates du Qorân, ne comprend pas
moins de sept cents pages in-folio. Son contemporain,
Sayyed Ahmad 'Alawî, élève comme lui de Mîr Dâmâd,
compose un *Tafsîr* philosophique en persan (encore
manuscrit). Abû'l-Hasan 'Amilî Ispahânî (ob. 1138/
1726) compose une somme de *ta'wîl* (*Mirât al-Anwar*,
le Miroir aux lumières) véritables prolégomènes à
toute herméneutique du Qorân selon la gnose shî'ite.
L'école shaykhie a également produit un bon nombre
de commentaires *'irfânî* de sourates et versets pris

isolément. Il faut également citer le grand commentaire composé de nos jours en Iran par le shaykh Mohammad Hosayn Tabâtabâ'î.

Au début du xixe siècle, un autre théosophe shî'ite, Ja'far Kashfî, se préoccupe de situer la fonction et la tâche de l'herméneutique spirituelle. Notre auteur expose que l'herméneutique générale comprend trois degrés : le *tafsîr*, le *ta'wîl*, le *tafhîm*. Le *tafsîr*, au sens strict du mot, est l'exégèse littérale de la lettre ; il a pour pivot les sciences islamiques canoniques. Le *ta'wîl* (étymologiquement « reconduire », « ramener » une chose à son origine, à son *asl* ou archétype) est une science qui a pour pivot une direction spirituelle et une inspiration divine. C'est encore le degré des philosophes moyennement avancés. Enfin le *tafhîm* (littéralement « faire comprendre », l'herméneutique supérieure) est une science qui a pour pivot un acte de *Comprendre* par Dieu, et une inspiration (*ilhâm*) dont Dieu est à la fois le sujet, l'objet et la fin, ou la source, l'organe et le but. C'est le suprême degré de la philosophie. Car notre auteur (et l'intérêt est là) hiérarchise les écoles de philosophie en fonction de ces degrés du Comprendre, tels que les situe l'herméneutique spirituelle du Qorân. La science du *tafsîr* ne comporte pas de philosophie ; par rapport à la *haqîqat*, elle correspond à la philosophie des Péripatéticiens. La science du *ta'wîl*, c'est la philosophie des Stoïciens (*hikmat al-Rawâq*), parce que c'est une science de derrière le Voile (*hijâb, rawâq,* τοά ; toute une recherche reste à faire concernant l'idée que l'on se fait en Islam de la philosophie stoïcienne). La science du *tafhîm*, ou herméneutique transcendante, c'est la « science orientale » (*hikmat al-Ishrâq* ou *hikmat mashriqîya*), c'est-à-dire celle de Sohrawardî et de Mollâ Sadrâ Shîrâzî.

6. Déjà l'opuscule anonyme cité ci-dessus (§ 5)

nous aide à pénétrer la mise en œuvre de cette herméneutique, dont les règles furent formulées, dès l'origine, par les Imâms du shî'isme. Il se pose ces questions : que représente le texte révélé dans une langue déterminée et à un moment déterminé, par rapport à la vérité éternelle qu'il énonce ? Et comment se représenter le processus de cette Révélation ?

Le contexte dans lequel le théosophe mystique (le philosophe *'irfânî*) se pose ces questions permet de pressentir comment peut lui apparaître la controverse tumultueuse, soulevée par la doctrine des Mo'tazilites, qui agita la communauté islamique au IIIe/IXe siècle : le Qorân est-il créé ou incréé ? Pour les théologiens mo'tazilites, le Qorân est créé (cf. *infra* III 2, B). En 833 A. D. le Khalife Ma'mûn imposa cette doctrine ; il s'ensuivit une période de vexations pénibles qu'auront à subir les « orthodoxes », jusqu'à ce que, une quinzaine d'années plus tard, le khalife Motawakkil renversât la situation au profit de ces derniers. Pour le théosophe mystique, il s'agit d'un faux problème ou d'un problème mal posé ; les deux termes de l'alternative — créé ou incréé — ne visent pas le même plan de réalité, tout dépend de l'aptitude à concevoir le vrai rapport entre l'un et l'autre : Parole de Dieu et parole humaine. Malheureusement, ni le pouvoir officiel en prenant partie dans un sens ou dans l'autre, ni les théologiens dialectiques engagés dans l'affaire, ne disposaient de l'armature philosophique suffisante pour surmonter le problème. Tout l'effort du grand théologien Abû'l-Hasan al-Ash'arî s'achève sur un recours à la foi « sans demander comment ».

Si peu à l'aise soit-il avec les théologiens du *Kalâm* (cf. encore ci-dessous chap. III) le philosophe *'irfânî* ne l'est pas davantage avec le philosophe ou le critique occidental. Lorsque celui-ci veut le convaincre de renoncer à l'*herméneutique* spirituelle au profit de la *critique* historique, il veut en fait l'attirer sur un terrain qui n'est pas le sien, lui imposer une perspective qui résulte, certes, des prémisses d'une philosophie occidentale moderne, mais qui sont étrangères à la sienne. Prenons deux préoccupations typiques. L'une, par exemple, cherchant à comprendre le Prophète par son milieu, son éducation, la forme de son génie. L'autre, celle de la philosophie succombant à son histoire : comment la vérité est-elle historique, et comment l'histoire est-elle vérité ?

A la première préoccupation le philosophe '*irfânî* oppose essentiellement la gnoséologie de sa prophétologie, pour rendre compte du passage du Verbe divin à son articulation humaine. L'herméneutique '*irfânî* cherche à comprendre le cas des prophètes, celui du Prophète de l'Islam en particulier, en méditant la modalité du lien du prophète non pas avec « son temps », mais avec la Source éternelle d'où émane son message, la Révélation dont il énonce le texte. A la seconde préoccupation, le dilemme où s'enferme l'historicisme, le philosophe '*irfânî* oppose cette considération que l'essence éternelle, la *haqîqat* du Qorân, c'est le Logos ou Verbe divin (*Kalâm al-Haqq*) qui permane avec et par l'Ipséité divine et qui en est indissociable, sans commencement ni fin dans l'éternité.

Sans doute, objectera-t-on que dans ce cas il n'y a plus que des événements éternels. Mais que devient alors la notion d'événement ? Comment entendre sans absurdité les gestes et propos rapportés d'Abraham et de Moïse, par exemple, avant qu'Abraham et Moïse aient participé à l'existence ? Notre même auteur répond que ce genre d'objection repose sur un mode de représentation totalement illusoire. De même Semnânî, son contemporain, distingue techniquement (en se fondant sur le verset qorânique 41/53) entre le *zamân âfâqî*, le temps du monde objectif, temps quanti-

tatif, homogène et continu de l'histoire extérieure,
et le *zamân anfosî*, temps intérieur de l'âme, temps
qualitatif pur. L'*avant* et l'*après* n'ont plus du tout
la même signification, selon qu'on les réfère à l'un ou
l'autre de ces temps ; il y a des événements qui sont
parfaitement *réels*, sans avoir la réalité des événements
de l'histoire empirique. De même encore, Sayyed Ahmad
'Alawî (xɪᵉ/xvɪɪᵉ siècle) déjà nommé (§ 5), faisant face
au même problème, en arrive à la perception d'une structure éternelle, où à l'ordre de succession des formes
se substitue l'ordre de leur simultanéité. Le temps devient
espace. Nos penseurs perçoivent de préférence les
formes dans l'espace plutôt que dans le temps.

7. Les considérations qui précèdent mettent en
lumière la technique du *Comprendre* que postule l'exégèse du *sens spirituel*, celle que connote par excellence
le terme de *ta'wîl*. Les Shî'ites en général, plus particulièrement encore les Ismaéliens, devaient être naturellement, dès l'origine, les grands maîtres en *ta'wîl*.
Plus on accordera que la démarche du *ta'wîl* est insolite
pour nos habitudes de pensée courantes, plus elle
exige notre attention. Elle n'a rien d'artificiel, si on
la considère dans le schéma du monde qui est le sien.

Le mot *ta'wîl* forme avec le mot *tanzîl* un couple
de termes et de notions complémentaires et contras-
tantes. *Tanzîl* désigne en propre la religion positive,
la lettre de la Révélation dictée par l'Ange au Prophète. C'est *faire descendre* cette Révélation depuis le
monde supérieur. *Ta'wîl*, c'est inversement *faire
revenir*, reconduire à l'origine, par conséquent revenir
au sens vrai et originel d'un écrit. « C'est *faire parvenir*
une chose à son origine. Celui qui pratique le *ta'wîl*
est donc quelqu'un qui *détourne* l'énoncé de son apparence extérieure (exotérique, *zâhir*) et le fait *retourner*
à sa vérité, sa *haqîqat* » (cf. *Kalâm-e Pîr*). Tel est le
ta'wîl comme exégèse spirituelle intérieure, ou comme

exégèse symbolique, ésotérique etc. Sous l'idée de l'exégèse se fait jour celle du Guide (l'*exégète*, l'Imâm pour le shî'isme), et sous l'idée de l'*exegesis* transparaît celle d'un *exode*, d'une « sortie d'Égypte », qui est un exode hors de la métaphore et de la servitude de la lettre, hors de l'*exil* et de l'*Occident* de l'apparence exotérique vers l'*Orient* de l'idée originelle et cachée.

Pour la gnose ismaélienne, l'accomplissement du *ta'wîl* est inséparable d'une nouvelle naissance spirituelle (*wilâdat rûhânîya*). L'exégèse des textes ne va pas sans l'*exegesis* de l'âme. Elle en désigne encore la mise en pratique comme science de la Balance (*mîzân*). De ce point de vue, la méthode alchimique de Jâbir ibn Hayyân n'est qu'un cas d'application du *ta'wîl* : occulter l'apparent, manifester l'occulté (ch. chap. IV, § 2). D'autres couples de termes forment les mots-clefs du lexique. *Majâz* est la figure, la métaphore, tandis que *haqîqat* est la vérité qui est réelle, la réalité qui est vraie. Ce n'est donc pas le sens spirituel à dégager qui est métaphore ; c'est la *lettre* elle-même qui est la métaphore de l'Idée. *Zâhir* est l'exotérique (τὰ ἔξω), l'apparent, l'évidence littérale, la Loi, le texte matériel du Qôrân. *Bâtin* est le caché, l'ésotérique (τὰ ἔσω). Le texte de Nâsir-e Khosraw cité ci-dessus, formule excellemment cette polarité.

Bref, dans les trois couples de termes suivants (qu'il vaut mieux se rappeler en arabe, parce qu'ils comportent toujours plusieurs équivalents en français), *sharî'at* est avec *haqîqat*, *zâhir* avec *bâtin*, *tanzîl* avec *ta'wîl*, dans le rapport du symbole avec le symbolisé. Cette rigoureuse correspondance doit nous garantir contre la malheureuse confusion du symbole et de l'allégorie, que l'on dénonçait déjà ici au début. L'allégorie est une figuration plus ou moins artificielle de généralités et d'abstractions qui sont parfaitement connaissables et exprimables par d'autres voies. Le symbole est l'unique expression possible du symbolisé, c'est-à-dire du signifié *avec lequel* il symbolise. Il n'est jamais déchiffré une fois pour toutes. La perception symbolique opère une transmutation des données immédiates (sensibles, littérales) ; elle les rend transparentes. Faute de la transparence ainsi réalisée, il est impossible de passer d'un plan à un autre. Réciproquement, sans une pluralité d'univers s'échelonnant en perspective ascendante, l'exégèse symbolique périt, faute de fonction et de sens. On y a fait allusion plus haut. Cette exégèse présuppose donc une théosophie où les mondes symbolisent les uns avec les autres : les univers suprasensibles et spirituels, le macrocosme ou *Homo maximus* (*Insân kabîr*), le microcosme. Ce n'est pas seulement la théosophie ismaélienne mais Mollâ Sadrâ et son école qui ont admirablement développé cette philosophie des « formes symboliques ».

Il faut encore ajouter ceci. La démarche de pensée qu'accomplit le *ta'wîl*, le mode de perception qu'il présuppose, correspondent à un type général de philosophie et de culture spirituelle. Le *ta'wîl* met en œuvre la conscience imaginative, dont nous verrons les philosophes *Ishrâqîyûn*, Mollâ Sadrâ notamment, démontrer avec force la fonction privilégiée et la valeur noétique. Ce n'est pas seulement le Qorân, comme ailleurs la Bible, qui nous met devant ce fait irréductible : que pour tant et tant de lecteurs méditant le Qorân ou la Bible, le texte comporte d'autres sens que ce qui est écrit en apparence. Il n'y a pas là une construction artificielle de l'esprit, mais une aperception initiale, aussi irréductible que celle d'un son ou d'une couleur. Dans le même cas se trouve une très grande partie de la littérature persane, épopées mystiques et poésies lyriques, à commencer par les récits symboliques de Sohrawardî, qui lui-même amplifiait l'exemple donné par Avicenne. Le « Jasmin des Fidèles d'amour »

de Rûzbehân de Shîrâz atteste d'un bout à l'autre
la perception du sens prophétique de la beauté des
êtres, en opérant spontanément un *ta'wîl* fondamental
et continu des formes sensibles. Quiconque a compris
Rûzbehân, et compris que le symbole n'est pas l'allégorie, ne s'étonnera plus si tant de lecteurs iraniens
entendent, par exemple, dans les poèmes de son grand
compatriote, Hâfez de Shîrâz, un sens mystique.

Si brèves soient-elles, ces considérations, en situant
le niveau auquel le texte qorânique est compris,
peuvent faire pressentir ce que le Qorân apporte à la
méditation philosophique en Islam. Si enfin les versets
qorâniques peuvent aussi bien intervenir dans une
démonstration philosophique, c'est parce que la gnoséologie rentre elle-même dans la prophétologie (cf. *infra*
chap. II), et parce que cette « laïcisation métaphysique »
qui, en Occident, a ses racines jusque dans la Scolastique latine, ne s'est pas produite en Islam.

Maintenant, si la qualité « prophétique » de cette
philosophie est alimentée par cette source, son armature
hérite de tout un passé auquel elle donnera une vie
nouvelle et un développement original, et dont les
œuvres essentielles lui furent transmises par le travail
de plusieurs générations de traducteurs.

2. *Les traductions.*

Il s'agit ici d'un phénomène culturel d'une importance capitale. On peut le définir comme ayant été
l'assimilation par l'Islam, nouveau foyer de vie spirituelle de l'humanité, de tout l'apport des cultures qui
l'avaient précédé à l'est et à l'ouest. Un circuit grandiose se dessine : l'Islam reçoit l'héritage grec (comprenant aussi bien les œuvres authentiques que les
pseudépigraphes), et cet héritage il le transmettra à

l'Occident au xiie siècle, grâce au travail de l'école des traducteurs de Tolède. L'ampleur et les conséquences de ces traductions du grec en syriaque, du syriaque en arabe, de l'arabe en latin sont à comparer avec celles des traductions du canon bouddhique mahayaniste du sanskrit en chinois, ou avec celles des traductions du sanskrit en persan aux xvie et xviie siècles, sous l'impulsion de la réforme généreuse de Shâh Akbar.

Il y a lieu de distinguer deux foyers de travail. 1) Il y a d'une part l'œuvre propre des Syriens, c'est-à-dire le travail s'accomplissant parmi les populations araméennes de l'ouest et du sud de l'Empire iranien sassanide. Le travail porte principalement sur la philosophie et la médecine. Mais en outre les positions assumées par les Nestoriens aussi bien en christologie qu'en exégèse (l'influence d'Origène sur l'école d'Edesse) ne peuvent être ignorées, par exemple, dans un exposé des problèmes de l'imâmologie shî'ite. 2) Il y a ce que l'on peut appeler la tradition gréco-orientale, au nord et à l'est de l'Empire sassanide, et dont les travaux portent principalement sur l'alchimie, l'astronomie, la philosophie et les sciences de la Nature, y compris les « sciences secrètes » faisant corps avec cette *Weltanschauung*.

1. Pour comprendre le rôle qu'ont assumé les Syriens comme initiateurs des philosophes musulmans à la philosophie grecque, il faut avoir au moins brièvement présentes à l'esprit, l'histoire et les vicissitudes de la culture de langue syriaque.

La célèbre « école des Perses » à Edesse fut fondée au moment où l'empereur Jovien cédait aux Perses la ville de Nisibe (où avec le nom de Probus apparaît celui du premier traducteur d'œuvres philosophiques grecques en syriaque). En 489, l'empereur byzantin Zénon ferme l'école à cause de ses tendances nestoriennes. Maîtres et élèves restés fidèles au nestoria-

nisme prirent refuge à Nisibe où ils fondèrent une
nouvelle école, qui fut principalement un centre de
philosophie et de théologie. En outre, dans le sud de
l'empire iranien, le souverain sassanide Khosraw
Anûsh-Ravân (521-579) fonda à Gondé-Shâhpour une
école dont les maîtres furent en grande partie des Syriens
(c'est de Gondé-Shâhpour que, plus tard, le khalife
Mansûr fit venir le médecin Georges Bakht-Yeshû).
Si l'on tient compte qu'en 529 Justinien ferma l'école
d'Athènes, et que sept des derniers philosophes néoplatoniciens prirent refuge en Iran, on a déjà un certain
nombre des composantes de la situation philosophique et
théologique du monde oriental à la veille de l'Hégire (622).

Le grand nom qui domine cette période est celui de
Sergius de Rash 'Ayna (ob. à Constantinople en 536),
dont l'activité fut intense. Outre un certain nombre
d'œuvres personnelles, ce prêtre nestorien traduisit
en syriaque une bonne partie des œuvres de Galien
et des œuvres logiques d'Aristote. D'autre part, chez
les écrivains syriaques monophysites (jacobites) de
cette époque, il faut retenir les noms de Bûd (traducteur
en syriaque de « Kalilah et Dimnah ») et Ahûdemmeh
(ob. 575), puis les noms de Sévère Sebokht (ob. 667),
Jacques d'Edesse (*circa* 633-708), Georges, « évêque
des Arabes » (ob. 724). Ce qui retenait principalement
l'intérêt des écrivains et traducteurs syriaques, c'était,
outre la Logique (Paul le Perse dédia un traité de
Logique au souverain sassanide Khosraw Anûsh-
Ravân), les recueils d'aphorismes disposés à la manière
d'une histoire de la philosophie. Dans leur préoccupation de la doctrine platonicienne de l'âme, les
Sages grecs, Platon notamment, se confondaient
pour eux avec les figures de moines orientaux. Ce ne
fut sans doute pas sans influence sur l'idée que l'on
se faisait en Islam des « prophètes grecs » (cf. déjà
ci-dessus, I, 1 § 3), à savoir que les Sages grecs tenaient,

eux aussi, leur inspiration de la « Niche aux lumières
de la prophétie ».

A la lumière de ces traductions gréco-syriaques,
la grande entreprise de traductions formée dès le
début du iiie siècle de l'Hégire, apparaît moins comme
une innovation, que comme la continuation plus ample
et plus méthodique d'un travail poursuivi antérieurement sous les mêmes préoccupations. Aussi bien, dès
avant l'Islam, la péninsule arabe comptait-elle un
grand nombre de médecins nestoriens, presque tous
sortis de Gondé-Shâhpour.

Baghdâd avait été fondée en 148/765. En 217/832,
le khalife al-Mamûn fonda la « Maison de la sagesse »
(*Bayt al-hikma*) dont il confia la direction à Yahyâ
ibn Mâsûyeh (ob. 243/857), lequel eut pour successeur
son élève, le célèbre et prolifique Honayn ibn Ishaq
(194/809-260/873), né à Héra, d'une famille appartenant à la tribu arabe chrétienne des 'Ibâd. Honayn
est sans doute le plus célèbre traducteur d'ouvrages
grecs en syriaque et en arabe ; il convient de mentionner à côté du sien le nom de son fils, Ishaq ibn
Honayn (ob. 910), et celui de son neveu, Hobaysh
ibn al-Hasan. Il y eut une véritable officine de traductions, avec une équipe traduisant ou adaptant le plus
souvent du syriaque en arabe, beaucoup plus rarement
du grec directement en arabe. Toute la terminologie
technique de la théologie et de la philosophie en arabe
s'élabora ainsi, au cours du iiie/ixe siècle. Il ne faut
pas oublier cependant que mots et concepts vivront
ensuite de leur vie propre en arabe. Se cramponner au
dictionnaire grec pour traduire le lexique des penseurs
plus tardifs, qui eux ne savaient pas le grec, peut conduire à des méprises.

D'autres noms de traducteurs à mentionner : Yahyâ
ibn Batrîq (début du ixe siècle) ; 'Abdol-Masîh b.'
'Abdillah b. Nâ'ima al-Himsî (c'est-à-dire d'Emèse,

première moitié du ixe siècle), collaborateur du philosophe al-Kindî (ci-dessous V, 1), et traducteur de la
Sophistique et de la *Physique* d'Aristote, ainsi que de
la célèbre « *Théologie* » dite d'Aristote ; le grand nom
de Qosta ibn Lûqâ (né vers 820, mort très âgé vers
912), originaire de Ba'albek, l'Héliopolis grecque en
Syrie, de descendance grecque et chrétienne melkite.
Philosophe et médecin, physicien et mathématicien,
Qosta traduisit, entre autres, les commentaires
d'Alexandre d'Aphrodise et de Jean Philopon sur la *Physique* d'Aristote, partiellement les commentaires sur le
traité *De generatione et corruptione*, le traité *De placitis
philosophorum* du Pseudo-Plutarque. Parmi ses ouvrages
personnels, son traité sur la « Différence entre l'âme
et l'esprit » est particulièrement connu, ainsi que
quelques traités sur les sciences occultes, où ses explications ressemblent curieusement à celles des psycho-
thérapeutes de nos jours.

Mentionnons encore, au xe siècle, Abû Bishr Matta
al-Qannay (ob. 940), le philosophe chrétien Yahyâ
ibn 'Adî (ob. 974), son élève Abû Khayr ibn al-Khammâr
(né en 942). Mais il faut encore mentionner tout spécialement l'importance de l'école des « Sabéens de
Harran », établis dans le voisinage d'Edesse. Le Pseudo-
Majrîtî abonde en indications précieuses sur leur
religion astrale. Ils faisaient remonter leur ascendance
spirituelle (comme plus tard Sohrawardî) à Hermès
et à Agathodaimôn. Leurs doctrines se présentent
comme associant l'ancienne religion astrale chaldéenne,
les études mathématiques et astronomiques, la spiritualité néopythagoricienne et néoplatonicienne. Ils
comptèrent des traducteurs très actifs, du viiie au xe
siècle. Le nom le plus célèbre est celui de Thâbit ibn
Qorra (826-904), grand dévôt de la religion astrale,
excellent auteur et traducteur d'ouvrages de mathématiques et d'astronomie.

Il nous est impossible d'entrer ici dans le détail de ces traductions : celles qui ne sont plus que des titres (mentionnés, par exemple, dans la grande bibliographie d'Ibn al-Nadîm, au xe siècle), celles qui sont encore en manuscrits, celles qui ont été éditées. D'une manière générale, le travail des traducteurs a concerné l'ensemble du *corpus* des œuvres d'Aristote, y compris certains commentaires, d'Alexandre d'Aphrodise et de Themistius (l'opposition des deux commentateurs est bien connue des philosophes en Islam. Mollâ Sadrâ y insiste. Le livre *lambda* de la Métaphysique eut également toute son importance pour la théorie de la pluralité des Moteurs célestes). Dire ce qui a été réellement connu du Platon authentique ne peut être discuté ici, mais on mentionnera dès maintenant que le philosophe al-Fârâbî (*infra* V, 2) a donné un remarquable exposé de la philosophie de Platon, caractérisant successivement chacun des dialogues (cf. bibliographie). Il applique une méthode analogue à l'exposé de la philosophie d'Aristote.

Ce qu'il faut souligner, c'est l'influence considérable qu'ont exercée certains ouvrages pseudépigraphes. Il y a, en premier lieu, la célèbre « Théologie » dite d'Aristote qui est, on le sait, une paraphrase des trois dernières Ennéades de Plotin, fondée peut-être sur une version syriaque qui remonterait au vi^e siècle, époque où le néoplatonisme florissait chez les Nestoriens comme à la cour des Sassanides (à cette même époque appartiendrait le *corpus* des écrits attribués à Denis l'Aréopagite). Cet ouvrage, qui est à la base du néoplatonisme en Islam, explique, chez tant de philosophes, la volonté de montrer l'accord entre Aristote et Platon. Pourtant, plusieurs ont exprimé des doutes sur son attribution, à commencer par Avicenne (*infra* V, 4), dans ses « Notes » qui ont subsisté, lesquelles donnent également des indications précises sur ce qu'aurait été sa « philo-

sophie orientale » (éditées par A. Badawî, avec quelques
commentaires et traités d'Alexandre d'Aphrodise et
de Themistius, Le Caire, 1947). Dans le célèbre passage
de l'*Ennéade* IV, 8, 1 (« Souvent, m'éveillant à moi-
même... ») les philosophes mystiques ont retrouvé aussi
bien le type de l'assomption céleste (*mi'râj*) du Prophète, reproduite à son tour par l'expérience des soufis,
que le type de la vision qui vient couronner l'effort
du Sage divin, l'Étranger, le Solitaire. Cette « confession
extatique » des *Ennéades*, Sohrawardî la rapporte à
Platon lui-même. L'influence en est sensible chez Mîr
Damâd (ob. 1041/1631). Qâzî Sa'îd Qommî (xviie siècle),
en Iran, consacre encore un commentaire à la « Théologie d'Aristote » (cf. 3e partie).

Le *Liber de Pomo*, où Aristote mourant assume devant
ses disciples l'enseignement de Socrate dans le Phédon,
eut également une grande fortune (cf. la version persane
de Afzaloddîn Kâshânî, élève de Nasîroddîn Tûsî au
xiiie siècle ; cf. 2e partie). Enfin il faut encore mentionner un livre attribué également à Aristote, le « Livre
sur le Bien pur » (traduit en latin au xiie siècle, par
Gérard de Crémone, sous le titre de *Liber de causis* ou
Liber Aristotelis de expositione bonitatis purae). C'est
en fait un extrait de l'*Elementatio theologica* du néoplatonicien Proclus (édité également par A. Badawî,
avec d'autres textes : *De æternitate mundi*, *Quæstiones
naturales*, *Liber Quartorum* (Livre des tétralogies),
ouvrage alchimique attribué à Platon, Le Caire, 1955).

Impossible de mentionner ici les pseudo-Platon,
pseudo-Plutarque, pseudo-Ptolémée, pseudo-Pythagore,
qui furent les sources d'une vaste littérature concernant l'alchimie, l'astrologie, les propriétés naturelles.
Pour s'y orienter, il convient de se reporter aux travaux
de Julius Ruska et de Paul Kraus (cf. encore *infra*
chap. IV).

2. C'est à Julius Ruska précisément que revient le

mérite d'avoir dénoncé une conception unilatérale des choses, longtemps prévalente. Car si les Syriens furent les principaux médiateurs en philosophie et en médecine, ils ne furent pas les seuls médiateurs ; il n'y eut pas seulement un courant allant de la Mésopotamie vers la Perse. Il ne faut pas oublier l'influence que les savants perses (iraniens) eurent, déjà avant eux, à la cour des Abbassides, nommément pour l'astronomie et l'astrologie. De même l'existence de nombreux termes techniques iraniens (par exemple *nûshâder,* ammoniaque) montre que très probablement, c'est dans les centres de tradition gréco-orientale de l'Iran qu'il faut chercher les intermédiaires entre l'alchimie grecque et celle de Jâbir ibn Hayyân.

Nawbakht l'iranien et Mash'allah le juif assumèrent les premières responsabilités de l'école de Baghdâd avec Ibn Mâsûyeh. Abû Sahl ibn Nawbakht fut le directeur de la bibliothèque de Baghdâd sous Harûn al-Rashîd, et le traducteur d'œuvres astrologiques du pehlevi en arabe. Tout ce chapitre des traductions du pehlevi (ou moyen-iranien) en arabe est d'une très grande importance (les œuvres astrologiques du babylonien Teukros et du romain Vettius Valens avaient été traduites en pehlevi). L'un des plus célèbres traducteurs fut ici Ibn Moqaffa, Iranien passé du zoroastrisme à l'Islam. Sont à mentionner un grand nombre de savants originaires du Tabarestan, du Khorassan, bref de l'Iran nord-oriental et de ce que l'on appelle l'« Iran extérieur », en Asie centrale : 'Omar ibn Farrokhan Tabarî (ami du Barmakide Yahya) ; Fazl ibn Sahl de Sarakhsh (au sud de Merv) ; Mohammad ibn Mûsâ Khwârezmî, père de l'algèbre dite « arabe » (son traité d'algèbre date de 820 environ), mais aussi loin d'être un « arabe » que Khiva est loin de La Mekke (la Mecque) ; Khâlid Marwarrûdî ; Habash Mervazî (c'est-à-dire de Merv) ; Ahmad Ferganî (Alfraganus des Latins au Moyen Age) était de la Fergane (Haut-Yaxarte) ; Abû Mash'ar Balkhî (Albumasar des Latins), était de la Bactriane.

Avec Bactres et la Bactriane précisément, l'on évoque l'action des Barmakides (Barmécides) qui détermina la poussée de l'iranisme à la cour des Abbassides, et l'avènement de cette famille iranienne à la tête des affaires du khalifat (752-804). Le nom de leur ancêtre, le *Barmak*, désignait la dignité héréditaire du grand-prêtre dans le temple bouddhiste de Nawbahâr (sanskrit *nova vihâra*, « neuf-moutier »), à Balkh, dont la légende fit ensuite un Temple du Feu. Tout ce que Balkh, la « mère des cités » avait reçu, au cours des temps, de culture grecque, bouddhique, zoroastrienne, mani-chéenne, chrétienne nestorienne, y survivait (détruite, elle fut reconstruite en 726 par le Barmak). Bref, mathématiques et astronomie, astrologie et alchimie, médecine et minéralogie, et avec ces sciences toute une littérature pseudépigraphique, eurent leurs foyers dans les villes jalonnant la grande route de l'Orient, suivie jadis par Alexandre.

Comme on l'a indiqué ci-dessus, la présence de maints termes techniques iraniens oblige à en chercher les origines dans les territoires iraniens du nord-est, antérieurement à toute pénétration de l'Islam. De ces villes, depuis le milieu du VIIIe siècle, astronomes et astrologues, médecins et alchimistes, se mirent en marche vers le nouveau foyer de vie spirituelle créé par l'Islam. Et le phénomène s'explique. Toutes ces sciences (alchimie, astrologie) faisaient corps avec une *Weltanschauung* que l'orthodoxie chrétienne de la Grande Église ne pouvait chercher qu'à détruire. Les conditions étaient autres en Orient que dans l'Empire romain (d'Orient ou d'Occident). Plus on progressait vers l'Est, plus cette influence de la Grande Église s'affaiblissait (d'où, en revanche, l'accueil fait aux

Nestoriens). Ce qui s'est joué alors, c'est le sort de toute une culture, celle que Spengler désignait comme « culture magique », en y ajoutant malencontreusement la qualification d' « arabe », totalement inadéquate à ce qu'il s'agit d'englober. Malheureusement, comme le déplorait Ruska, l'horizon de notre philologie classique s'est arrêté à une frontière linguistique, sans discerner ce qu'il y avait en commun de part et d'autre.

Cette remarque précisément nous amène à discerner qu'une fois évoquées les traductions des philosophes grecs par les Syriens et constaté l'apport scientifique des Iraniens du nord-est, il manque encore quelque chose. Il faut ajouter ce qui est à désigner sous le nom de *Gnose*. Il y a quelque chose de commun entre gnose chrétienne de langue grecque, gnose juive, gnose islamique, celle du shî'isme et de l'ismaélisme. Plus encore, nous connaissons maintenant des traces précises de gnose chrétienne et de gnose manichéenne dans la gnose islamique. Il convient enfin de ne pas omettre la persistance de doctrines théosophiques de l'ancienne Perse zoroastrienne. Intégrées à la structure de la philosophie *ishrâqî* par le génie de Sohrawardî (*infra* chap. VII), elles n'en disparaîtront plus jusqu'à nos jours.

Tout cela nous permet d'envisager sous un jour nouveau la situation de la philosophie islamique. En fait, si l'Islam n'était que la pure religion légalitaire de la *sharî'at*, les philosophes n'y auraient pas leur place et y seraient en porte à faux. C'est ce qu'au cours des siècles, ils n'ont pas manqué d'éprouver, dans leurs difficultés avec les docteurs de la Loi. En revanche, si l'Islam intégral n'est pas la simple religion légalitaire et exotérique, mais le dévoilement, la pénétration et la mise en acte d'une réalité cachée, ésotérique (*bâtin*), alors la situation de la philosophie et du philosophe prend un tout autre sens. On l'a à peine envisagée jusqu'ici sous cet aspect. Pourtant, c'est bien à la version ismaélienne du shî'isme, gnose originelle de l'Islam par excellence, que l'on doit, dans une exégèse du célèbre « *hadîth* de la tombe », une définition adéquate du rôle de la philosophie dans cette situation : elle est la tombe où il faut que meure la théologie pour ressusciter en une *theosophia*, sagesse divine (*hikmat ilâhîya*), une gnose ('*irfân*).

Pour comprendre les conditions qui permirent à la gnose de se perpétuer en Islam, il faut en revenir à ce que l'on a indiqué dans le paragraphe précédent, concernant l'absence, en Islam, du phénomène Église, d'une institution telle que les Conciles. Ce que connaissent ici les « gnostiques », c'est la fidélité aux « hommes de Dieu », aux Imâms (les « Guides »). C'est pourquoi il est nécessaire que figure, d'abord ici, pour la première fois peut-être dans le schéma d'une histoire de la philosophie islamique, un exposé de cette « philosophie prophétique » qui est la forme très originale et la fructification spontanée de la conscience islamique.

Un tel exposé ne peut être morcelé. Nous donnerons donc ici une esquisse d'ensemble du shî'isme sous ses deux formes principales. Et parce que nous ne pouvons mieux demander qu'à des penseurs shî'ites (Haydar Amolî, Mîr Damâd, Mollâ Sadrâ, etc.) d'éclaircir les propos doctrinaux des saints Imâms, notre exposé doit incorporer des éléments qui vont du 1er siècle jusqu'au xie siècle de l'Hégire. Mais ce déploiement historique ne fait qu'approfondir le problème d'essence posé dès l'origine.

II. *Le shî'isme*
et la philosophie prophétique

Observations préliminaires

Les indications esquissées précédemment, concernant
le *ta'wîl* du Qorân comme source de méditation philosophique, suggéraient déjà qu'il serait incomplet de
réduire le schéma de la vie spéculative et de la vie
spirituelle en Islam, aux philosophes hellénisants
(*falâsifa*), aux théologiens du *Kalâm* sunnite, aux Soufis.
Il est remarquable que dans les exposés généraux
concernant la philosophie islamique, l'on n'ait pour
ainsi dire jamais pris en considération le rôle et l'importance décisive de la pensée shî'ite pour l'essor de
la pensée philosophique en Islam. Il y a même eu, du
côté des Orientalistes, certaines réticences ou préven-
tions confinant parfois à l'hostilité, en parfait accord
d'ailleurs avec l'ignorance professée en Islam sunnite
à l'égard des vrais problèmes du shî'isme. Il n'est plus
possible maintenant d'invoquer la difficulté d'accès
aux textes. Voici déjà une trentaine d'années que l'on
a commencé de publier quelques grands traités ismaéliens. De son côté l'édition iranienne a multiplié les
impressions des grands textes shî'ites duodécimains.
La situation appelle quelques observations préliminaires.

1. Faute d'aborder l'étude de la théologie et de la
philosophie du shî'isme par les grands textes qui
s'étendent depuis les traditions des Imâms jusqu'aux

commentaires qui en ont été donnés au cours des siècles, on s'est complu à des explications politiques et sociales, lesquelles ne s'attachent qu'à l'histoire extérieure, et aboutissent à dériver et à déduire causalement d'autre chose le phénomène *religieux* shî'ite, bref à le réduire à autre chose. Or, que l'on accumule toutes les circonstances extérieures que l'on voudra, leur somme ou leur produit ne donneront jamais le phénomène religieux initial (le *Urphaenomen*), aussi irréductible que la perception d'un son ou d'une couleur. La première et dernière explication du shî'isme demeure la conscience shî'ite elle-même, son sentiment et sa perception du monde. Les textes remontant aux Imâms eux-mêmes nous la montrent essentiellement constituée par le souci d'atteindre le *vrai sens* des Révélations divines, parce que de cette *vérité* dépend en fin de compte la vérité de l'existence humaine : le sens de ses origines et de ses destinées futures. Si la question de ce Comprendre s'est posée dès les origines de l'Islam, c'est cela même le fait spirituel shî'ite. Il s'agit donc de dégager les grands thèmes de méditation philosophique produits par la conscience religieuse shî'ite.

2. L'Islam est une religion prophétique ; on a rappelé, dans les pages précédentes, la caractéristique d'une « communauté du Livre » (*ahl al-Kitâb*), le phénomène du Livre saint. La pensée est essentiellement orientée tout d'abord sur le Dieu qui se révèle dans ce Livre par le message de l'Ange dicté au prophète qui le reçoit : l'unité et la transcendance de ce Dieu (*tawhîd*). Tous, philosophes et mystiques, se sont fixés sur ce thème jusqu'au vertige. En second lieu la pensée est orientée sur la personne qui reçoit et transmet ce message, en bref les conditions que cette réception présuppose. Toute méditation sur ces données propres conduit à une théologie et à une prophétologie, à une anthropologie et à une gnoséologie qui n'ont point leurs équi-

valents ailleurs. Il est certain que l'outillage conceptuel fourni par les traductions des philosophes grecs
en arabe (*supra* I, 2), a influé sur la tournure prise
par cette méditation. Mais il ne s'agit là que d'un
phénomène partiel. Les ressources de la langue arabe
développent des problèmes imprévus dans les textes
grecs. On n'oubliera pas que certaines grandes œuvres
ismaéliennes, celle d'Abû Ya'qûb Sejestânî, par exemple,
sont bien antérieures à Avicenne. Toute la dialectique
du *tawhîd* (la double négativité) aussi bien que les
problèmes concernant la prophétologie, y sont issus
de données propres, sans avoir eu de modèle grec.
Corollairement, on retiendra que la prophétologie et
la « théorie de la connaissance » prophétique couronnent
la gnoséologie des plus grands philosophes dits hellénisants, les *falâsifa*, tels qu'al-Fârâbî et Avicenne.

3. La pensée shî'ite a précisément alimenté, dès
l'origine, la philosophie de type prophétique correspondant à une religion prophétique. Une philosophie
prophétique postule une pensée qui ne se laisse enclore
ni par le passé historique, ni par la lettre qui en fixe
l'enseignement sous forme de dogmes, ni par l'horizon
que délimitent les ressources et les lois de la Logique
rationnelle. La pensée shî'ite est orientée par l'attente,
non pas de la révélation d'une nouvelle *sharî'at*, mais
de la Manifestation *plénière* de tous les sens cachés
ou sens spirituels des Révélations divines. L'attente
de cette Manifestation est typifiée dans l'attente de
la parousie de l' « Imâm caché » (l' « Imâm de ce temps »,
présentement caché, selon le shî'isme duodécimain). Au
cycle de la prophétie désormais close, a succédé un
nouveau cycle, le cycle de la *walâyat*, dont cette parousie
sera le dénouement. Une philosophie prophétique est
essentiellement eschatologique.

On pourrait repérer les lignes de force de la pensée
shî'ite sous les deux désignations suivantes : 1° le

bâtin ou l'ésotérique. 2º la *walâyat*, dont le sens apparaîtra ci-après.

4. Il faut tirer toutes les conséquences de l'option originelle décisive, déjà signalée (I, 1), devant le dilemme suivant : la religion islamique se limite-t-elle à son interprétation légaliste et judiciaire, à la religion de la loi, à l'exotérique (*zâhir*) ? Là où il a été répondu par l'affirmative, il n'y a plus guère lieu de parler de philosophie. Ou bien ce *zâhir*, cet exotérique, dont on prétend se suffire pour régler les comportements de la vie pratique, n'est-il pas l'enveloppe d'autre chose, le *bâtin*, l'intérieur, l'ésotérique ? Si oui, tout le sens du comportement pratique se trouve modifié, parce que la lettre de la religion positive, la *sharî'at*, n'a son sens que dans la *haqîqat*, la réalité spirituelle, laquelle est le sens ésotérique des Révélations divines. Or, ce sens ésotérique n'est pas quelque chose que l'on peut construire à l'aide de la Logique, à grands coups de syllogismes. Ce n'est pas non plus de la dialectique défensive comme celle du *Kalâm*, car on ne réfute pas les symboles. Le sens caché ne peut être transmis qu'à la façon d'une science qui est héritage spirituel (*'ilm irthî*). C'est cet héritage spirituel que représente l'énorme *corpus* contenant l'enseignement traditionnel des Imâms du shî'isme comme « héritiers » des prophètes (26 tomes en 14 vol. in-folio, dans l'édition de Majlisî). Lorsque les Shî'ites emploient, comme les Sunnites, le mot *sunna* (tradition), il est entendu que pour eux cette *sunna* englobe cet enseignement intégral des Imâms.

Chacun des Imâms a été tour à tour le « Mainteneur du Livre » (*Qayyim al-Qorân*), explicitant et transmettant à ses disciples le sens caché des Révélations. Cet enseignement est à la source de l'ésotérisme en Islam, et il est paradoxal que l'on ait pu traiter de cet ésotérisme en faisant abstraction du shî'isme. C'est un paradoxe qui a son pendant en Islam. En Islam sunnite, certes, mais peut-être la responsabilité première en incombe-t-elle, dans la minorité shî'ite, à ceux qui ont affecté d'ignorer ou de négliger l'enseignement ésotérique des Imâms, quitte à mutiler le shî'isme lui-même et à justifier les tentatives de ne le considérer que comme un cinquième rite à côté des quatre grands rites juridiques de l'Islam sunnite. Un des aspects pathétiques du shî'isme est, tout au long des siècles, le combat mené par ceux qui ont assumé, avec l'enseignement des Imâms, l'intégralité du shî'isme, tels Haydar Âmolî, Mollâ Sadrâ Shîrâzî, toute l'école shaykhie, et combien de shaykhs éminents de nos jours (cf. spécialement la 3e partie de la présente étude).

5. Le cycle de la prophétie est clos ; Mohammad a été le « Sceau des prophètes » (*Khâtim al-anbiyâ*), le dernier de ceux qui, avant lui, avaient apporté une *sharî'at* nouvelle à l'humanité (Adam, Noé, Abraham, Moïse, Jésus). Mais, pour le shî'isme, le terme final de la prophétie (*nobowwat*) a été le terme initial d'un nouveau cycle, le cycle de la *walâyat* ou de l'Imâmat. En d'autres termes, la prophétologie trouve son complément nécessaire dans l'imâmologie, dont la *walâyat* est l'expression la plus directe. Il s'agit là d'un terme dont il est difficile de rendre par un mot unique tout ce qu'il connote. Il figure abondamment et dès l'origine dans l'enseignement des Imâms eux-mêmes. Nos textes répètent le plus souvent : « La *walâyat* est l'ésotérique de la prophétie (*bâtin al-nobowwat*). » En fait, le mot veut dire « amitié, protection ». Les *Awliyâ Allâh* (en persan *Dûstân-e Khodâ*) ce sont les « Amis de Dieu » (et les « Aimés de Dieu ») ; au sens strict, ce sont les prophètes et les Imâms, comme élite de l'humanité à qui l'inspiration divine révèle les secrets divins. L' « amitié » dont Dieu les favorise fait d'eux les *Guides* spirituels de l'humanité. C'est en répondant par sa propre dévotion d'ami à leur égard, que chacun de leurs

adeptes, guidé par eux, arrive à la connaissance de soi
et participe à leur *walâyat*. L'idée de *walâyat* suggère
donc essentiellement la direction initiatique de l'Imâm,
initiant aux mystères de la doctrine ; elle englobe,
de part et d'autre, l'idée de connaissance (*ma'rifat*)
et l'idée d'amour (*mahabbat*), une connaissance qui est
par elle-même une connaissance salvifique. Sous cet
aspect, le shî'isme est bien la *gnose* de l'Islam.

Le cycle de la *walâyat* (nous emploierons désormais
ce terme complexe sans le traduire) est donc le cycle
de l'Imâm succédant au Prophète, c'est-à-dire du *bâtin*
succédant au *zâhir*, de la *haqîqat* succédant à la *sharî'at*.
Il ne s'agit point là d'un magistère dogmatique (pour le
shî'isme duodécimain l'Imâm est actuellement invisible).
Plutôt que de succession, il vaudrait d'ailleurs mieux
parler de la simultanéité de la *sharî'at* et de la *haqîqat*,
celle-ci s'ajoutant désormais à la première. Car le clivage entre les branches du shî'isme va précisément se
produire là. Selon que l'on conserve l'équilibre entre la
sharî'at et la *haqîqat*, la prophétie et l'imâmat, sans
dissocier le *bâtin* du *zâhir*, on a la forme du shî'isme duodécimain, et dans une certaine mesure celle de l'Ismaélisme fâtimide ; si le *bâtin* l'emporte au point d'effacer
le *zâhir*, et qu'en conséquence l'Imâmat prenne la préséance sur la prophétie, on a l'Ismaélisme réformé
d'Alamût. Mais si le *bâtin* sans *zâhir*, avec ses conséquences, est la forme de l'ultra-shî'isme, en revanche
le *zâhir* sans *bâtin* est la mutilation de l'Islam intégral,
par un littéralisme qui rejette l'héritage transmis par
le Prophète aux Imâms, héritage qui est le *bâtin*.

Ainsi donc le *bâtin*, l'ésotérique, comme contenu de
la connaissance, la *walâyat* comme configurant le type
de spiritualité qui postule cette connaissance, se con-
juguent pour donner dans le shî'isme la gnose de
l'Islam, ce que l'on désigne en persan comme *'irfân-e
shî'î*, la gnose ou la théosophie shî'ite. Les analogies

de rapport se proposent : le *zâhir* est au *bâtin* comme la religion littérale (*sharî'at*) est à la religion spirituelle (*haqîqat*), comme la prophétie (*nobowwat*) est à la *walâyat*. On a souvent traduit ce mot par « sainteté », et le mot *walî* par « saint ». Ces termes ont un sens canonique précis lorsqu'on les prononce en Occident ; il n'y a aucun avantage à provoquer des confusions et à dissimuler ce qu'il y a d'original de part et d'autre. Mieux vaut parler, comme nous venons de le proposer, du cycle de la *walâyat* comme du cycle de l'Initiation spirituelle, et des *Awliyâ Allâh* comme des « Amis de Dieu » ou des « hommes de Dieu ». Aucune histoire de la philosophie islamique ne pourra désormais passer ces questions sous silence. Elles n'ont pas été traitées par le *Kalâm* sunnite (*infra*, chap. III) à son origine ; elles dépassaient ses moyens. Elles ne proviennent pas du programme de la philosophie grecque. En revanche, bien des textes remontant aux Imâms révèlent certaines affinités et certains recroisements avec la Gnose antique. Si l'on prend ainsi dès leur origine, l'éclosion des thèmes de la prophétologie et de l'imâmologie, on ne s'étonnera pas de les retrouver chez les *falâsifa*, et surtout on ne prétendra pas les dissocier de leur pensée philosophique, sous prétexte que ces thèmes ne rentrent pas dans le programme de la nôtre.

6. Le développement des études ismaéliennes, les recherches récentes sur Haydar Amolî, théologien shî'ite du soufisme (VIIIe/XIVe s.), conduisent à poser d'une manière nouvelle la question des rapports du shî'isme et du soufisme, question d'importance, car elle commande la perspective d'ensemble de la spiritualité islamique. Le soufisme est par excellence l'effort d'intériorisation de la Révélation qorânique, la rupture avec la religion purement légalitaire, le propos de revivre l'expérience intime du Prophète en la nuit du *Mi'râj* ; au terme, une expérimentation des conditions du *tawhîd*

conduisant à la conscience que Dieu seul peut énoncer
lui-même, par les lèvres de son fidèle, le mystère de
son unité. Comme dépassement de l'interprétation
purement judiciaire de la *sharî'at*, comme assomption
du *bâtin*, il semblerait que shî'isme et soufisme fussent
deux désignations d'une même chose. En fait, il y eut
des soufis shî'ites dès l'origine : le groupe de Koufa,
où un shî'ite du nom de 'Abdak fut même le premier à
porter le nom de soufi. Et puis, nous voyons s'exprimer dans les propos de quelques Imâms, une réprobation sévère à l'égard des soufis.

Il y a lieu de se demander ce qui s'est passé. Il serait
tout à fait inopérant d'opposer la « gnose » shî'ite, comme
soi-disant théorique, à l'expérience mystique des soufis.
La notion de *walâyat* formulée par les Imâms eux-mêmes
infirmerait cette opposition. Pourtant l'on a réussi ce
tour de force de faire un usage pratique du nom et de
la chose, sans référer à ses origines. Il y a plus. Il n'y a
peut-être pas un seul thème de l'ésotérisme islamique
qui n'ait été mentionné ou amorcé par les Imâms du
shî'isme (entretiens, leçons, prônes). C'est à ce point
que de nombreuses pages d'Ibn 'Arabî peuvent être
lues comme ayant été écrites par un auteur shî'ite. Cela
n'empêche pas, il est vrai, que tout en étant parfaitement enseignée chez lui quant à son concept, la *walâyat*
s'y trouve coupée de ses origines et de ses supports.
C'est une question que l'un des plus notoires disciples
shî'ites d'Ibn 'Arabî, Haydar Amolî (VIIIe/XIVe s.), a
traitée à fond.

Il restera peut-être encore longtemps difficile (tant
de textes ont été perdus) de dire « ce qui s'est passé ».
Déjà Tor Andreæ s'était avisé que la prophétologie,
dans la théosophie du soufisme, apparaissait comme un
transfert à la seule personne du Prophète, des thèmes
fondés en propre par l'imâmologie, celle-ci ayant été
éliminée avec tout ce qui pouvait froisser le sentiment

Le shî'isme et la philosophie prophétique 49

sunnite (cf. ci-dessous A, 3 et 4, pour le *status quæs-tionis*). La notion de la personne qui est le Pôle (*Qotb*) et le Pôle des Pôles, dans le soufisme, pas plus que la notion de *walâyat* ne peuvent renier leurs origines shî'ites. Et la spontanéité avec laquelle l'Ismaélisme après la chute d'Alamût (comme il en avait été aupa-ravant pour les Ismaéliens de Syrie) prend le « manteau » du soufisme, serait inexplicable sans une communauté d'origine.

Si nous constatons dans le soufisme sunnite l'élimi-nation du shî'isme originel, faut-il aller chercher très loin les raisons de la réprobation exprimée par les Imâms à son égard ? D'autre part, et en fait, les traces d'un soufisme shî'ite ne se perdent pas ; il s'agit même d'un soufisme ayant conscience d'être le vrai shî'isme, — depuis Sa'doddîn Hamûyeh au XIIIᵉ siècle jusqu'à nos jours, en Iran. Mais en même temps aussi nous voyons se développer et se préciser les traits de spirituels shî'ites qui professent une gnose (*'irfân*) dont le lexique technique est celui du soufisme, et qui pourtant n'appar-tiennent pas à une *tarîqat* ou congrégation soufie. C'est le cas d'un Haydar Amolî, d'un Mîr Dâmâd, d'un Mollâ Sadrâ Shîrâzî et de tant d'autres, jusqu'à l'école shay-khie tout entière. C'est un type de spiritualité qui se développe depuis l'*Ishrâq* de Sohrawardî, conjuguant l'ascèse spirituelle intérieure et l'éducation philosophique rigoureuse.

Les reproches exprimés dans le shî'isme à l'égard du soufisme visent tantôt l'organisation de la *tarîqat* et le rôle du shaykh comme usurpant celui de l'Imâm invisible, tantôt un pieux agnosticisme favorisant l'ignorance paresseuse autant que le libertinage moral, etc. Comme d'autre part, ces mêmes spirituels, gardiens de la gnose shî'ite (*irfân-e shî'i*), sont eux-mêmes en butte aux attaques des docteurs de la Loi, lesquels veulent réduire la théologie à des questions de jurisprudence,

on peut pressentir la complexité de la situation. Celle-ci
devait être signalée dès maintenant ; il y aura lieu d'y
revenir spécialement dans la 3ᵉ partie. Le combat spirituel mené par le shî'isme minoritaire pour l'Islam spirituel, et avec lui aussi, même si c'est en ordre dispersé,
par les *falâsifa* et les soufis, contre la religion littéraliste
de la Loi, est une constante qui domine toute l'histoire
de la philosophie islamique. L'enjeu en est la sauvegarde du spirituel contre tous les périls de socialisation.

7. Maintenant, la nécessité d'exposer en quelques
pages les phases et l'exégèse de ce combat, nous oblige
à une condensation extrême. Rappelons que le mot
shî'isme (de l'arabe *shî'a*, groupe des adeptes) désigne
l'ensemble de ceux qui se rallient à l'idée de l'Imâmat,
en la personne de 'Alî ibn Abî Tâlib (cousin et gendre du
prophète par sa fille Fâtima) et de ses successeurs,
comme inaugurant le cycle de la *walâyat* succédant au
cycle de la prophétie (le shî'isme est la religion officielle
de l'Iran depuis bientôt cinq siècles). Le mot *Imâm* (ne
pas confondre avec le mot *îmân*, qui veut dire foi)
désigne celui qui se tient ou marche en avant. C'est le
guide. Il désigne couramment celui qui « guide » les
gestes de la prière, à la mosquée ; il est employé en
bien des cas pour désigner un chef d'école (Platon,
par exemple, comme « Imâm des philosophes »). Mais
du point de vue shî'ite, il ne s'agit là que d'un usage métaphorique. En propre et au sens strict, le terme ne s'applique qu'à ceux des membres de la Maison du Prophète
(*ahl al-bayt*) désignés comme les « impeccables » ; pour
les shî'ites duodécimains, ce sont les « Quatorze Très-
Purs » (*ma'sûm*), c'est-à-dire le Prophète, Fâtima sa
fille, et les Douze Imâms (cf. *infra* A, 4).

On ne peut mentionner ici que les doctrines des deux
principales branches du shî'isme : le shî'isme duodécimain ou « imâmisme » tout court, et le shî'isme septimanien ou Ismaélisme. De part et d'autre le nombre exprime

un symbolisme parfaitement conscient. Tandis que l'imâmologie duodécimaine symbolise avec le Ciel des *douze* constellations zodiacales (comme avec les *douze* sources jaillies du rocher frappé par le bâton de Moïse), l'imâmologie septimanienne de l'Ismaélisme symbolise avec les sept Cieux planétaires et leurs astres mobiles. Il exprime donc un rythme constant : chacun des six grands prophètes a eu ses *douze* Imâms, homologues les uns aux autres (cf. *infra* A 5) ; la gnose ismaélienne reporte le nombre *douze* sur les *hojjat* de l'Imâm. Pour l'imâmisme duodécimain, le « plérôme des Douze » est maintenant achevé. Le dernier d'entre eux fut et reste le Douzième Imâm, l'Imâm de ce temps (*sâhib al-zamân*) ; c'est l'Imâm « caché aux sens, mais présent au cœur », présent à la fois au passé et au futur. On verra que l'idée de l' « Imâm caché » exprime, par excellence, la religion du guide personnel invisible.

Jusqu'au VIe Imâm, Ja'far al-Sâdiq (ob. 148/765), shî'ites duodécimains et ismaéliens vénèrent la même lignée imâmique. Or, c'est principalement, outre ce qui est rapporté du Ier Imâm, autour de l'enseignement des IVe, Ve et VIe Imâms ('Alî Zaynol-'Abidîn ob. 95/714, Mohammad Bâqir ob. 115/733, Ja'far Sâdiq ob. 145/765) que se sont constitués les grands thèmes de la gnose shî'ite. L'étude des origines du shî'isme ne peut donc dissocier les deux branches l'une de l'autre. La cause prochaine de leur séparation fut le décès prématuré du jeune Imâm Isma'îl, déjà investi par son père, Ja'far Sâdiq. Les adeptes enthousiastes qui, groupés autour d'Isma'îl, tendaient à accentuer ce que l'on a appelé l'ultra-shî'isme, se rallièrent à son jeune fils, Mohammad ibn Isma'îl. Du nom de leur Imâm, ils furent appelés Ismaéliens. D'autres, en revanche, se rallièrent au nouvel Imâm investi par l'Imâm Ja'far, c'est-à-dire à Mûsâ Kâzem, frère d'Isma'îl, comme VIIe Imâm. D'Imâm en Imâm, ils reportèrent

leur obédience jusqu'au XIIe Imâm, Mohammad al-
Mahdî, fils de l'Imâm Hasan 'Askarî, mystérieuse-
ment disparu le jour même où décédait son jeune
père (cf. *infra*, A, 7). Ce sont les shî'ites duodécimains.

A. LE SHÎ'ISME DUODÉCIMAIN

1. *Périodes et sources.*

Il ne peut être question ici d'établir un synchronisme entre les œuvres qui illustrent la pensée se développant dans les deux branches principales du shî'isme : imâmisme duodécimain et ismaélisme septimanien. Aussi bien, vu l'état des recherches, l'heure n'en est pas encore venue. Tandis que l'ismaélisme connut dès le début du IVe/Xe siècle, avec 'Obaydallah al-Mahdî (296/909-322/933), fondateur de la dynastie fâtimide en Égypte, un de ces triomphes dans l'ordre temporel dont les conséquences peuvent être fatales pour une doctrine spirituelle, le shî'isme duodécimain a traversé de siècle en siècle, jusqu'à l'avènement des Safavides en Iran, au XVIe siècle, les épreuves, les vicissitudes et les persécutions d'une minorité religieuse. Mais cette minorité a survécu, grâce à sa conscience irrémissible d'être le témoin du vrai Islam, fidèle à l'enseignement des saints Imâms « dépositaires du secret de l'Envoyé de Dieu ». L'enseignement intégral des Imâms forme un *corpus* massif, la Somme à laquelle a puisé la pensée shî'ite, de siècle en siècle, comme pensée éclose de la religion prophétique elle-même, non pas le fruit d'un apport extérieur. Et c'est pourquoi il importe de la situer à un rang privilégié dans l'ensemble que l'on désigne comme « philosophie islamique ». On comprend aussi que plusieurs générations de théologiens shî'ites aient été

occupées à recueillir la masse des traditions des Imâms,
à les constituer en un *corpus*, à fixer les règles garantis-
sant la validité des « chaînes de transmission » (*isnâd*).

Quatre grandes périodes peuvent être distinguées :

1) La première période est celle des saints Imâms
et de leurs disciples et familiers, dont plusieurs déjà,
tel Hishâm ibn al-Hakam, jeune adepte passionné du
VIe Imâm, avaient composé des recueils de leurs enseignements, outre leurs œuvres personnelles. Cette
période va jusqu'à la date qui marque la « grande Occultation » (*al-ghaybat al-kobrâ*) du XIIe Imâm (329/940).
Cette date est en même temps celle du décès de son
dernier *nâ'ib* ou représentant, 'Alî al-Samarrî, qui avait
reçu de l'Imâm lui-même l'ordre de ne point se désigner
de successeur. Cette même année fut celle de la mort du
grand théologien Mohammad ibn Ya'qûb Kolaynî qui,
de Ray (Raghès) près de Téhéran, s'était rendu à
Baghdâd, où pendant vingt ans il travailla à recueillir
aux sources mêmes les milliers de traditions (*hadîth* et
akhbâr) qui constituent le plus ancien *corpus* méthodique
des traditions shî'ites (éd. de Téhéran 1955, en
huit vol. gr. in-8o). Plusieurs autres noms seraient à
nommer ici, dont celui de Abû Ja'far Qommî (ob.
290/903), familier du XIe Imâm, Hasan 'Askarî.

2) Une seconde période s'étend depuis la « grande
Occultation » du XIIe Imâm jusqu'à Nasîroddîn Tûsî
(ob. 672/1273), philosophe et théologien shî'ite, mathématicien et astronome, contemporain de la première invasion mongole. Cette période est principalement marquée
par l'élaboration des grandes Sommes de traditions
shî'ites duodécimaines dues à Ibn Bâbûyeh de Qomm
(surnommé Shaykh Sadûq, ob. 381/991), un des plus
grands noms des théologiens shî'ites de l'époque, auteur
de quelque 300 ouvrages ; Shaykh Mofîd (ob. 413/1022),
auteur également très prolifique ; Mohammad b. Hasan
Tûsî (ob. 460/1067) ; Qotboddîn Sa'îd Râvendî (ob.

573/1177). C'est également l'époque des deux frères,
Sayyed Sharîf Razî (ob. 406/1015) et Sayyed Mortazâ
'Alam al-Hodâ (ob. 436/1044), descendants du VIIe Imâm,
Mûsâ Kâzem, et élèves de Shaykh Mofîd, tous
deux auteurs de nombreux traités imâmites. Le premier
est principalement connu comme compilateur de *Nahj
al-Balâgha* (cf. *infra*). C'est encore l'époque de Fazl
Tabarsî (ob. 548/1153 ou 552/1157), auteur d'un célèbre
et monumental *Tafsîr* shî'ite (commentaire qorânique) ; Ibn Shahr-Ashûb (588/1192) ; Yahyâ ibn Batrîq
(600/1204) ; Sayyed Razîoddîn 'Alî b. Tâ'ûs (ob. 664/
1266), tous auteurs d'importants ouvrages d'imâmologie. Beaucoup d'autres noms seraient à nommer pour
cette période qui vit, d'autre part, l'éclosion des grands
traités systématiques ismaéliens (cf. *infra*, B), et celles
des philosophes dits hellénisants, d'al-Kindî à Sohrawardî (587/1191). Avec l'œuvre de Nasîr Tûsî achève
de se constituer la philosophie shî'ite, dont la première
ébauche systématique avait été donnée par Abû
Ishaq Nawbakhtî (vers 350/961), dans un livre que
devait commenter plus tard en détail 'Allâmeh Hillî
(ob. 726/1326), élève de Nasîr Tûsî. Déjà les dates outre-
passent ici la limite fixée à la 1re partie de la présente
étude, avec la mort d'Averroës (1198). Les indications
suivantes complèteront cependant le schéma d'ensemble
que l'on ne peut morceler.

3) Une troisième période s'étend depuis Nasîr Tûsî
jusqu'à la Renaissance safavide en Iran, qui vit éclore
l'école d'Ispahan avec Mîr Dâmâd (1041/1631) et ses
élèves. C'est une période extrêmement féconde qui
justement prépare cette Renaissance. D'une part, il y
a la continuation de l'école de Nasîr Tusî, avec de grands
noms tels que 'Allâmeh Hillî, Afzal Kâshânî. D'autre
part, il se produit une convergence extraordinaire.
D'un côté Ibn 'Arabî (ob. 638/1240) émigre d'Andalousie
en Orient. D'un autre côté les disciples de Najm Kobrâ

refluent d'Asie centrale en Iran et en Anatolie, devant
la poussée mongole. La rencontre de ces deux écoles
détermina un grand essor de la *métaphysique du soufisme*. Sa'doddîn Hamûyeh ou Hamûyî (650/1252),
disciple de Najm Kobrâ et correspondant d'Ibn 'Arabî,
est la grande figure du soufisme shî'ite duodécimain à
l'époque. Son disciple 'Azîz Nasafî diffuse ses œuvres.
'Alâoddawleh Semnânî (736/1336) sera un des grands
maîtres de l'exégèse « intérioriste ». Dans la personne
de Sadroddîn Qonyawî se rencontrent l'influence d'Ibn
'Arabî et celle de Nasîr Tûsî. Le problème de la *walâyat*
(*infra* A, 3 ss.) est abondamment discuté ; il reconduit
aux sources de la gnose shî'ite, telles que les remet en
lumière un penseur shî'ite de premier plan, Haydar
Amolî (VIIIᵉ/XIVᵉ s.). Autre convergence remarquable
en effet : tandis que du côté ismaélien, la chute d'Alamût détermine une « rentrée » de l'Ismaélisme dans
le soufisme, du côté shî'ite duodécimain il y a, au
cours de cette période, une tendance dans le même sens.
Haydar Amolî déploie un grand effort pour reconduire
le shî'isme et le soufisme l'un à l'autre ; il esquisse une
histoire critique de la philosophie et de la théologie en
Islam au nom de la théosophie mystique. Disciple
d'Ibn 'Arabî qu'il admire et qu'il commente, il s'en
sépare sur un point essentiel (cf. *infra*). Il est contemporain de Rajab Borsî (dont l'œuvre essentielle pour
la gnose shî'ite est de 774/1372). On conjoindra ici les
noms du grand shaykh soufî Shâh Ni'matollâh Walî
(ob. 834/1431), auteur prolifique ; deux disciples shî'ites
d'Ibn 'Arabî, Sâ'inoddîn Torkeh Ispahânî (830/1427), et
Moh. ibn Abî Jomhûr Ahsâ'î (vers 901/1495) ; Moh.
'Abdorrazzâq Lâhîjî (ob. 918/1506), commentateur
du célèbre mystique d'Azerbaidjan, Mahmud Shabes-
târî (ob. 720/ 1317, à l'âge de 33 ans).

4) La quatrième période annoncée ci-dessus comme
celle de la Renaissance safavide et de l'école d'Ispahan

avec Mîr Dâmâd (1041/1631), Mollâ Sadrâ Shirâzî
(1050/1640), leurs élèves et les élèves de leurs élèves
(Ahmad 'Alawî, Mohsen Fayz, 'Abdorrazzâq Lâhîjî,
Qâzî Sa'îd Qommî, etc.), est un phénomène sans parallèle ailleurs en Islam, où l'on considère que la philosophie est close depuis Averroës. Ces grands penseurs de
l'époque éprouvent comme étant le trésor de la conscience shî'ite l'unité indissoluble de *pistis* et *gnôsis*,
de la révélation prophétique et de l'intelligence philosophique qui en approfondit le sens ésotérique. L'œuvre
monumentale de Mollâ Sadrâ comprend un commentaire
inappréciable du *corpus* des traditions shî'ites de Kolaynî. Plusieurs autres l'imitent, entre autres le grand
théologien Majlisî, compilateur de l'énorme *Bihâr
al-anwâr* (l'Océan des lumières) déjà signalé, sans sympathie pour les philosophes, mais le plus souvent philosophe malgré lui. Les œuvres seront mentionnées avec
leurs auteurs dans la 3e partie de cette étude. Elles
nous conduisent jusqu'à l'époque qâdjâre, pendant
laquelle éclôt l'importante école shaykhie à la suite
de Shaykh Ahmad Ahsâ'î (ob. 1241/ 1826), et finalement jusqu'à nos jours où se dessine, autour de l'œuvre
de Mollâ Sadrâ, une renaissance de la philosophie
traditionnelle.

Nous avons cité plus haut comme une compilation
qui fut l'œuvre de Sharîf Razî (406/1015), l'ouvrage
intitulé *Nahj al-Balâgha* (titre que l'on traduit couramment par « le chemin de l'éloquence », mais où il
faut entendre l'idée d'efficacité, de maturité). Il s'agit
du recueil considérable des *Logia* du Ier Imâm, 'Alî
ibn Abî Tâlib (prônes, entretiens, lettres, etc.). Après
le Qorân et les *hadîth* du Prophète c'est l'ouvrage le
plus important non seulement pour la vie religieuse
du shî'isme en général mais pour sa pensée philosophique. Le *Nahj al-Balâgha* peut en effet être considéré
comme l'une des sources les plus importantes des

doctrines professées par les penseurs shî'ites, notamment
ceux de la quatrième période. Son influence s'est fait
sentir de plusieurs manières : coordination logique des
termes, déduction de conclusions correctes, création
de certains termes techniques en arabe qui sont ainsi
entrés dans la langue littéraire et philosophique, avec
leur richesse et leur beauté, indépendamment des
traductions de textes grecs en arabe. Certains problèmes
philosophiques fondamentaux posés par les *Logia*
de l'Imâm 'Alî, prendront toute leur ampleur chez
Mollâ Sadrâ et dans son école. Si l'on se réfère aux entretiens de l'Imâm avec son disciple Komayl ibn Ziyâd,
celui où il répond à la question : « Qu'est-ce que la vérité ? »
(*haqîqat*), celui où il décrit la succession ésotérique des
Sages en ce monde, etc., on trouve dans ces pages un
type de pensée très caractéristique.

La philosophie shî'ite prend par là sa physionomie
propre, car c'est toute une métaphysique que nos
penseurs ont tiré de ce livre, en considérant que les
Logia de l'Imâm forment un cycle complet de philosophie. Certains doutes ont été émis contre l'authenticité de quelques parties de cette compilation. L'ensemble
est en tout cas de haute époque, et pour en comprendre
le contenu, le plus sûr est de l'entendre phénoménolo-
giquement, c'est-à-dire tel que son intention le propose :
quel que soit celui qui tient la plume, c'est bien l'Imâm
qui parle. D'où son influence.

On peut regretter que l'étude philosophique de ce
livre ait été négligée jusqu'ici en Occident. Car à l'étudier avec soin, et à travers les amplifications progres-
sives des ses commentateurs (ils ont été nombreux,
tant shî'ites que sunnites : Maytham Bahrânî, Ibn
al-Hadîd, Kho'yî etc. ainsi que les traducteurs en
persan), et si l'on conjoint ce livre aux *Logia* de tous
les autres Imâms, on comprendra pourquoi la pensée
philosophique devait prendre un essor et des dévelop-

pements nouveaux dans le monde shî'ite, à une époque
où depuis longtemps la philosophie avait cessé d'être
une école vivante dans le monde de l'Islam sunnite.

Tout cela dit à très grands traits, il résulte que le
point de départ de la méditation philosophique du
shî'isme est, avec le Qorân, l'ensemble du *corpus* des
traditions des Imâms. Tout effort tendant à exposer la
philosophie prophétique éclose de cette méditation,
devra prendre son point de départ à la même source.
Deux principes normatifs : 1) il serait inopérant de
procéder du dehors à la critique historique des « chaînes
de transmission » ; souvent cette critique y perd ses
droits. La seule méthode féconde est de procéder en
phénoménologue : prendre la totalité de ces traditions,
vivantes depuis des siècles, telles que la conscience
shî'ite s'y montre à elle-même son objet. 2) Pas de
meilleure voie pour systématiser le petit nombre de
thèmes pris ici en considération afin de dégager la
philosophie prophétique, que de suivre ceux des auteurs shî'ites qui les ont eux-mêmes commentés. Nous
obtenons ainsi une brève esquisse d'ensemble, sans
vain historicisme (dont l'idée n'est pas même soup-
çonnée de nos penseurs). Nous suivrons ici principalement les commentaires de Mollâ Sadrâ Shîrâzî, de
Mîr Dâmâd, ainsi que les pages très denses de Haydar
Amolî. Les textes des Imâms, explicités par ces commentaires, nous permettent d'entrevoir l'essence du
shî'isme, et c'est là le problème qui nous est posé.

2. *L'ésotérisme.*

1. Que le shî'isme, en son essence, soit l'ésotérisme de
l'Islam, c'est la constatation qui découle des textes
mêmes, avant tout de l'enseignement des Imâms. Il
y a, par exemple, le sens donné au verset qorânique

33/72 : « Nous avons proposé le dépôt de nos secrets
(*al-amâna*) aux Cieux, à la Terre et aux montagnes ;
tous ont refusé de l'assumer, tous ont tremblé de le
recevoir. Mais l'homme accepta de s'en charger ; c'est
un violent et un inconscient. » Le sens de ce verset
grandiose qui fonde pour la pensée islamique le thème
De dignitate hominis, ne fait pas de doute pour les
commentateurs shî'ites. Le verset fait allusion aux
« secrets divins », à l'ésotérique de la prophétie que les
saints Imâms ont transmis à leurs adeptes. Cette exégèse
peut en appeler à une déclaration expresse du VIe Imâm,
affirmant que le sens de ce verset, c'est la *walâyat*
dont l'Imâm est la source. Et les exégètes shî'ites (de
Haydar Amolî à Mollâ Fathollah, au siècle dernier)
s'attachent à montrer que la violence et l'inconscience
de l'homme ne tournent nullement ici à son blâme,
mais à sa louange, car il fallait un acte de sublime folie
pour assumer ce dépôt divin. Tant que l'homme,
symbolisé en Adam, ignore qu'il y a de l'*autre* que Dieu,
il a la force de porter le redoutable fardeau. Dès qu'il
cède à la conscience qu'il y a de l'*autre* que Dieu, il
trahit le dépôt : ou bien il le rejette et le livre aux
indignes, ou tout simplement il en nie l'existence.
Dans le second cas, il réduit tout à la lettre apparente.
Dans le premier cas, il enfreint cette « discipline de
l'arcane » (*taqîyeh, ketmân*) ordonnée par les Imâms,
conformément à la prescription : « Dieu vous ordonne
de restituer à ceux à qui ils appartiennent, les dépôts
confiés » (4/61). Ce qui veut dire : Dieu vous ordonne
de ne transmettre qu'à celui qui en est digne, celui
qui est un « héritier », le dépôt divin de la gnose. Toute
la notion d'une science qui est héritage spirituel
(*'ilm irthî*, ci-dessous A, 4) est déjà indiquée là.

C'est la raison pour laquelle le Ve Imâm, Mohammad
Bâqir, déclarait (et chaque Imâm l'a répété après lui) :
« Notre cause est difficile ; elle impose un rude effort ;

seuls peuvent l'assumer un Ange du plus haut rang, un prophète envoyé (*nabî morsal*) ou un adepte fidèle dont Dieu aura éprouvé le cœur pour la foi ». Le VIe Imâm, Ja'far Sâdiq, précisait encore : « Notre cause est un secret (*sirr*) dans un secret, le secret de quelque chose qui reste voilé, un secret que seul un autre secret peut enseigner ; c'est un secret sur un secret qui se suffit d'un secret ». Ou encore : « Notre cause est la vérité et la vérité de la vérité (*haqq al-haqq*) ; c'est l'exotérique, et c'est l'ésotérique de l'exotérique, et c'est l'ésotérique de l'ésotérique. C'est le secret, et le secret de quelque chose qui reste voilé, un secret qui se suffit d'un secret ». La portée de ces déclarations, quelques vers d'un poème du IVe Imâm, 'Alî Zaynol-'Abidîn (ob. 95/714), l'annonçaient déjà : « De ma Connaissance je cache les joyaux — De peur qu'un ignorant, voyant la vérité, ne nous écrase... O Seigneur! Si je divulguais une perle de ma gnose — On me dirait : tu es donc un adorateur des idoles ? — Et il y aurait des musulmans pour trouver licite que l'on versât mon sang! — Ils trouvent abominable ce qu'on leur présente de plus beau. »

2. On pourrait multiplier les citations de semblables propos. Ils témoignent admirablement de l *ethos* du shî'isme, de sa conscience d'être l'ésotérisme de l'Islam, et il est impossible, historiquement, de remonter plus haut que l'enseignement des Imâms, pour atteindre aux sources de l'Islam ésotérique. D'où, les Shî'ites au sens vrai, ce sont ceux qui assument les secrets des Imâms. En revanche, tous ceux qui ont prétendu ou prétendent limiter l'enseignement des Imâms à l'exotérique, à des questions de droit et de rituel, ceux-là mutilent ce qui fait l'essence du shî'isme. L'affirmation de l'ésotérique ne signifie pas l'abolition pure et simple de la *sharî'at*, de la lettre et de l'exotérique (*zâhir*) ; elle veut dire que, privée de la réalité

spirituelle (*haqîqat*) et de l'ésotérique (*bâtin*), la religion
positive est opacité et servitude ; elle n'est plus qu'un
catalogue de dogmes ou un catéchisme, au lieu de
rester ouverte à l'éclosion de significations nouvelles
et imprévisibles.

D'où, selon un propos du Ier Imâm, il y a en gros
trois groupes d'hommes : 1) Il y a le *'âlim rabbânî*, le
theosophos par excellence, à savoir le Prophète et les
saints Imâms. 2) Il y a ceux qui s'ouvrent à l'enseignement de leur doctrine de salut (*tarîqat al-najât*)
et tentent d'y ouvrir les autres. De génération en
génération, ils n'ont jamais été qu'une minorité. 3) Il
y a la masse de ceux qui restent fermés à cet enseignement. « Nous (les Imâms) sommes les Sages qui
instruisons ; nos shî'ites sont les enseignés par nous.
Le reste, hélas! c'est l'écume roulée par le torrent. »
L'ésotérisme se meut autour des deux foyers de la
sharî'at et de la *haqîqat*, de la religion de la Loi, religion
sociale, et de la religion mystique, celle qui se guide
sur le sens spirituel de la Révélation qorânique. C'est
pourquoi il implique par essence une prophétologie
et une imâmologie.

3. *La prophétologie.*

1. Les données les plus anciennes pour l'établis-
sement de la prophétologie islamique sont contenues
dans l'enseignement des Imâms. Vu ce qui la motive,
on peut dire que le milieu shî'ite était en propre le
milieu où la prophétologie était appelée à éclore, à être
méditée, à se développer. Or, plus que toute autre
forme de pensée qui se soit fait place en Islam, c'est
une « philosophie prophétique » qui correspond par
essence au sentiment d'une religion prophétique,
parce que la « science divine » est incommunicable ;

ce n'est pas une « science » au sens ordinaire du mot, il n'appartient qu'à un prophète de la communiquer. Les conditions de cette communication, celles de la fructification de son contenu après que la prophétie est close, forment l'objet propre d'une philosophie prophétique. L'idée en fait corps avec l'idée même du shî'isme, et c'est pourquoi celui-ci ne saurait plus être absent d'une histoire de la philosophie islamique.

Un premier fait à observer est le parallélisme remarquable entre la doctrine du *'aql* (l'intellect, l'intelligence, le Noûs) chez les philosophes avicenniens, et la doctrine de l'Esprit (*Rûh*) dans les textes shî'ites émanant des Imâms. Il s'ensuit que le premier chapitre d'une philosophie prophétique, dont le thème est la nécessité des prophètes, procède de part et d'autre de considérations convergentes. Comme l'énonce un *hadîth* du VIᵉ Imâm, enregistré par Ibn Bâbûyeh, cinq Esprits, ou plutôt cinq degrés ou états de l'Esprit, sont constitutifs de l'homme ; au sommet il y a l'Esprit de la foi (*îmân*) et l'Esprit-saint. Les cinq ne sont actualisés dans leur totalité que pour les prophètes, les Envoyés et les Imâms ; chez les vrais croyants, il y en a quatre ; chez les autres hommes, il y en a trois.

Parallèlement les philosophes, d'Avicenne à Mollâ Sadrâ, considérant les cinq états de l'intellect, de l'intellect « matériel » ou en puissance jusqu'à l'*intellectus sanctus*, admettent que l'intellect n'existe chez la majorité des hommes qu'à l'état de puissance ; les conditions qui lui permettent de devenir intellect en acte, ne sont réunies que chez un petit nombre. Dès lors, comment une multitude d'hommes livrés à leurs impulsions inférieures, serait-elle à même de se constituer en une communauté observant une même loi ? Pour Bîrûnî, la loi naturelle est la loi de la jungle ; l'antagonisme entre les humains ne peut être surmonté que par une Loi divine, énoncée par un prophète,

un Envoyé divin. Or, ces considérations pessimistes
de Bîrûni et d'Avicenne ne font que reproduire à peu
près littéralement l'enseignement des Imâms, tels que
nous le fait connaître Kolaynî en tête du *Kitâb al-
Hojjat.*

2. Cependant la prophétologie shî'ite ne procède
nullement d'une simple sociologie positive ; c'est le
destin spirituel de l'homme qui est engagé. La thèse
shî'ite niant (contre les Karramiyens et les Ash'arites)
la possibilité de *voir* Dieu en ce monde et dans l'au-
delà, est solidaire du développement, chez les Imâms
eux-mêmes, d'une science du cœur, d'une connaissance
par le cœur (*ma'rifat qalbîya*) qui, englobant toutes
les puissances rationnelles et suprarationnelles, esquisse
déjà la gnoséologie propre à une philosophie prophétique. D'une part alors, la nécessité de la prophétie
signifie la nécessité qu'il y ait de ces hommes inspirés,
des surhumains, dont on ira jusqu'à dire, sans que cela
implique l'idée d'une Incarnation, « homme divin ou
seigneur divin sous forme humaine » (*insân rabbânî,
rabb insânî*). D'autre part la prophétologie shî'ite
se différenciera nettement des écoles primitives de la
pensée islamique sunnite. Les Ash'arites (*infra* III, 2)
rejetant toute idée de *tartîb*, c'est-à-dire toute structure
hiérarchisée du monde avec des causes médiatrices,
ruinaient le fondement même de la prophétie. De leur
côté, les Mo'tazilites extrémistes (Râwendî) faisaient
cette objection : ou bien la prophétie est d'accord avec
la raison ou bien elle ne l'est pas. Dans le premier cas,
elle est superflue ; dans le second cas elle est à rejeter.
Le rationalisme mo'tazilite ne pouvait pressentir le
niveau d'être et de conscience où son dilemme se
trouve volatilisé.

Ce médiateur dont la prophétologie shî'ite montre
la nécessité, est désigné techniquement par le terme
de *Hojjat* (la *preuve*, le garant de Dieu pour les hommes).

Cependant l'idée et la fonction débordent les limites
d'une époque ; la présence du *Hojjat* doit être continue,
même s'il s'agit d'une présence invisible, ignorée de
la masse des hommes. Si donc le terme est appliqué
au Prophète, il l'est ensuite, et même plus particulièrement, aux Imâms (dans la hiérarchie de l'Ismaélisme d'Alamût le *Hojjat* devient en quelque sorte
un double spirituel de l'Imâm, cf. *infra* B, II). L'idée
du *Hojjat* implique donc déjà l'indissociabilité de la
prophétologie et de l'imâmologie ; et parce qu'elle
déborde les temps, elle s'origine à une réalité métaphysique dont la vision nous reconduit au thème
gnostique de l'*Anthropos* céleste.

3. Un enseignement de l'Imâm Ja'far énonce : « La
Forme humaine est le suprême témoignage par lequel
Dieu atteste sa Création. Elle est le *Livre* qu'il a écrit
de sa main. Elle est le *Temple* qu'il a édifié par sa sagesse.
Elle est le rassemblement des Formes de tous les
univers. Elle est le compendium des connaissances
écloses de la *Tabula secreta* (*Lawh mahfûz*). Elle est
le témoin visible répondant pour tout l'invisible (*ghayb*).
Elle est la garante, la preuve contre tout négateur.
Elle est la Voie droite jetée entre le paradis et l'enfer. »
Tel est le thème que la prophétologie shî'ite a explicité. Cette Forme humaine en sa gloire prééternelle
est appelée l'Adam au sens vrai et réel (*Adam haqîqî*),
Homo maximus (*Insân kabîr*), Esprit suprême, Première
Intelligence, Calame suprême, Khalife suprême, Pôle
des Pôles. Cet *Anthropos* céleste est investi et détenteur
de la prophétie éternelle (*nobowwat bâqiya*), de la prophétie primordiale essentielle (*n. aslîya haqîqîya*), celle
qui éclôt, dès avant les temps, dans le Plérôme céleste.
Aussi est-il la *Haqîqat mohammadiya*, la Réalité
mohammadienne éternelle, la Lumière de gloire mohammadienne, le Logos mohammadien. C'est à lui que le
Prophète fait allusion, lorsqu'il dit : « Dieu créa Adam

3

(l'*Anthropos*) à l'image de sa propre Forme ». Et c'est
comme étant l'épiphanie terrestre (*mazhar*) de cet
Anthropos, que le Prophète énonce à la Ire personne :
« La première chose que Dieu créa fut ma Lumière »
(ou l'Intelligence, ou le Calame, ou l'Esprit). Et c'est
ce qu'il a voulu signifier en disant : « J'étais déjà un
prophète, alors qu'Adam (l'Adam terrestre) était
encore entre l'eau et l'argile » (c'est-à-dire non encore
formé).

Maintenant, cette Réalité prophétique éternelle est
une bi-unité. Elle a deux « dimensions » : extérieure
ou exotérique, intérieure ou ésotérique. La *walâyat*,
c'est précisément l'ésotérique de cette prophétie
(*nobowwat*) éternelle ; elle est la réalisation de toutes
ses perfections selon l'ésotérique, dès avant les temps,
et leur perpétuation dans les siècles des siècles. De
même que la « dimension » exotérique eut sa manifestation terrestre finale en la personne du prophète
Mohammad, de même il fallait que sa « dimension »
ésotérique eut son épiphanie terrestre. Elle l'eut en la
personne de celui qui de tous les humains fut le plus
proche du Prophète : 'Alî ibn Abî Tâlib, le Ier Imâm.
D'où celui-ci put dire en écho à la sentence ci-
dessus : « J'étais déjà un *walî*, alors qu'Adam (l'Adam
terrestre) était encore entre l'eau et l'argile. »

Entre la personne du Prophète et celle de l'Imâm
il y a, avant leur parenté terrestre, un rapport spirituel
(*nisbat ma'nawîya*) fondée en leur préexistence même :
« Moi et 'Alî, nous sommes une seule et même Lumière ».
« Je fus avec 'Alî une seule et même lumière quatorze
mille ans avant que Dieu eût créé l'Adam terrestre ».
Puis, dans ce même *hadîth*, le Prophète suggère comment
cette Lumière unique progressa de génération en génération de prophètes, pour se scinder en deux semences
et se manifester en leurs deux personnes ; alors il
conclut, en s'adressant à l'Imâm : « Si je ne craignais

qu'un groupe de ma communauté commette à ton
égard l'excès que les Chrétiens ont commis à l'égard
de Jésus, je dirais à ton sujet quelque chose qui ferait
que tu ne passerais plus près d'un groupe, sans que
l'on recueillît la poussière de tes pas pour y chercher
un remède. Mais il suffit que tu sois une partie de
moi-même, et moi une partie de toi-même. Sera héritier de moi-même celui qui héritera de toi, car tu es
par rapport à moi comme Aaron par rapport à Moïse,
avec cette différence qu'après moi il n'y aura plus de
prophète. » Il y a enfin cette déclaration d'une portée
décisive : « 'Alî a été missionné *secrètement* avec chaque
prophète ; avec moi il a été missionné à découvert. »
Cette dernière déclaration ajoute aux précédentes
toute la précision souhaitable. L'Imâmat mohammadien,
comme ésotérisme de l'Islam, est *eo ipso* l'ésotérisme
de toutes les religions prophétiques antérieures.

4. Par les très brèves indications données ici, s'éclaire
le travail des penseurs shî'ites sur les catégories de la
prophétie et de la *walâyat*. Il y a une prophétie absolue
(*n. motlaqa*), commune ou générale, et il y a une prophétie
restreinte ou particulière (*moqayyada*). La première
est celle qui est propre à la Réalité mohammadienne
absolue, intégrale et primordiale, de la prééternité à la
postéternité. La seconde est constituée par les réalités
partielles de la première, c'est-à-dire les épiphanies
particulières de la prophétie qu'ont été tour à tour les
Nabîs ou prophètes dont le Prophète de l'Islam fut le
Sceau, étant par là même l'épiphanie de la *Haqîqat
mohammadîya*. De même pour la *walâyat* qui est
l'ésotérique de la prophétie éternelle : il y a une *walâyat*
absolue et générale, et il y a une *walâyat* restreinte et
particulière. De même que la prophétie respective de
chacun des prophètes est une réalité et épiphanie
partielle (*mazhar*) de la prophétie absolue, de même
la *walâyat* de tous les *Awliyâ* (les Amis de Dieu, les

hommes de Dieu) est chaque fois une réalité et épiphanie partielle de la *walâyat* absolue dont le Sceau est le Ier Imâm, tandis que le sceau de la *walâyat* mohammadienne est le Mahdî, le XIIe Imâm (l'« Imâm caché »). L'imâmat mohammadien, c'est-à-dire le plérôme des Douze, est ainsi le Sceau (*khâtim*) de la *walâyat*. L'ensemble des Nabîs est envers le Sceau de la prophétie dans le même rapport que lui-même envers le Sceau des *Awliyâ*.

On comprend ainsi que l'essence (*haqîqat*) du Sceau des prophètes et celle du Sceau des *Awliyâ* soit une seule et même essence, considérée quant à l'exotérique (la prophétie) et quant à l'ésotérique (la *walâyat*). La situation présente est celle-ci. Tout le monde en Islam professe unanimement que le cycle de la prophétie a été clos avec Mohammad, le Sceau des prophètes. Mais pour le shî'isme, avec la clôture du cycle de la prophétie a commencé le cycle de la *walâyat*, celui de l'Initiation spirituelle. En fait, on le précisera plus loin, ce qui selon les auteurs shî'ites a été clos, c'est la « prophétie législatrice ». Quant à la prophétie tout court, elle désigne l'état spirituel de ceux qui, avant l'Islam, s'appelaient *Nabîs*, mais que l'on désigne désormais comme les *Awliyâ*; le nom a changé, la chose demeure. Là est la vision caractéristique de l'Islam shî'ite, en qui fermente ainsi l'attente d'un avenir auquel il demeure ouvert. Cette conception repose sur une classification des prophètes, elle-même fondée sur la gnoséologie prophétique enseignée par les Imâms eux-mêmes (*infra* A, 5). Elle détermine d'autre part un ordre de préséance entre *Walî*, *Nabî* et *Rasûl*, dont la compréhension diffère selon le shî'isme duodécimain et selon l'Ismaélisme.

On distingue en effet, quant à la *nobowwat*, une *nobowwat al-ta'rîf*, prophétie enseignante, « gnostique », et une *nobowwat al-tashrî'*, prophétie législatrice. Cette

dernière est en propre la *risâlat*, la mission prophétique
du *Rasûl* ou Envoyé, dont la mission est d'énoncer
pour les hommes la *sharî'at*, la Loi divine, le « Livre
céleste descendu en son cœur ». Il y a eu de nombreux
Nabîs envoyés (*Nabî morsal*), tandis que la série des
grands prophètes qui ont eu mission d'énoncer une
sharî'at, se limite aux *ulû'l-'azm* (les hommes de la décision), au nombre de six : Adam, Noé, Abraham, Moïse,
Jésus, Mohammad, — ou au nombre de sept, dans certaines traditions, en comptant David et son psautier.

5. La situation déterminée par cette prophétologie
s'exprime, par excellence, dans la définition du rapport
entre la *walâyat*, la prophétie (*nobowwat*) et la mission
d'Envoyé (*risâlat*), et corollairement, entre la personne
du *walî*, celle du prophète et celle de l'Envoyé. Si l'on
figure les trois concepts par trois cercles concentriques,
la *walâyat* est représentée par le cercle central, parce
qu'elle est l'ésotérique de la prophétie ; celle-ci est
représentée par le cercle médian, comme étant l'ésotérique ou l' « intérieur » de la mission d'Envoyé, laquelle
est représentée par le cercle extérieur. Tout *Rasûl* est
également *Nabî* et *walî*. Tout *Nabî* est également *walî*.
Le *walî* peut être *walî* sans plus. Il s'ensuit paradoxalement que l'ordre de préséance entre les qualifications
est inverse de l'ordre de préséance entre les personnes.
Nos auteurs l'expliquent de la façon suivante.

La *walâyat*, parce qu'elle est le cœur et l'ésotérique,
est plus éminente que l'apparence exotérique, parce
que celle-ci a besoin de celle-là : de même que la mission
d'Envoyé présuppose l'état spirituel du Nabî, à son
tour celui-ci présuppose la *walâyat*. Plus une chose
est proche des réalités intérieures, plus elle se suffit à
soi-même et plus est grande sa proximité de Dieu,
laquelle dépend des réalités intérieures d'un être. Il
s'ensuit donc que la *walâyat*, la qualité d'Ami de Dieu,
initié et initiateur spirituel, est plus éminente que la

qualité de *Nabî*, et celle-ci plus éminente que la qualité
d'Envoyé (extériorité croissante). Ou, comme nos auteurs le répètent : la *risâlat* est comme l'écorce, la
nobowwat est comme l'amande, la *walâyat* est comme
l'huile de cette amande. En d'autres termes : la mission
d'Envoyé, sans l'état de Nabî, serait comme la *sharî'at*,
la religion positive, privée de la *tarîqat*, la voie mystique,
comme l'exotérique sans l'ésotérique, comme l'écorce
vide sans l'amande. Et l'état de Nabî sans la *walâyat*
serait comme la voie mystique (*tarîqat*) privée de la
réalisation spirituelle (*haqîqat*), comme l'ésotérique
sans l'ésotérique de l'ésotérique (*bâtin al-bâtin*), comme
l'amande sans l'huile. Nous retrouverons en gnoséologie
(*infra* A, 5) un rapport analogue entre les notions de
wahy, ilhâm, et *kashf.*

Cependant, lorsqu'ils affirment ainsi la supériorité
de la *walâyat*, les shî'ites duodécimains n'entendent pas
que la personne du *walî* tout court soit supérieure à
celle du Nabî et de l'Envoyé, mais que, des trois qualités
considérées dans une même personne, celle du Prophète
de l'Islam, c'est la *walâyat* qui a la prééminence, parce
qu'elle est la source, le fondement et l'appui des deux
autres. D'où le paradoxe apparent : bien que la *walâyat*
ait la prééminence, concrètement c'est le prophète-
Envoyé qui a la préséance, parce qu'il cumule les trois
qualités, il est *walî-nabî-rasûl.* L'on observera, avec
Haydar Amolî, que c'est là, sur ce point, que se séparent
le shî'isme duodécimain et l'Ismaélisme, plus exactement l'Ismaélisme réformé d'Alamût, qui ne faisait
peut-être que retrouver l'intention profonde du shî'isme
primitif. Comme on le verra plus loin (B, II) la position
ismaélienne d'Alamût n'avait pas moins de rigueur :
puisque la *walâyat* est supérieure à la qualité de pro-
phète-envoyé, puisque la *walâyat* de l'Imâm est ordonnée à l'ésotérique, tandis que la prophétie de l'Envoyé (le législateur) est ordonnée à l'exotérique, enfin

puisque l'ésotérique a la prééminence sur l'exotérique,
il faut conclure à la préséance fondamentale de l'Imâm
sur le prophète, et à l'indépendance de l'ésotérique à
l'égard de l'exotérique. En revanche la position shî'ite
duodécimaine (malgré l'inclination toujours latente
dans le shî'isme à professer la préséance de l'Imâm)
s'est efforcée de garder l'équilibre : tout exotérique qui
ne s'appuie pas sur un ésotérique est en fait infidélité
(*kofr*), mais, en revanche, tout ésotérique qui ne maintient pas simultanément l'existence de l'exotérique
est libertinage. On le voit : selon que l'on adopte la
thèse imâmite ou la thèse ismaélienne, le rapport de la
prophétologie et de l'imâmologie inverse son sens.

4. *L'imâmologie.*

1. L'idée de l'Imâm est postulée par le double aspect
de la « Réalité mohammadienne éternelle » décrite ci-
dessus (A, 3), et impliquant, entre autres, qu'au cycle
de la prophétie succède le cycle de la *walâyat*. Le premier thème sur lequel insistent longuement les propos
des Imâms, c'est la nécessité, postérieurement au Prophète énonciateur, d'un « Mainteneur du Livre » (*Qayyim al-Qorân*). Ce thème donne lieu à des dialogues très
animés dans l'entourage des Imâms, voire à des discussions avec certains Mo'tazilites (*infra* III), où se distingue, parmi les protagonistes, le jeune Hishâm ibn
al-Hakam, disciple favori du VIe Imâm. La thèse que
l'on oppose aux adversaires est que le texte du Qorân
à lui seul ne suffit pas, car il a des sens cachés, des profondeurs ésotériques, des contradictions apparentes.
Ce n'est pas un livre dont la science puisse être assumée
par la philosophie commune. Il faut « reconduire » (*ta'wîl*)
le texte au plan où son sens est vrai. Ce n'est pas l'affaire
de la dialectique, du *Kalâm* ; on ne construit pas ce *sens*

vrai à coup de syllogismes. Il faut un homme qui soit
à la fois un héritier spirituel et un inspiré, qui possède
l'ésotérique (*bâtin*) et l'exotérique (*zâhir*). C'est lui le
Hojjat de Dieu, le Mainteneur du Livre, l'Imâm ou le
Guide. L'effort de la pensée s'appliquera donc à considérer ce qui fait l'essence de l'Imâm en la personne des
Douze Imâms.

Mollâ Sadrâ, commentant les textes des Imâms sur
ce point, en énonce les présuppositions philosophiques :
ce qui n'a pas de cause (ce qui est *ab-imo*) ne peut être
connu ; l'essence n'en peut être définie ; aucune preuve
n'en peut être donnée à partir de quelque chose d'autre,
car *Il* est soi-même la preuve. On ne peut connaître Dieu
que par Dieu, non pas *à partir* du créaturel, comme le
font les théologiens du *Kalâm*, ni à partir de l'être con-
tingent comme le font les philosophes (les *falâsifa*). Il
n'est possible d'atteindre aux hautes connaissances
que par révélation divine (*wahy*) ou inspiration (*ilhâm*).
Postérieurement au Prophète qui fut le *Hojjat* de Dieu,
il est impossible que la Terre reste vide d'un *Hojjat*,
garant de Dieu, répondant pour lui devant les hommes,
pour que ceux-ci s'approchent de lui. Il peut être reconnu
publiquement, ou au contraire être ignoré de la masse,
voilé par un mode d'existence *incognito*. Il est le Guide
indispensable pour les sens cachés du Livre, lesquels
requièrent une lumière divine, une vision intérieure,
une audition spirituelle. L'imâmologie est un postulat
essentiel de la philosophie prophétique. La première
question est celle-ci : qui, après le Prophète, pouvait
revendiquer la qualité de « Mainteneur du Livre » ?

2. Les témoignages sont unanimes. Un des plus
célèbres Compagnons du Prophète, 'Abdollah ibn 'Abbâs, rapporte l'impression profonde éprouvée par tous
ceux qui entendaient 'Alî commenter la *Fâtiha* (la
Ire sourate du Qorân). Et il y a ce témoignage du
Ier Imâm lui-même : « Pas un verset du Qorân n'est

descendu sur (n'a été révélé à) l'Envoyé de Dieu, sans qu'ensuite il ne me le dictât et ne me le fît réciter. Je l'écrivais de ma main, et il m'en enseignait le *tafsîr* (l'explication littérale) et le *ta'wîl* (l'exégèse spirituelle), le *nâsikh* (verset abrogeant) et le *mansûkh* (verset abrogé), le *mohkam* et le *motashâbih* (le ferme et l'ambigu), le particulier et le général. Et il priait Dieu d'agrandir ma compréhension et ma mémoire. Ensuite il posait sa main sur ma poitrine et demandait à Dieu de remplir mon *cœur* de connaissance et de compréhension, de jugement et de lumière ».

Précisément, c'est encore au motif du *cœur* que recourent nos textes pour faire comprendre la fonction de l'Imâm : il est pour la communauté spirituelle ce que le *cœur* est pour l'organisme humain. La comparaison servira elle-même d'appui pour l'intériorisation de l'imâmologie. Lorsque Mollâ Sadrâ, par exemple, parle de « cette réalité célestielle (*malakûtî*) qui est l'Imâmat dans l'homme », il indique par là même comment l'imâmologie fructifie en expérience mystique. Aussi bien est-ce au *cœur* de ses shî'ites qu'est présent l'Imâm caché, jusqu'au jour de la Résurrection. On indiquera plus loin la signification profonde de la *ghaybat* (occultation de l'Imâm), cet *incognito* divin qui est essentiel à une philosophie prophétique, parce qu'il préserve le divin de devenir un *objet*, comme il le préserve de toute socialisation. L'autorité de l'Imâm est tout autre chose que le magistère dogmatique régissant une Église. Les Imâms ont initié au sens caché des Révélations ; euxmêmes héritiers, ils ont disposé de l'héritage en faveur de ceux qui étaient aptes à le recevoir. Une notion fondamentale de la gnoséologie est celle de *'ilm irthî*, une science qui est héritage spirituel. C'est pourquoi le shî'isme n'est pas ce qu'il est convenu d'appeler une « religion d'autorité », au sens d'une Église. En fait, les Imâms ont rempli leur mission terrestre ; ils ne sont plus

matériellement en ce monde. Leur présence continue
est une présence suprasensible ; aussi est-elle une
« autorité spirituelle » au sens vrai du mot. Leur enseignement subsiste et il est le fondement de toute l'herméneutique du Livre.

Le premier d'entre eux, le Ier Imâm, est qualifié
comme fondement de l'Imâmat. Mais la représentation
shî'ite ne peut en dissocier les *onze* autres Figures qui
forment ensemble le plérôme de l'Imâmat, parce que
la loi du nombre *douze*, chiffre symbolique d'une totalité, est constant à toutes les périodes du cycle de la
prophétie (on a rappelé ci-dessus quelques homologa-
tions : les douze signes du zodiaque, les douze sources
jaillies du rocher frappé par le bâton de Moïse ; le rapport
avec les douze mois de l'année est en consonance avec
les anciennes théologies de l'*Aiôn*). Chacun des grands
prophètes, énonciateurs d'une *sharî'at*, a eu ses douze
Imâms. Le Prophète a dit lui-même : « Que Dieu prenne
soin après moi de 'Alî et des *Awsiyâ* (héritiers) de ma
postérité (les onze), car ils sont les Guides. Dieu leur a
donné ma compréhension et ma science, ce qui veut
dire qu'ils ont même rang que moi, quant à ce qui est
d'être digne de ma succession et de l'Imâmat. » Comme
le dit Haydar Amolî : « Tous les Imâms sont une seule
et même Lumière (*nûr*), une seule et même Essence
(*haqîqat*, οὐσία), exemplifiée en douze personnes. Tout
ce qui s'applique à l'un d'entre eux s'applique également à chacun des autres. »

3. Cette conception se fonde sur toute une métaphysique de l'imâmologie qui a pris des développements
considérables, d'une part dans la théosophie ismaélienne, et d'autre part au sein du shî'isme duodécimain,
particulièrement dans l'école shaykhie. Les prémisses
en sont fournies par les textes mêmes des Imâms. Pour
en comprendre la portée, il faut se rappeler également
que si l'imâmologie s'est trouvée placée devant les mêmes

problèmes que la christologie, ce fut toujours pour incliner à des solutions qui, rejetées par le christianisme officiel, se rapprochent pour autant des conceptions gnostiques. Quand est envisagé le rapport de *Lâhût* (divinité) et *Nâsût* (humanité) dans la personne des Imâms, il ne s'agit jamais de quelque chose comme d'une union hypostatique des deux natures. Les Imâms sont des épiphanies divines, des théophanies. Le lexique technique (*zohûr*, *mazhar*) réfère toujours à la comparaison avec le phénomène du miroir : l'image qui se montre dans le miroir n'est pas incarnée dans (ni immanente à) la substance du miroir. Ainsi compris comme épiphanies divines, rien de moins ni de plus, les Imâms sont les Noms de Dieu, et comme tels ils préservent du double péril de *tashbîh* (anthropomorphisme) et de *ta'tîl* (agnosticisme). Leur préexistence comme Plérôme d'êtres de lumière est déjà affirmée par le VIᵉ Imâm : « Dieu nous a créés de la Lumière de sa sublimité, et de l'argile (de notre lumière) il a créé les Esprits de nos shî'ites ». C'est pourquoi leurs noms étaient écrits en lettres flamboyantes sur la mystérieuse Tablette d'émeraude en possession de Fâtima, origine de leur lignée (on se rappellera ici la *Tabula smaragdina* dans l'hermétisme).

Les qualifications que reçoivent les Imâms, ne se comprennent en effet que si on les considère comme des Figures de lumière, entités précosmiques. Ces qualifications ont été affirmées par eux-mêmes au temps de leur épiphanie terrestre. Kolaynî en a recueilli un bon nombre dans sa volumineuse compilation. C'est ainsi que les phases du célèbre verset de la Lumière (Qorân 24/35) sont rapportées respectivement aux Quatorze Très-Purs (le Prophète, Fâtima, les Douze Imâms). Ils sont les seuls « immaculés » (*ma'sûm*), préservés et immunisés de toute souillure. Le Vᵉ Imâm déclare : « La lumière de l'Imâm dans le *cœur* des croyants est

plus éclatante que le soleil qui répand la lumière du
jour. » Les Imâms sont en effet ceux qui illuminent
le cœur des croyants, tandis que ceux à qui Dieu
voile cette lumière, sont des cœurs enténébrés. Ils
sont les piliers de la Terre, les Signes (*'alamât*) que
Dieu mentionne dans son Livre, ceux à qui fut donnée
la sagesse infuse. Ils sont les khalifes de Dieu sur sa
Terre, les Seuils par lesquels on pénètre vers lui, les Élus
et les héritiers des prophètes. Le Qorân guide vers les
Imâms (comme figures théophaniques, les Imâms ne
sont plus seulement les guides du sens caché, ils sont
eux-mêmes ce sens ésotérique). Ils sont la mine de la
gnose, l'arbre de la prophétie, le lieu de la visitation
des Anges, héritiers de la connaissance les uns des autres.
En eux est la totalité des livres « descendus » (révélés)
de Dieu. Ils connaissent le Nom suprême de Dieu. Ils
sont l'équivalent de l'arche d'alliance chez les Israélites.
C'est à leur descente sur terre que fait allusion la descente de l'Esprit et des Anges en la Nuit du Destin (sourate 97). Ils savent toutes les connaissances « apportées »
par les Anges aux prophètes et aux Envoyés. Leur
connaissance embrasse la totalité des temps. Ils sont
des *mohaddathûn* (« ceux à qui parlent les Anges », cf.
infra A, 5). Parce qu'ils sont la lumière du cœur des
croyants, la célèbre maxime énonçant que « celui qui
se connaît soi-même, connaît son seigneur » veut dire :
« celui-là connaît son Imâm » (c'est-à-dire la Face de
Dieu pour lui). Inversement, celui qui meurt sans
connaître son Imâm, meurt de la mort des inconscients,
c'est-à-dire sans se connaître soi-même.

4. Ces affirmations ont leur point culminant dans le
célèbre « Prône de la grande Déclaration » (*Khotbat al-
Bayân*), attribué au Ier Imâm, mais dans lequel s'exprime
un Imâm éternel : « Je suis le Signe du Très-Puissant.
Je suis la gnose des mystères. Je suis le Seuil des Seuils.
Je suis le familier des éclats de la Majesté divine. Je

suis le Premier et le Dernier, le Manifesté et le Caché.
Je suis la Face de Dieu. Je suis le miroir de Dieu, le
Calame suprême, la *Tabula secreta*. Je suis celui qui,
dans l'Évangile, est appelé Élie. Je suis celui qui détient
le secret de l'Envoyé de Dieu. » Et le prône se poursuit
par le martèlement de soixante-dix affirmations aussi
extraordinaires. Quelle qu'en soit l'époque (beaucoup
plus ancienne, en tout cas, que l'ont cru certains critiques), cette *Khotba* nous montre la fructification, en
imâmologie shî'ite, du thème gnostique de l'*Anthropos*
céleste ou de la « Réalité mohammadienne éternelle ».
Les affirmations des Imâms se comprennent parfaitement par ce que nous avons dit précédemment de celle-ci.
Parce que « leur *walâyat* est l'ésotérique de la prophétie »,
ils sont enfin la clef de tous les sigles qorâniques, c'est-
à-dire des lettres mystérieuses inscrites en tête ou en
titre de certaines sourates du Qorân.

Et puisqu'ils sont tous une même Essence, une même
Lumière, ce qui est dit de l'Imâm en général, se rapporte
à chacun des Douze. Tels qu'ils apparaissent sur le plan
de l'histoire, ils se succèdent ainsi : I. 'Alî, Émir des
croyants (ob. 40/661). II. al-Hasan al-Mojtabâ (49/669).
III. al-Hosayn Sayyed al-shohadâ' (61/680). IV. 'Alî
Zaynol-'Abidîn (92/711). V. Mohammad Bâqir (115/733).
VI. Ja'far al-Sâdiq (148/765). VII. Mûsâ al-Kâzim
(183/799). VIII. 'Ali Rezâ (203/818). IX. Mohammad
Javâd al-Taqî (220/835). X. 'Alî al-Naqî (254/868).
XI. al-Hasan al-'Askarî (260/874). XII. Mohammad
al-Mahdî, *al-Qâ'im*, *al-Hojjat*. Tous ont répété qu'ils
étaient les héritiers des connaissances de l'Envoyé de
Dieu et de tous les prophètes antérieurs. Le sens de cette
qualité d'héritier, la gnoséologie va nous le montrer.
Ce qui précède nous permet déjà de ruiner un préjugé
ou malentendu. Jamais l'ascendance charnelle remontant au Prophète n'a suffi à faire un Imâm (il y faut
en outre *nass* et *'ismat*, l'investiture et l'impeccabilité).

Ce n'est pas de leur parenté terrestre avec le Prophète, sans plus, que résulte leur imâmat. Il faut plutôt dire inversement, que c'est leur parenté terrestre qui résulte et est le signe de leur unité plérômatique avec le Prophète.

5. D'autre part, il y a lieu de constater brièvement ici que la notion de *walâyat* a si bien ses origines dans le shî'isme même, qu'elle en apparaît indissociable. Elle en fut pourtant dissociée, et c'est là toute l'histoire du soufisme non shî'ite dont, on l'a dit, les origines ne sont pas encore parfaitement élucidées. La *walâyat* perd alors son support, sa source et sa cohérence ; on transfère au Prophète ce qui se rapportait à l'Imâm. Une fois la *walâyat* ainsi déracinée de l'imâmologie, une autre conséquence grave se produira. Passeront pour héritiers des prophètes et du Prophète, les « quatre imâms » fondateurs des quatre rites juridiques (hanbalite, hanéfite, malékite, shafi'ite) de l'Islam sunnite. Le lien organique, la bi-polarité de la *sharî'at* et de la *haqîqat*, se trouvait rompu, et par là même consolidée la religion légalitaire, l'interprétation purement juridique de l'Islam. On peut saisir là, à sa source, un phénomène de laïcisation et de socialisation tout à fait caractéristique. Le *bâtin* isolé du *zâhir*, voire rejeté, c'est aussi toute la situation des philosophes et des mystiques qui se trouvait en porte à faux, engagée dans une voie de plus en plus « compromettante ». De ce phénomène, non analysé jusqu'ici, donne une parfaite idée la protestation de tous ceux des Shî'ites (Haydar Amolî en tête) qui, comprenant fort bien la cause première de la réduction de l'Islam à une religion purement légalitaire, dénient aux « quatre imâms » la qualité d'héritiers du Prophète. Pour la première raison que leur science étant tout exotérique, n'a nullement la nature d'une science qui est héritage spirituel (*'ilm irthî*). Pour la seconde raison que la *walayât* fait précisément des Imâms les

héritiers du *bâtin*. La gnoséologie shî'ite nous permet de comprendre l'enjeu et la gravité de la situation.

5. *La gnoséologie.*

1. Il y a un lien essentiel entre la gnoséologie d'une philosophie prophétique et le phénomène du Livre saint « descendu du Ciel ». Pour une réflexion philosophique s'exerçant au sein d'une communauté de *ahl al-Kitâb*, le thème de l'inspiration prophétique doit être un thème privilégié. La philosophie prophétique éclose en Islam shî'ite y trouve sa tonalité propre, en même temps que son orientation diffère profondément de l'orientation de la philosophie chrétienne, centrée sur le fait de l'Incarnation comme entrée du divin dans l'histoire et la chronologie. Les rapports du croire et du savoir, de la théologie et de la philosophie, ne seront pas conçus identiquement de part et d'autre. Ici, la gnoséologie s'attachera à la connaissance suprasensible ; elle en instaurera les catégories en fonction de la connaissance prophétique, et en fonction de la hiérarchie des personnes que détermine le rapport, décrit ci-dessus, entre la *nobowwat* et la *walâyat*. Certes, la dialectique rationnelle des *Motakallimûn* était sans ressource pour cette philosophie prophétique. Ceux qui l'assumèrent, furent les *hokamâ' ilâhîyûn*, littéralement, nous l'avons vu, les *theosophoi*.

Les *hadîth* qui, dans le *corpus* de Kolaynî, nous transmettent particulièrement la doctrine gnoséologique des Ve, VIe et VIIe Imâms, posent une classification des degrés de la connaissance et des personnes prophétiques en fonction des degrés de la médiation de l'Ange. Ce lien entre la gnoséologie et l'angélologie permettra aux philosophes (*falâsifa*) d'identifier l'Ange de la Connaissance et l'Ange de la Révélation. Mais ce serait

complètement se méprendre que de voir dans cette
identification du 'Aql (Intelligence) et du Rûh (Esprit),
Νοῦς et Πνεῦμα, une rationalisation de l'Esprit. La
notion de 'Aql (intellectus, intelligentia) n'est pas celle
de la *ratio* (on peut même dire que c'est l'angélologie,
solidaire de la gnoséologie et de la cosmologie avicen-
niennes, qui entraînera l'échec de l'avicennisme latin
au xiie siècle, parce que la Scolastique latine prenait
alors une tout autre direction). En outre, il faut souligner que la classification des prophètes et des modes
de connaissance qui leur correspondent, a pour source
l'enseignement des Imâms, et qu'il nous est impossible
d'atteindre une source plus ancienne.

2. Quatre catégories sont énumérées, décrites et
expliquées par les Imâms. 1) Il y a le prophète ou Nabî
qui n'est prophète que pour lui-même. Il ne lui incombe
pas de proclamer le message qu'il a reçu de Dieu,
parce que c'est un message tout personnel. C'est en
quelque sorte une prophétie « intransitive » qui ne fran-
chit pas les limites de sa personne. Il n'est « envoyé »
que pour lui-même. 2) Il y a le Nabî qui a des visions
et entend la voix de l'Ange *en songe*, mais ne voit pas
l'Ange à l'état de veille, et n'est également envoyé
vers personne (on cite comme exemple le cas de Loth).
3) A ces deux catégories de Nabîs tout court s'ajoute
celle du prophète qui a la vision ou la perception de
la voix de l'Ange non seulement en songe, mais à l'état
de *veille*. Il peut être envoyé vers un groupe plus ou
moins nombreux (on cite comme exemple le cas de
Jonas). C'est le cas du *nabî morsal*, prophète envoyé,
avec lequel nous n'avons encore affaire qu'à la *nobowwat al-ta'rîf*, prophétie enseignante, notifiante.
4) Dans la catégorie des prophètes-envoyés se distingue la catégorie des six (ou sept) grands prophètes
(Adam, Noé, Abraham, Moïse, David, Jésus, Mohammad), Envoyés avec la mission (*risâlat*) d'énoncer une

sharî'at, une Loi divine nouvelle, abrogeant la précé-
dente ; c'est en propre la *nobowwat al-tashrî'* ou prophétie législatrice (*supra* A, 3). Il est enfin précisé que
la *risâlat* ne peut advenir qu'à un Nabî dont la qualité de prophète, la *nobowwat*, a atteint sa maturité,
de même que la *nobowwat* n'advient qu'à celui dont
la *walâyat* s'est pleinement développée. Il y a comme
une initiation divine progressive.

Deux remarques s'imposent d'emblée. La première
concerne l'intervention ici même de la notion de *walâyat*.
En ce qui concerne les deux premières catégories de
Nabîs, tous nos commentateurs nous informent que
leur cas est tout simplement celui des *Awliyâ* ; ce sont
des « hommes de Dieu » possédant des connaissances
qu'ils n'ont pas eu à acquérir de l'extérieur (*iktisâb*)
par un enseignement humain. Cependant ils n'ont pas
la vision de ce qui en est la cause, à savoir la vision
de l'Ange qui « projette » ces connaissances dans leur
cœur. Mais l'on nous donne une précision capitale :
le mot *walî* (Ami et Aimé de Dieu) ne fut employé pour
aucun des *Awliyâ* des périodes de la prophétie antérieures à la mission du prophète de l'Islam. Ils étaient
dénommés simplement *Anbiyâ'* (pluriel de *nabî*), des
prophètes (que l'on pense ici aux *Beni ha-Nebi'im* de
la Bible). Depuis l'Islam, on ne peut plus employer
le terme *Nabî*, on dit *Awliyâ*. Mais entre la *walâyat* et
la prophétie simple (celle que n'accompagne pas la
mission de révéler une *sharî'at*), il n'y a de différence
que dans l'emploi du mot, non pas quant à l'idée ni
à la signification. Gnoséologiquement, le cas des anciens
Nabîs est exactement celui des Imâms ; ils ont la perception auditive de l'Ange en songe (les *mohaddathûn*,
« ceux à qui parlent les Anges »). Cette position est
d'une importance décisive. Elle fonde toute l'idée shî'ite
du cycle de la *walâyat* succédant au cycle de la prophétie.
Elle rend possible, parce que seule la « prophétie légis-

latrice » est close, la continuation, sous le nom de *wa-lâyat*, d'une « prophétie ésotérique » (*nobowwat bâtinîya*), c'est-à-dire la continuation de la *hiérohistoire* (*infra* A, 6).

Une seconde remarque est celle-ci : les catégories de la gnoséologie prophétique sont établies en fonction de la médiation visible, audible ou invisible de l'Ange, c'est-à-dire en fonction de la conscience que peut en prendre le sujet. La mission de l'Envoyé implique la vision de l'Ange à l'état de veille (vision dont la modalité sera expliquée par un mode de perception différent de la perception sensible). C'est elle que l'on désigne en propre comme *wahy* (communication divine). Pour les autres catégories on parle de *ilhâm* (inspiration), comportant différents degrés, et de *kashf*, dévoilement mystique. Un *hadîth* énonce que « l'Imâm entend la voix de l'Ange, mais n'en a pas la vision, ni en songe ni à l'état de veille. »

3. Ces différents modes de connaissance supérieure, de *hiérognose*, ont longuement retenu l'attention de nos auteurs. Leur sens ne s'entend qu'à la condition de les rattacher à l'ensemble de la prophétologie. Lorsque le Prophète lui-même célèbre le cas exemplaire de 'Alî, capable entre tous les Compagnons de progresser vers Dieu par la force de son *'aql* (intelligence) à la quête des Connaissances, il s'agit d'une notion prophétique du *'aql*, dont la prédominance eût changé du tout au tout les conditions de la philosophie en Islam. Celle-ci en faisant reconnaître le lien qu'elle établissait entre la médiation de l'Ange et l'illumination par l'Intelligence, eût été « chez elle ». A la limite, nous l'avons dit, la gnoséologie des philosophes rejoint la gnoséologie prophétique, en identifiant *'Aql fa''âl* (l'Intelligence agente) avec l'Esprit-Saint, Gabriel, Ange de la Révélation.

C'est pourquoi on mutilerait un aperçu de la théosophie shî'ite, si l'on n'indiquait pas brièvement comment nos penseurs ont, dans leurs commentaires, développé la gnoséologie instaurée par les Imâms. Mollâ Sadrâ est ici le grand maître. La doctrine élaborée par lui en marge du texte des Imâms présente toute connaissance vraie comme étant une épiphanie ou une théophanie. C'est que le *cœur* (l'organe subtil de lumière, *latîfa nûrânîya*, support de l'intelligence) a, par disposition foncière, capacité d'accueillir la réalité spirituelle (les *haqâ'iq*) de tous les cognoscibles. Cependant les connaissances qui s'épiphanisent (*tajallî*) à lui de derrière le voile du mystère (le suprasensible, le *ghayb*), peuvent avoir pour source les *données* de la *sharî'at* (*'ilm shar'î*), et elles peuvent être une science spirituelle (*'ilm 'aqlî*) s'originant directement au Donateur des données. Cette science *'aqlî* peut être innée, *a priori* (*matbû'*, dans la terminologie du Ier Imâm), c'est la connaissance des premiers principes, — ou bien elle peut être acquise. Si elle est acquise, elle peut l'être par l'effort, l'observation, les inférences (*istibsâr, i'tibâr*), c'est la science des philosophes sans plus ; ou bien elle peut assaillir le cœur, comme projetée inopinément en lui ; c'est ce que l'on appelle *ilhâm* (inspiration). Pour celle-ci, il faut distinguer le cas où elle se produit sans que l'homme voie la cause qui la « projette » en lui (l'Ange), c'est l'inspiration des Imâms, des *Awliyâ* en général ; et le cas où l'homme a la vision directe de la cause, c'est le cas de la communication divine (*wahy*) par l'Ange au prophète. Cette gnoséologie englobe donc à la fois, comme différences graduelles d'une même Manifestation, la connaissance des philosophes, celle des inspirés, celle des prophètes.

4. L'idée de la connaissance comme étant une épiphanie dont l'organe de perception a son siège dans le cœur, conduit à établir deux séries parallèles dont les termes respectifs sont homologues. Du côté de la vision extérieure (*basar al-zâhir*), il y a l'œil, la faculté de la

vue, la perception (*idrâk*), le soleil. Du côté de la vision
intérieure (*basîrat al-bâtin*) il y a le cœur (*qalb*), l'intelligence ('*aql*), la connaissance ('*ilm*), l'Ange (l'Esprit-
Saint, l'Intelligence agente). Sans l'illumination du
soleil, l'œil ne peut voir. Sans l'illumination de l'Ange-
Intelligence, l'intellect humain ne peut connaître (la
théorie avicennienne s'intègre ici à la gnoséologie
prophétique). On donne à cet Ange-Intelligence le nom
de Calame (*Qalam*), parce qu'il est la cause intermédiaire entre Dieu et l'homme pour l'actualisation de la
connaissance dans le cœur, comme le calame (la plume)
est intermédiaire entre l'écrivain et le papier sur lequel
il écrit ou dessine. Il n'y a donc pas à passer de l'ordre
sensible à l'ordre suprasensible, en se demandant si
le passage est légitime. Il n'y a pas non plus abstraction
à partir du sensible. Il s'agit de deux aspects, à deux
plans différents, d'un même processus. Ainsi se trouve
fondée l'idée d'une perception ou connaissance par
le *cœur* (*ma'rifat qalbîya*), formulée en premier lieu et
expressément par les Imâms, et à laquelle fait allusion
le verset qorânique (53/11, dans le contexte évoquant
la première vision du Prophète) : « Le cœur ne dément
pas ce qu'il a vu. » Ou encore : « Ce ne sont pas leurs
yeux qui sont aveugles, ce sont leurs cœurs, dans leurs
poitrines, qui sont aveugles » (22/45).

Parce qu'il s'agit d'une même Manifestation à des
degrés différents d'éminence, par la voie des sens ou
par une autre voie, Manifestation dont la limite est
la vision de l'Ange « projetant » les connaissances dans
le cœur à l'état de veille, en une vision *semblable* à
celle des yeux, on peut dire que selon le schéma de la
gnoséologie prophétique, le philosophe ne voit pas
l'Ange, mais intellige par lui, dans la mesure de son
effort. Les Awliyâ, les Imâms, l'entendent, par audition spirituelle. Les prophètes le voient. La comparaison constante, chez Mollâ Sadrâ comme chez les

autres, réfère au phénomène des miroirs. Il y a un
voile entre le miroir du cœur et la *Tabula secreta*
(*Lawh mahfûz*) où toutes les choses sont empreintes.
L'épiphanie des connaissances depuis le miroir de la
Tabula secreta dans cet autre miroir qui est le cœur,
est comme le réfléchissement de l'image d'un miroir
dans un autre miroir qui lui fait face. Le voile qui s'interpose entre deux miroirs s'enlève, tantôt parce qu'on
l'écarte de la main (les philosophes s'y efforcent), tantôt
parce que le vent se met à souffler. « De même il arrive
que souffle la brise des grâces divines ; alors le voile
est levé devant l'œil du cœur (*'ayn al-qalb*) ».

Quelques lignes de Mollâ Sadrâ récapitulent au
mieux : « Ainsi la connaissance par inspiration (*ilhâm*,
celle des Nabîs, des *Awliyâ*) ne se distingue de celle qui
est acquise par l'effort (*iktisâb*, celle des philosophes)
ni dans la réalité même du Connaître, ni dans son siège
(le cœur), ni dans sa cause (l'ange, le Calame, Gabriel,
l'Esprit-Saint, l'Intelligence agente), mais elle s'en
distingue quant à la cessation du voile, sans que cela
dépende du choix de l'homme. De même la communication divine au prophète (*wahy*) ne se distingue de l'inspiration (*ilhâm*) par rien de tout cela, mais uniquement
quant à la *vision* de l'Ange qui confère la connaissance. Car les connaissances ne sont actualisées dans
nos cœurs, de par Dieu, que par l'intermédiaire des
Anges, comme le dit ce verset qorânique : Il n'est pas
donné à l'homme que Dieu lui parle, sinon par une
communication de derrière un voile, ou bien Il envoie
un Ange » (42/50-51).

5. A la gnoséologie prophétique ressortit donc aussi
bien ce qui est du domaine habituel du philosophe que
tout ce qui concerne la hiérognose : les modes de
connaissance supérieure, perceptions du suprasensible,
aperceptions visionnaires. Mollâ Sadrâ explicitant les pos-
tulats de cette gnoséologie, fait apparaître entre celle-

ci et celle de l'*Ishrâq* (*infra*, chap. VII) une convergence
essentielle, en ce sens que l'authentification des visions
prophétiques et des perceptions du suprasensible postule que l'on reconnaisse, entre la perception sensible
et l'intellection pure de l'intelligible, une tierce faculté
de connaissance. Telle est la raison de l'importance reconnue à la conscience imaginative et à la perception imaginative comme organe de perception d'un monde qui
lui est propre, le *mundus imaginalis* ('*âlam al-mithâl*),
en même temps qu'à l'encontre de la tendance générale
des philosophes, on en fait une faculté psycho-spirituelle pure, indépendante de l'organisme physique
périssable. Il y aura lieu d'y revenir à propos de Sohrawardî et de Mollâ Sadrâ. Pour le moment relevons
le fait que c'est la prophétologie des Imâms qui implique
la nécessité de la triade des univers (sensible, imaginatif, intelligible) en correspondance avec la triade de
l'anthropologie (corps, âme, esprit).

La démonstration apportée sur ce point, puise sa
force dans la thèse affirmant que la réalité de n'importe
quel acte de connaissance est en fait très différente de
ce que croit le savant purement exotériste. Même, en
effet, dans le cas de la perception normale de l'objet
sensible extérieur, on ne peut dire que l'âme ait la vision
d'une forme qui serait dans la matière extérieure. Ce
n'est pas cela la perception sensible ; ce n'est pas une
telle forme qui en est l'objet. Son objet, ce sont en fait
les formes que l'âme voit avec l'œil de la conscience
imaginative. Les formes à l'extérieur sont causes de
l'apparition d'une forme qui « symbolise avec elles »
(*momâthalat, tamaththol*) pour la conscience imaginative. L'objet perçu par la voie des sens, c'est en réalité cette forme symbolisante. En fait, que la production de la forme symbolisante pour la conscience imaginative soit occasionnée de l'*extérieur*, et que l'on s'y
exhausse à partir des organes des sens, ou bien qu'elle

se produise de l'*intérieur* et que l'on y *descende* à partir
des cognoscibles spirituels, en mettant en œuvre l'Imagination pour les rendre présents, — dans tous les cas où
se produit cette forme dans la conscience imaginative,
elle est objet réel de vision (*moshâhada*). Il y a pourtant
une différence : dans le premier cas, parce que l'apparence
extérieure (*zâhir*) peut ne pas concorder avec
l'intérieur (*bâtin*), il peut y avoir une erreur. Dans le
second cas, il ne peut y en avoir. La forme-*image* éclose
de la contemplation dirigée sur le suprasensible et de
l'illumination du monde du *Malakût*, « imite » parfaitement les choses divines.

Ainsi la gnoséologie prophétique est conduite à une
théorie de la connaissance imaginative et des formes
symboliques. Corollairement, Mollâ Sadrâ développe
une psycho-physiologie mystique (montrant le rôle
du *pneuma vital*, le *rûh haywânî*) qui, développant les
critères déjà indiqués par les Imâms, permet de discerner les cas de suggestion démoniaque et, en général,
ce que nous appellerions aujourd'hui schizophrénie. Les
trois ordres de perceptions propres au *walî*, au *nabî*, au
rasûl sont homologués respectivement aux trois membres
de la triade esprit, âme, corps. Le prophète de l'Islam
réunit les trois perfections. Il est impossible, malheureusement, de donner ici une idée de la richesse de cet
enseignement. Il affermit les notions de vision spirituelle (*rû'yat 'aqlîya*), d'audition spirituelle (*samâ'*
'aqlî, *samâ' hissî bâtinî*, audition sensible intérieure),
le *cœur* possédant, lui aussi, les cinq sens d'une sensi-
bilité métaphysique. C'est celle-ci qui perçoit le *taklîm*
et le *tahdîth* (l'entretien) de l'Ange ou Esprit-Saint,
invisible aux sens physiques. Et c'est là même le *ta'lîm*
bâtinî, l'enseignement ou initiation ésotérique au sens
propre du terme, c'est-à-dire absolument personnel,
sans médiation d'aucune collectivité ni magistère, et
qui est aussi la source de ce que l'on appelle *hadîth*

qodsî : un *récit inspiré* du monde spirituel et dans lequel
Dieu parle à la 1re personne. L'ensemble de ces *hadîth
qodsî* constitue un trésor unique de la spiritualité islamique. Mais il est impossible de reconnaître leur « autorité », sinon par cette gnoséologie dont on indique ici
les sources. Enfin, c'est cette gnoséologie qui explique
la continuation, jusqu'au jour de la Résurrection, de
cette « prophétie secrète, ésotérique » (*nobowwat bâtinîya*) dont la Terre des hommes ne pourrait être privée
sans périr. Car seule une *hiérohistoire* détient le secret
d'une philosophie prophétique qui n'est pas une dialectique de l'Esprit, mais une épiphanie de l'Esprit-
Saint.

6. Dès lors prend son sens et sa force le contraste
établi entre les « sciences officielles » acquises de l'extérieur par l'effort et par un enseignement humain (*'olûm
kasbîya rasmîya*) et les « connaissances au sens vrai »
reçues par héritage spirituel (*'olûm irthîya haqîqîya*),
obtenues graduellement ou d'un seul coup par un
enseignement divin. Haydar Amolî est de ceux qui ont
le plus insisté sur ce thème, et montré pourquoi les
sciences de la seconde catégorie pouvaient fructifier
indépendamment des premières, mais non point celles-ci
sans celles-là. Ce ne sont pas tellement les philosophes,
les *falâsifa*, qui sont visés, car en une impressionnante
récapitulation de la situation philosophique en Islam,
Haydar Amolî recueille de multiples témoignages, ceux
de Kamâl Kashânî, Sadr Torkeh Ispahânî, les deux
Bahrânî, Afzal Kâshânî, Nâsîr Tûsî, Ghâzâlî, jusqu'à
celui d'Avicenne. En effet Avicenne affirme que nous
connaissons seulement les propriétés, les inhérents et
les accidents des choses, non point leur essence (*haqîqat*) ;
même lorsque nous disons du Premier Être que son
existence est nécessaire, c'est encore là une propriété
inhérente mais non pas son essence. Bref tous les philosophes invoqués sont d'accord pour reconnaître que

la dialectique spéculative ne mène pas jusqu'à la connaissance de soi-même, c'est-à-dire la connaissance de l'âme et de son essence. Cette critique shî'ite de la philosophie est avant tout une critique constructive. Certes, Haydar Amolî est plus sévère à l'égard des représentants de la théologie dialectique (*Kalâm*) en Islam. Les pieux Ash'arites aussi bien que les Mo'tazilites rationalistes (*infra* chap. III), entrechoquant leurs thèses et antithèses, n'échappent pas à leur propre contradiction ni à un agnosticisme de fait. Mais ceux qui sont principalement visés, lorsque Haydar dénonce l'impuissance des « sciences officielles », ce sont tous ceux qui réduisent la pensée en Islam aux questions juridiques, à la science du *fiqh*, qu'ils soient shî'ites ou sunnites, surtout s'ils sont shî'ites, car alors ils portent la responsabilité de cet état de choses.

Seuls, ceux que l'on appelle les *Ilâhîyûn*, les Sages de Dieu, les « théosophes », ont eu et auront part à l'héritage de cette connaissance dont les modes ont été décrits comme *wahy*, *ilhâm*, *kashf*. Ce qui diversifie cette science comme héritage spirituel, à l'égard de la connaissance acquise de l'extérieur, c'est qu'elle est connaissance de l'âme, c'est-à-dire connaissance de soi-même, et que la part d'« héritage » grandit en proportion du développement spirituel, non point par la seule acquisition de connaissances techniques. La connaissance par *wahy* est close (avec la clôture de la « prophétie législatrice ») ; la voie de la connaissance par *ilhâm* et *kashf* reste ouverte (où que l'on rencontre cette proposition, sa teneur shî'ite subsiste). La connaissance désignée comme *kashf*, dévoilement mystique, peut être purement mentale (*ma'nawî*), et elle peut aussi percevoir une forme imaginative (*kashf sûrî*). Un *hadîth* nous suggère au mieux ce que signifie la science qui est connaissance de soi. La théologie shî'ite, nous l'avons dit (*supra* A, 3), exclut, à l'encontre d'autres

écoles, toute possibilité humaine de « voir Dieu », et
cette thèse est conforme à la réponse de Dieu à Moïse
(« Tu ne me verras pas », Qorân 7/139). Cependant,
dans le *hadîth* de la vision, le Prophète atteste : « J'ai
vu mon Dieu sous la plus belle des formes ». A la question qui se trouve ainsi posée, le VIIIe Imâm, 'Alî Rezâ
(ob. 203/818) fit une réponse qui prélude à ce qu'ont
médité les spirituels. Mieux que le Buisson ardent, la
forme humaine, étant à l'image divine, est apte à être
le lieu épiphanique, le *mazhar* divin. En réalité, Mohammad ne vit que la forme de sa propre âme, laquelle était
la plus belle des formes, puisqu'elle était précisément
celle de la « Réalité mohammadienne éternelle », l'Anthropos céleste — dont l'Imâm est l'ésotérique. Toute
vision de Dieu est celle de sa Forme humaine. D'emblée
on saisit la portée, ici, de la devise déjà rappelée : « Celui
qui se connaît soi-même (*nafsaho*, son âme), connaît
son Seigneur », c'est-à-dire son Imâm, dont le corollaire est que « mourir sans connaître son Imâm, c'est
mourir de la mort des inconscients ». Le Prophète a
pu dire : « Vous verrez votre Seigneur comme vous
voyez la Lune une nuit de pleine lune. » Et le Ier Imâm
de dire, dans un propos où l'on perçoit une nette réminiscence évangélique : « Celui qui m'a vu, a vu Dieu. »
Un de ses entretiens avec son disciple Komayl se termine sur ces mots : « Une lumière se lève à l'aurore de
la prééternité ; elle resplendit sur les temples du *tawhîd* ».

7. Lors donc que l'on parle des connaissances *irthîya*
(reçues à la façon dont un héritier reçoit l'héritage qui
est à lui), il s'agit de savoir à qui s'appliquent des sentences du Prophète telles que celles-ci : « Les savants
sont les héritiers des prophètes ». « Les savants de ma
communauté sont les homologues des prophètes
d'Israël ». « L'encre des savants est plus précieuse que
le sang des martyrs ». D'emblée, Haydar Amolî exclut
tous les savants exotéristes, toute interprétation qui

ferait, par exemple, des « quatre imâms », fondateurs
des quatre grands rites juridiques sunnites, des héritiers des prophètes (*supra* A, 4). Aussi bien n'y ont-ils
pas prétendu, et leur science reste tout entière du type
de la « science acquise de l'extérieur » (qu'elle emploie
ou non le syllogisme). Les connaissances *irthîya* présupposent une affiliation spirituelle (*nisbat ma'nawîya*)
dont le cas de Salmân le Perse reste le prototype, parce
qu'il lui fut dit : « Tu fais partie de nous, les membres
de la Maison du Prophète » (*anta minnâ ahl al-bayt*). Cette
Maison, dit notre auteur, ce n'est pas la famille extérieure comprenant les épouses et les enfants, mais « la
famille de la Connaissance, de la gnose et de la sagesse »
(*bayt al-'ilm wa'l-ma'rifat wa'l-hikmat*). C'est cette
Maison prophétique qui, dès l'origine, est constituée
par les Douze Imâms ; ils sont ensemble (avant même
leur apparition terrestre) le fondement de la relation
et de l'affiliation. Car, ainsi que nous l'avons relevé
précédemment, à l'encontre de ceux qui ont reproché
au shî'isme duodécimain de fonder son imâmologie sur
une descendance charnelle, ce n'est nullement celle-ci
qui suffit à fonder l'imâmat des Imâms. Le VIe Imâm
a répété : « Ma *walâyat* à l'égard de l'Émir des croyants
(le Ier Imâm) est plus précieuse que mon lien de descendance charnelle avec lui (*wilâdatî min-ho*). » Comme
nous l'avons vu, le plérôme des Douze préexiste à leur
épiphanie terrestre, leur consanguinité ou parenté
terrestre est le *signe* de leur *walâyat*, elle n'en est pas
le fondement.

C'est pourquoi, ce sont eux les transmetteurs de la
connaissance qui est « héritage prophétique », et c'est
par cette transmission que continuera, nous l'avons
vu, jusqu'au jour de la Résurrection, cette « prophétie
ésotérique » qui est la *walâyat*. Analysant la première
des sentences citées ci-dessus, Haydar Amolî met en
garde contre le piège de la tournure arabe. Il traduit :

les savants, ce sont ceux qui sont les héritiers des prophètes. Réciproquement : ceux qui ne sont pas héritiers, ne sont pas des savants. La qualité d'héritier
fait que le bien reçu n'est pas acquis de l'extérieur ;
c'est le dépôt qui nous revient. Certes, entrer en possession de ce dépôt peut demander de l'effort (*ijtihâd*) et
de l'entraînement spirituel. Mais que l'on ne s'y trompe
pas. Il en va comme d'un trésor enfoui sous la terre,
qu'un père aurait laissé à son héritier. L'effort dégage
l'obstacle ; il ne produit pas le trésor. « De même, conclut notre auteur, le *Verus Adam* (*Adam haqîqî*) a
laissé derrière lui, *sous la terre de leur cœur*, les trésors
des théosophies. Et c'est là le sens de ce verset qorânique : S'ils savaient méditer la Torah et l'Évangile,
et les livres que le Seigneur leur a envoyés, ils goûte-
raient aussi bien ce qui est au-dessus d'eux que ce qui
est sous leurs pas (5/70) ». Nous retrouvons ainsi l'idée
du dépôt des secrets divins confié à l'homme (33/72),
fondement de l'ésotérisme shî'ite (*supra* A, 1). C'est
pourquoi son histoire ne peut être qu'une hiérohistoire.

6. *Hiérohistoire et métahistoire.*

1. On donne ici le nom de *hiérohistoire* aux représentations impliquées dans l'idée de *cycles* (*dawr*,
plur. *adwâr*) de la prophétie et de la *walâyat*, comme
à une histoire qui ne consiste pas dans l'observation,
l'enregistrement ou la critique de faits empiriques, mais
qui résulte d'un mode de perception qui dépasse la
matérialité des faits empiriques, à savoir cette perception du suprasensible, dont les degrés nous ont été
indiqués précédemment dans la gnoséologie. Il y a
corrélation entre *hiérognose* et *hiérohistoire*. Les faits
perçus ainsi ont, certes, la réalité d'événements, mais
non pas d'événements ayant la réalité du monde et

des personnes physiques, ceux qui en général remplissent nos livres d'histoire, parce que c'est avec eux que l'on « fait de l'histoire ». Ce sont des *faits spirituels* au sens strict du mot. Ils s'accomplissent dans la *métahistoire* (par ex. le jour du Covenant entre Dieu et la race humaine), ou bien ils *transparaissent* dans le cours des choses de ce monde, y constituant l'invisible de l'événement et l'événement invisible qui échappe à la perception empirique profane, parce que présupposant cette « perception théophanique » qui seule peut saisir un *mazhar*, une forme théophanique. Les prophètes et les Imâms ne sont perçus comme tels qu'au plan d'une hiérohistoire, une histoire sacrale. Le cycle total de cette hiérohistoire (les périodes prophétiques et le cycle postprophétique de l'Imâmat ou de la *walâyat*) présente une structure qui n'est pas celle d'une évolution quelconque, mais qui reconduit aux origines. La hiérohistoire envisage donc d'abord ce en quoi consiste la « descente », pour décrire la « remontée », la fermeture du cycle.

Comme l'explique Mollâ Sadrâ, en explicitant l'enseignement des Imâms, ce qui est « descendu » (s'est épiphanisé) dans le cœur du Prophète, ce sont tout d'abord les *haqâ'iq*, les vérités et réalités spirituelles du Qorân, *avant* la forme visible du texte faite des mots et des lettres. Ces réalités spirituelles, ce sont elles la « Lumière du Verbe » (*Nûr al-Kalâm*) qui était déjà présente avant que l'Ange ne se manifestât sous une forme visible et « dictât » le texte du Livre. La vérité spirituelle était déjà là, et c'est cela justement la *walâyat* du Prophète, laquelle est, dans sa personne, antérieure à la mission prophétique, puisque celle-ci la présuppose. C'est pourquoi, on l'a vu, le Prophète déclare : « 'Alî (les *haqâ'iq*, l'ésotérique) et moi nous sommes une seule et même Lumière. » D'où, la prophétie ayant commencé sur terre avec Adam (comparer sur ce point la hiérohistoire de l'Ismaélisme, *infra* B I, §§ 2 et 3), il convient de préciser la différence entre la révélation divine qui fut donnée au *dernier* prophète Envoyé, et celles qui furent données aux prophètes antérieurs. De chacun de ceux-ci l'on peut dire : un Nabî est venu, et avec lui une Lumière venant du Livre qu'il apportait. Du dernier Envoyé l'on peut dire : un Nabî est venu qui était par soi-même une Lumière, et avec lui il y avait un Livre. Dans son cas, c'est son cœur, son secret (*bâtin*), qui éclaire le Livre, et ce *bâtin*, cet « ésotérique », c'est justement la *walâyat*, c'est-à-dire ce qui constitue l'essence de l'imâmologie. C'est pourquoi, à la différence des autres communautés, il est dit des Fidèles au sens vrai que « Dieu a *écrit* la foi dans leurs cœurs » (58/22), parce que la foi (*imân*) n'atteint sa perfection qu'en atteignant à ce *bâtin*. La perception plénière de la réalité prophétique présuppose l'accès à cette intériorité et aux *événements* qui s'y accomplissent, et c'est tout autre chose que ce que la perception empirique atteint dans les *faits* de l'histoire extérieure.

2. Ce qui a été dit précédemment (*supra* A, 3) concernant le rapport entre le Prophète et la « Réalité mohammadienne » éternelle (*Haqîqat mohammadîya*), l'*Anthropos* céleste dont il est le *mazhar*, la forme épiphanique, postule qu'il ne puisse s'agir d'une entrée dans l'histoire, d'une *historicisation* du divin, comme l'implique l'idée chrétienne de l'Incarnation. La fonction épiphanique (*mazharîya*) postule que toujours soient distingués d'une part les attributs de la *Haqîqat* éternelle dont la Manifestation ne se produit que pour le *cœur*, et d'autre part ceux de l'apparence extérieure, visible pour tout le monde, croyants ou non. Certes, de même qu'il est le *mazhar* des univers spirituel et corporel, le Prophète est le « confluent des deux mers » (*majma' al-bahrayn*). Cependant lorsqu'il parle « du côté » de la mer qui est son humanité, il ne peut que

déclarer : « Je suis un homme tout pareil à vous, mais la révélation m'a été donnée » (18/110). C'est pourquoi nous avons déjà signalé que, si leur prophétologie et leur imâmologie mirent les penseurs shî'ites devant des problèmes analogues à ceux de la christologie, l'idée de la *mazharîya* (comme fonction d'un miroir où l'image se montre sans s'incarner) les conduisit toujours à des solutions différentes de celles du dogme chrétien officiel. Or c'est à cette réalité suprasensible « transparaissant » à travers son *mazhar*, que se rapporte ici l'idée des cycles, et parce qu'il y a un cycle, il y a aussi deux limites auxquelles réfère chacun des événements de l'histoire spirituelle. Ces deux limites sont le seuil de la *métahistoire* (ou transhistoire) ; c'est cette métahistoire qui donne un sens à l'histoire, parce qu'elle fait de celle-ci une hiérohistoire ; sans métahistoire, c'est-à-dire sans antériorité « dans le Ciel » et sans une eschatologie, il est absurde de parler d'un « sens de l'histoire ».

Orienté sur la perception des formes théophaniques, le sentiment des origines et de la fin diffère profondément de la « conscience historique » dont l'avènement apparaît solidaire de l'avènement du christianisme, avec l'Incarnation de Dieu dans l'histoire à une date précise. Les problèmes que, depuis des siècles, cette représentation a suscités pour la philosophie religieuse en chrétienté, ne se sont pas posés à la pensée islamique. C'est pourquoi la philosophie prophétique de l'Islam shî'ite est un témoin que notre propre philosophie doit entendre pour réfléchir sur elle-même.

Nous avons relevé dès le début (*supra* I, 1) que, si la conscience de l'homme chrétien est fixée sur certains faits datables pour lui dans l'histoire (Incarnation, Rédemption), la conscience du *mu'min*, du fidèle, celle qu'il a de son origine et de l'avenir dont dépend le sens de sa vie présente, est fixée sur des faits *réels*, mais

qui appartiennent à la métahistoire. Le sens de son
origine, il le perçoit dans l'interrogation posée par Dieu,
le « Jour du Covenant », à l'humanité adamique, avant
que celle-ci ait été transférée au plan terrestre. Aucune
chronologie ne peut fixer la *date* de ce « Jour du Covenant », lequel se passe dans le *temps* de la préexistence
des âmes généralement professée dans le shî'isme. L'autre
limite pour le shî'ite, qu'il soit un penseur ou un simple
croyant, est celle de la parousie de l'Imâm présentement
caché (l'Imâm-Mahdî, dont l'idée shî'ite diffère profondément de celle du Mahdî dans le reste de l'Islam).
Le temps présent dont l'Imâm caché est le dénomina-
teur, est le temps de son occultation (*ghaybat*) ; par là
même « son temps » est affecté d'un autre signe que le
temps qui est pour nous celui de l'histoire. Seule en
peut parler une philosophie prophétique, parce qu'elle
est essentiellement eschatologique. C'est entre ces deux
limites, « prologue dans le Ciel » et dénouement s'ouvrant sur un « autre temps » par la parousie de l'Imâm
attendu, que se joue le drame de l'existence humaine
vécu par chaque croyant. La progression du « temps
de l'occultation » vers le dénouement par la parousie,
c'est le cycle de la *walâyat* succédant au cycle de la
prophétie.

3. Le point sur lequel tout le monde s'accorde (cf.
supra A, 3), c'est que le prophète de l'Islam a été le
Sceau de la prophétie ; il n'y aura plus de prophète
après lui ; plus exactement il n'y aura plus d'Envoyé
chargé d'annoncer une *sharî'at*, une Loi divine aux
hommes. Mais alors le dilemme est celui-ci : ou bien
la conscience religieuse, de génération en génération,
se concentre sur ce *passé* prophétique désormais clos,
et cela parce qu'elle perçoit uniquement dans le Livre
un code de vie morale et sociale, et parce que le « temps
de la prophétie » (*zamân al-nobowwat*) s'est refermé sur
ce sens littéral tout exotérique. Ou bien ce passé pro-

phétique reste en lui-même *à venir*, parce que le texte du Livre recèle un sens caché, un sens spirituel ; celui-ci postule alors une initiation spirituelle ; elle fut le ministère des Imâms. Au cycle de la prophétie (*dâ'-irat al-nobowwat*) succède le cycle de la *walâyat* ; l'idée de cette succession reste fondamentalement shî'ite. Maints propos des Ve et VIe Imâms, réfèrent au principe du *ta'wîl*, déjouant, avant la lettre, le piège de l'historicisme aussi bien que du légalisme. Celui-ci par exemple : « Une fois que sont morts ceux à propos desquels avait été révélé tel ou tel verset, ce verset est-il mort, lui aussi ? Si oui, il ne reste plus rien aujourd'hui du Qorân. Non, le Qorân est vivant. Il continuera de suivre son cours, tant que dureront les Cieux et la Terre, parce qu'il recèle un signe et un guide pour chaque homme, chaque groupe à venir ».

Nous avons vu Mollâ Sadrâ, commentant les textes des Imâms, systématiser tout ce qui s'était dit sur ce point (*supra* A, 5). Ce qui est clos, c'est uniquement la prophétie législatrice (*nobowwat al-tashrî'*), et ce qui est aboli, c'est l'emploi du mot *nabî*. Lorsque l'on dit que la prophétie est temporaire, tandis que la *walâyat* est perpétuelle, c'est cette prophétie législatrice que l'on vise. Car, si l'on met à part les modalités propres à la condition d'Envoyé pour ne considérer que celles du Nabî tout court, telles que la gnoséologie nous les a fait connaître, alors ces modalités sont communes aux Imâms et aux *Awliyâ* au sens large. C'est pourquoi ce qui continue en Islam sous le nom de *walâyat* est en fait une prophétie ésotérique (*n. bâtinîya*), dont l'humanité terrestre ne pourrait d'ailleurs être privée sans s'effondrer. Il va sans dire qu'aux yeux de l'orthodoxie sunnite, cette affirmation apparaît révolutionnaire (cf. le sens du procès de Sohrawardî, *infra*, chap. VII).

Sur cette intuition fondamentale, la prophétologie

shî'ite a développé le schéma d'une hiérohistoire grandiose, où l'on découvre le pressentiment d'une « théologie générale de l'histoire des religions ». Haydar Amolî
l'a illustrée par des diagrammes complexes et minu-
tieux ; Shamsoddîn Lâhîjî a longuement développé le
thème. Il y a, dès le point de départ, une conception
commune à la prophétologie du shî'isme duodécimain
et à celle de l'Ismaélisme (l'idée de la prophétie éternelle, celle-là même qui est la *walâyat*, et commençant
dans le Plérôme, *infra* B I, §§ 2 ss.). La prophétie absolue, essentielle et primordiale, appartient à l'Esprit
suprême (Anthropos céleste, 1re Intelligence, Réalité
mohammadienne éternelle) que Dieu missionne d'abord
vers l'Ame universelle avant de la missionner vers les
âmes individuelles, pour leur notifier les Noms et Attributs divins (*nobowwat al-ta'rîf*). Le thème, chez nos
penseurs d'Islam, apparaît comme une amplification
du thème du *Verus Propheta*, le vrai Prophète qui,
dans la prophétologie judéo-chrétienne, celle des
Ébionites, « se hâte de prophète en prophète jusqu'au
lieu de son repos ». Ici le « lieu de son repos » est le dernier prophète, le prophète de l'Islam.

4. On se représente la totalité de cette prophétie
comme un cercle dont la ligne est constituée par une
suite de points, chacun représentant un prophète, un
moment partiel de la prophétie. Le point initial du
cycle de la prophétie sur terre, fut l'existence de l'Adam
terrestre. De Nabî en Nabî (la tradition en compte
124 000), d'Envoyé en Envoyé (on en compte 313), de
grand prophète en grand prophète (il y en eut six, sinon
sept), le cycle progresse jusqu'à l'existence de Jésus
qui fut le dernier grand prophète partiel. Avec la venue
de Mohammad, le cercle est constitué et clos. Comme
Khâtim (Sceau qui récapitule tous les prophètes antérieurs), Mohammad est l'épiphanie de la Réalité prophétique éternelle, Esprit suprême, Anthropos céleste.

L'Esprit suprême s'épiphanise en lui par l'essence même de la prophétie. C'est pourquoi il peut dire : « Je suis le premier des prophètes quant à la création (l'Esprit suprême préexiste aux univers), le dernier d'entre eux quant au missionnement et à la Manifestation ». Chacun des prophètes, d'Adam à Jésus, fut un *mazhar* particulier, une réalité partielle de cette Réalité prophétique éternelle. Quant à la réalité foncière (la *haqîqat*) qui est en chaque prophète le support de la qualification prophétique, c'est l'organe subtil (*latîfa*) qui est le *cœur*, engendré de la hiérogamie (*izdiwâj*) de l'Esprit et de l'Ame, et qui est, dans chaque prophète, le lieu de la « descente » de l'Esprit (le sens profond de l'Ange comme *cœur*). Le cœur a une face tournée vers l'Esprit, laquelle est le siège de ses visions ; et une face tournée vers l'Ame, laquelle est le lieu des connaissances. « Le cœur est le trône de l'Esprit au monde du Mystère ».

Maintenant, la *walâyat* étant l'ésotérique ou l' « intérieur » de la prophétie, et comme telle la qualification constitutive de l'Imâmat, le schéma de la hiérohistoire doit englober, dans leur totalité, la prophétologie et l'imâmologie. Le terme final du cycle de la prophétie a coïncidé avec le terme initial du cycle de la *walâyat*. Illustrant le rapport de la *walâyat* et de la *nobowwat*, les diagrammes de Haydar Amolî représentent le cycle de la *walâyat* par un cercle *intérieur* au cercle représentant le cycle de la prophétie. Le cycle de la *walâyat* représente en effet le cycle de l'intériorisation, l'Imâmat mohammadien étant l'ésotérique de toutes les religions prophétiques antérieures. C'est pourquoi, le cycle de la *walâyat* ne prépare pas l'avènement d'une *sharî'at* nouvelle, mais l'avènement du *Qâ'im*, l'Imâm de la Résurrection.

Nous savons désormais que ce qui en Islam s'appelle *walâyat*, s'appelait, au cours des périodes antérieures de la prophétie, *nobowwat* sans plus (c'est-à-dire sans la mission d'Envoyé). De même que Mohammad eut ses douze Imâms, de même chacun des six, ou des cinq grands prophètes Envoyés avant lui (Adam, Noé, Abraham, Moïse, David, Jésus) a eu ses douze Imâms ou *Awsiyâ* (héritiers spirituels). Les douze Imâms du Christ ne sont pas exactement ceux que nous appelons les douze apôtres ; ce furent les douze qui assumèrent la transmission du message prophétique jusqu'à la suscitation du dernier prophète. De même que le prophète Mohammad, comme Sceau de la prophétie, fut le *mazhar* de la prophétie absolue, de même le Ier Imâm, son *wasî* (héritier), fut le *mazhar* et le Sceau de la *walâyat* absolue. Les manifestations partielles de la *walâyat* ont commencé avec Seth, fils et Imâm d'Adam, et s'achèveront avec le XIIe Imâm, le *Mahdî*, présentement l'Imâm caché, comme Sceau de la *walâyat* particulière à la période finale de la prophétie. Chacun des *Awliyâ* est avec le Sceau de la *walâyat* dans le même rapport que chacun des *Nabîs* avec le Sceau de la prophétie. On voit ainsi que la lignée de la prophétie est inséparable de la lignée de son exégèse spirituelle ; avec celle-ci s'opère la « remontée » de la prophétie à son origine.

5. L'ensemble de cette hiérohistoire est d'une cohérence parfaite, l'Imâmat mohammadien étant, dans les personnes qui exemplifient sur terre le plérôme des Douze, l'achèvement des religions prophétiques qu'il reconduit à leur intériorité. Le shî'isme, comme ésotérisme de l'Islam, parachève tous les ésotérismes. Le seuil de la prophétie législatrice est fermé ; le seuil de la *walâyat* reste ouvert jusqu'au jour de la Résurrection.

L'enracinement de ce thème est bien visible. Même quand il arrive qu'il soit déraciné, on peut le reconnaître encore. C'est ainsi que, si la théosophie mystique d'Ibn 'Arabî (cf. 2e partie) fut adoptée d'emblée par les théo-

sophes shî'ites qui y retrouvaient leur propre bien, il
y a un point capital qui lui attira des polémiques, parce
qu'il était impossible à ses disciples shî'ites (Haydar
Âmolî, Kamâl Kâshânî, Sâ'în Torkeh Ispahânî, etc.)
de transiger. La qualité de Sceau de la *walâyat* absolue
et générale, Ibn 'Arabî la transfère de l'Imâm à Jésus,
tandis qu'il s'attribue peut-être à lui-même la qualité
de Sceau de la *walâyat* mohammadienne. Ce n'est pas
le lieu d'y insister ici, mais on peut pressentir la dislo-
cation et l'incohérence que subit alors le schéma décrit
ci-dessus, puisque le cycle de la *walâyat* présuppose
l'achèvement du cycle de la prophétie. Les commentateurs shî'ites n'ont pu s'expliquer les raisons de la tentative d'Ibn 'Arabî. Elle attire en tout cas l'attention
sur le fait que l'imâmologie et une certaine christologie
ont des fonctions homologues. Mais il reste que le sens
de l'attente eschatologique comme *ethos* de la conscience shî'ite, postule que le Sceau de la *walâyat* ne peut
être que l'Imâmat mohammadien, dans la double personne du Ier et du XIIe Imâm, puisque l'Imâmat
mohammadien est la manifestation de l'ésotérique de
la Réalité prophétique éternelle.

7. *L'Imâm caché et l'eschatologie.*

1. Ce thème dans lequel culminent l'imâmologie et
sa hiérohistoire, est un thème de prédilection pour la
philosophie prophétique. Sans doute l'idée de l'Imâm
caché fut-elle projetée successivement sur plusieurs
Imâms, mais elle ne pouvait se constituer définitivement qu'autour de la personne du Douzième, avec qui
s'achève le plérôme de l'Imâmat. La littérature le concernant, en persan et en arabe, est considérable. (Ont
recueilli les sources : Saffâr Qommî, ob. 290/902, narra-
teur-témoin du XIe Imâm ; Kolaynî et son élève No'-

mânî, ɪᵛᵉ/xᵉ siècle ; Ibn Bâbûyeh, ob. 381/991, qui tenait ses informations d'un témoin contemporain, Hasan
ibn Mokteb ; Shaykh Mofîd, ob. 413/1022 ; Moh. b.
Hasan Tûsî, ob. 460/1068. Les principales traditions
sont recueillies dans le vol. XIII de l'Encyclopédie de
Majlisî. De nos jours encore paraissent fréquemment
en Iran des livres sur ce sujet : *Elzâm al-Nâsib*, de
Shaykh 'Ali Yazdî ; *al-Kitâb al-'abqarî*, de 'Allâmeh
Nehâvandî, etc. De tout cela, seules quelques pages
ont été traduites en français).

Méditée par les représentants de la théosophie shî'ite
(*'irfân-e shî'î*), la pensée fondamentale est celle qui a
été énoncée précédemment : de même que le cycle de
la prophétie atteint son achèvement avec le Sceau des
prophètes, de même la *walâyat* dont la lignée court, de
période en période, parallèlement à celle de la prophétie,
a son double sceau dans l'Imâmat mohammadien : le
Sceau de la *walâyat* générale en la personne du Iᵉʳ Imâm,
et le Sceau de la *walâyat* mohammadienne, l'ésotérique
des ésotérismes antérieurs, en la personne du XIIᵉ Imâm.
Comme le dit un maître du soufisme shî'ite iranien,
'Azîz Nasafî (vɪɪᵉ/xɪɪɪᵉ s.), disciple de Sa'doddîn Hamûyeh : « Des milliers de prophètes, antérieurement
venus, ont successivement contribué à l'instauration
de la forme théophanique qui est la prophétie, et Mohammad l'a achevée. Maintenant c'est au tour de la *walâyat*
(l'Initiation spirituelle) d'être manifestée et de manifester les réalités ésotériques. Or, l'homme de Dieu en
la personne de qui se manifeste la *walâyat*, c'est le *Sâhib
al-zamân*, l'Imâm de ce temps. »

Le terme de *Sâhib al-zamân* (celui qui domine ce
temps) est la désignation caractéristique de l'Imâm
caché, « invisible aux sens, mais présent au cœur de ses
fidèles », — celui qui polarise aussi bien la dévotion du
pieux shî'ite que la méditation du philosophe, et qui
était l'enfant du XIᵉ Imâm, Hasan 'Askarî, et de la

princesse byzantine Narkês (Narcisse). Il est désigné
encore comme l'Imâm attendu (*Imâm montazar*), le
Mahdî (dont l'idée shî'ite diffère profondément, on l'a
rappelé, de l'idée sunnite), le *Qâ'im al-Qiyâmat*, l'Imâm
de la Résurrection. L'hagiographie du XIIᵉ Imâm
abonde en traits symboliques, archétypiques, concernant sa naissance et son occultation (*ghaybat*). Disons
tout de suite que la critique historique n'y retrouvera
pas son chemin ; c'est d'autre chose qu'il s'agit, de ce
que nous avons caractérisé comme *hiérohistoire*. Il
faut ici surtout procéder en phénoménologue : découvrir
les *intentions* de la conscience shî'ite pour voir, avec
elle, ce qu'elle s'est montrée à elle-même depuis ses
origines.

2. Devant nous limiter ici à l'essentiel, nous rappelons que le XIᵉ Imâm, Hasan 'Askarî, retenu plus ou
moins prisonnier par la police abbasside dans le camp
de Samarra (à quelque 100 kilomètres au nord de
Baghdâd), y mourut à l'âge de 28 ans, en 260/873. Ce
jour-là même disparaissait son jeune fils, alors âgé de
cinq ans ou un peu plus, et commença ce que l'on appelle
l'*Occultation mineure* (*ghaybat soghrâ*). Cette simultanéité
est riche de sens pour le sentiment mystique. L'Imâm
Hasan 'Askarî se propose aux siens comme le symbole
de leur tâche spirituelle. L'enfant de son âme devient
invisible dès qu'il quitte ce monde, et c'est de cet enfant
que l'âme de ses adeptes doit enfanter la *parousie*,
c'est-à-dire le « retour au présent ».

L'occultation du XIIᵉ Imâm s'accomplit en deux
fois. L'occultation mineure dura soixante-dix ans, pendant lesquels l'Imâm caché eut successivement quatre
nâ'ib ou représentants, par qui ses shî'ites pouvaient
communiquer avec lui. Au dernier d'entre eux, 'Alî
Samarrî, il ordonna, dans une dernière lettre, de ne
point se choisir de successeur, car maintenant était
venu le temps de la Grande Occultation (*ghaybat*

kobrâ). Les dernières paroles de son dernier *nâ'ib*
(330/942) furent : « Désormais l'affaire n'appartient
plus qu'à Dieu ». Dès lors commence l'histoire secrète
du XIIᵉ Imâm. Sans doute ne relève-t-elle pas de ce
que nous appelons l'historicité des faits matériels.
Cependant elle domine la conscience shî'ite depuis plus
de dix siècles ; elle *est* l'histoire même de cette conscience. Le dernier message de l'Imâm l'a mise en garde
contre toute imposture, tout prétexte tendant à mettre
fin à son attente eschatologique, à l'imminence de
l'Attendu (ce fut le drame du bâbisme et du behaïsme).
L'Imâm caché, jusqu'à l'heure de la Parousie, n'est
visible qu'en songe, ou bien en des manifestations personnelles qui ont le caractère d'événements visionnaires
(les récits en sont nombreux), et qui, pour cette raison,
ne suspendent pas le « temps de l'occultation », ne s'in-
sèrent pas dans la trame matérielle de l'histoire « objective ». Parce que l'Imâmat est l'ésotérique de toutes les
Révélations prophétiques, il faut que l'Imâm soit à la
fois présent au passé et au futur. Il faut qu'il soit déjà
né. La méditation philosophique s'est exercée sur le
sens de cette *occultation* et de la parousie attendue, et
cela jusqu'à nos jours, particulièrement dans l'école
shaykhie.

3. L'idée de l'Imâm caché a conduit les maîtres de
l'école shaykhie à approfondir le sens et le mode de cette
présence invisible. Ici de nouveau, le *mundus imaginalis*
(*'âlam al-mithâl*) assume une fonction essentielle. Voir
l'Imâm en la Terre céleste de Hûrqalyâ (comparer dans
le manichéisme, la Terre de Lumière, *Terra lucida*),
c'est le voir là où il est en vérité : dans un monde à la fois
concret et suprasensible, et avec l'organe approprié que
requiert la perception d'un tel monde. C'est en quelque
sorte une phénoménologie de la *ghaybat* que le shay-
khisme a esquissée. Une figure comme celle du XIIᵉ
Imâm n'apparaît ni ne disparaît selon les lois de l'his-

toricité matérielle. C'est un être surnaturel qui typifie les mêmes aspirations profondes que celles auxquelles correspondit, dans un certain christianisme, l'idée d'une pure *caro spiritualis Christi.* Il dépend des hommes que l'Imâm juge s'il peut leur apparaître ou non. Son apparition est le sens même de leur rénovation, et là, finalement est le sens profond de l'idée shî'ite de l'occultation et de la parousie. Ce sont les hommes qui se sont voilé à eux-mêmes l'Imâm, en se rendant eux-mêmes incapables de le voir, parce qu'ils ont perdu ou paralysé les organes de « perception théophanique », de cette « connaissance par le cœur » définie dans la gnoséologie des Imâms. Il n'y a donc aucun sens à parler de la Manifestation de l'Imâm caché, aussi longtemps que les hommes sont incapables de le reconnaître. La parousie n'est pas un événement qui puisse surgir soudain un beau jour. C'est quelque chose qui advient de jour en jour dans la conscience des shî'ites fidèles. Ici donc, c'est l'ésotérisme qui brise l'immobilisme si souvent reproché à l'Islam légalitaire, et ses adeptes sont entraînés dans le mouvement ascensionnel du cycle de la *walâyat.*

En un *hadîth* célèbre, le Prophète a déclaré : « S'il ne restait au monde qu'un seul jour à exister, Dieu allongerait ce jour, jusqu'à ce que se manifeste un homme de ma postérité dont le nom sera mon nom, et le surnom mon surnom ; il remplira la Terre d'harmonie et de justice, comme elle aura été remplie jusque-là de violence et d'oppression. » Ce jour qui se prolonge, c'est cela le temps de la *ghaybat,* et cette annonce explicite a propagé son écho à tous les âges et à tous les degrés de la conscience shî'ite. Ce qu'y ont perçu les spirituels, c'est que l'avènement de l'Imâm manifestera le sens caché de toutes les Révélations. Ce sera le triomphe du *ta'wîl* permettant à la race humaine de trouver son unité, de même que tout au long du temps de la *ghaybat,*

l'ésotérisme aura détenu le secret du seul véritable œcu-
ménisme. C'est pourquoi le grand shaykh soufi et shî'ite
iranien déjà cité ici, Sa'doddîn Hamûyeh (VIIᵉ/XIIIᵉ s.),
déclarait : « L'Imâm caché ne paraîtra pas avant que
l'on soit capable de comprendre jusque par les courroies
de ses sandales, les secrets du *tawhîd* », c'est-à-dire le
sens ésotérique de l'Unitude divine.

Ce secret, c'est précisément lui, l'Imâm attendu,
l'Homme Parfait, l'Homme Intégral, « car c'est lui qui
rend toutes choses parlantes, et chaque chose, en deve-
nant vivante, devient un seuil du monde spirituel ».
L'Apparaître-futur de l'Imâm présuppose donc la
métamorphose du cœur des hommes ; il dépend de la
fidélité de ses adeptes que s'accomplisse progressivement cette Parousie, par leur propre acte d'être. D'où
toute l'éthique du *javân-mard*, le « chevalier spirituel »,
dont l'idée recèle tout l'*ethos* du shî'isme, le paradoxe
de son pessimisme dont la désespérance même affirme
l'espoir, parce que sa vision embrasse, de part et d'autre,
l'horizon de la métahistoire : la préexistence des âmes
et cette Résurrection (*Qiyâmat*) qui est la transfigura-
tion des choses, celle dont l'anticipation déterminait
déjà toute l'éthique du vieil Iran zoroastrien.

Jusque-là, le temps de la « Grande Occultation » est
le temps d'une présence divine *incognito*, et parce qu'elle
est *incognito*, elle ne peut jamais devenir un objet, une
chose, et elle défie toute socialisation du spirituel. Par
là même aussi, restent *incognito* les membres des hiérarchies mystiques ésotériques (*Nojabâ* et *Noqabâ*, Nobles
et Princes spirituels, les *Awtâd*, les *Abdâl*), bien connues
du soufisme, mais dont on ne doit jamais oublier qu'elles
présupposent, dans leur concept et historiquement,
l'idée shî'ite de la *walâyat*. Car ces hiérarchies s'ori-
ginent à celui qui est le *pôle des pôles*, l'Imâm ; elles
concernent cet ésotérique de la prophétie dont l'Imâm
est la source. Aussi bien leurs noms figurent-ils déjà dans

des entretiens des IVe et VIe Imâms, et le Ier Imâm,
s'entretenant avec son disciple Komayl, évoque en
termes précis la succession des Sages de Dieu restant,
de siècle en siècle, le plus souvent inconnus de la masse
des humains. *Silsilat al-'irfân*, la « succession de la
gnose », dira-t-on plus tard. Ce sont tous ceux qui depuis
Seth, fils d'Adam, jusqu'aux Imâms mohammadiens,
avec tous ceux qui les reconnaissent comme Guides,
ont transmis l'ésotérique de la prophétie éternelle. Mais
la réalité essentielle de leur être (leur *haqîqat*) n'appartient pas au monde visible où règnent les puissances
de contrainte ; ils forment une pure *Ecclesia spiritualis* ;
ils ne sont connus que de Dieu seul.

4. Comme on le sait, le prophète Mohammad fut,
comme l'avait été Mani, identifié avec le Paraclet. Mais,
parce qu'il y a homologie entre le Sceau de la prophétie
et le Sceau de la *walâyat*, l'imâmologie maintient l'idée
du Paraclet comme vision à venir. Plusieurs auteurs
shî'ites (entre autre Kamâl Kâshânî et Haydar Amolî)
identifient expressément le XIIe Imâm, l'Imâm attendu,
avec le Paraclet dont la venue est annoncée dans l'Évangile de Jean auquel ils réfèrent. Cela justement parce
que l'avènement de l'Imâm-Paraclet inaugurera le règne
du pur sens spirituel des Révélations divines, c'est-à-
dire la religion en vérité qui est la *walâyat* éternelle.
C'est pourquoi le règne de l'Imâm prélude à la Grande
Résurrection (*Qiyâmat al-Qiyâmât*). La résurrection
des morts, comme le dit Shams Lâhîjî, est la condition
qui permettra que soient enfin réalisés le but et le
fruit de l'existentiation des êtres. Nos auteurs savent
que philosophiquement l'anéantissement du monde
est concevable ; leur imâmologie porte un défi à cette
éventualité. L'horizon eschatologique de l'Iran est
resté constant, avant et depuis l'Islam. L'eschatologie
shî'ite est dominée par la figure du *Qâ'im* et de ses
compagnons (comme l'eschatologie zoroastrienne est

dominée par celle du *Saoshyant* et de ses compagnons).
Elle ne sépare pas l'idée de la « résurrection mineure »
qui est l'exode individuel, de l'idée de la « Grande
Résurrection » qui est l'avènement du nouvel *Aiôn*.

On vient de signaler l'identification établie par les
penseurs shî'ites entre l'Imâm attendu et le Paraclet.
Cette identification décèle une convergence frappante
entre l'idée profonde du shî'isme et l'ensemble des
tendances philosophiques qui, en Occident, depuis
les Joachimites du xiiie siècle jusqu'à nos jours, ont
été guidées par l'idée *paraclétique* et ont conduit à
penser et à œuvrer en vue du règne de l'Esprit-Saint.
Cessant de passer inaperçu, le fait pourrait avoir de
grandes conséquences. Comme nous l'avons relevé,
l'idée fondamentale est que l'Imâm attendu n'apportera pas un nouveau Livre révélé, une nouvelle *Loi*,
mais révèlera le sens caché de toutes les Révélations,
parce qu'il est lui-même cette révélation des Révélations en tant qu'Homme Intégral (*Insân kâmil, Anthropos teleios*), ésotérique de la « Réalité prophétique
éternelle ». Le sens de la parousie de l'Imâm attendu
est celui d'une révélation anthropologique plénière,
faisant éclosion de l'*intérieur* de l'homme vivant dans
l'Esprit. Cela veut dire, finalement, révélation du secret
divin assumé par l'homme, le fardeau que, selon le
verset qorânique 33/72, les Cieux, la Terre et les montagnes avaient refusé. Or nous avons vu (*supra* A, 2)
que dès l'origine, dès l'enseignement des Imâms, l'imâmologie a compris ce verset comme étant son propre
secret, celui de la *walâyat*. C'est que le mystère divin
et le mystère humain, celui de l'*Anthropos*, de la *Haqîqat mohammadîya*, sont un seul et même mystère.

Cette brève esquisse peut s'achever sur ce thème
premier et dernier. Il n'a été possible d'envisager ici
qu'un nombre d'aspects limité de la pensée shî'ite
duodécimaine. Ils suffiront à la montrer comme étant,

par essence, la « philosophie prophétique » éclose des prémisses de l'Islam comme religion prophétique. Maintenant, une esquisse de la pensée shî'ite serait incomplète si, à côté de l'imâmisme duodécimain, elle ne marquait pas la place de l'Ismaélisme et de la gnose ismaélienne.

B. L'ISMAÉLISME

Périodes et sources. Le proto-ismaélisme.

1. Quelques décennies plus tôt, il eût été très difficile d'écrire ce chapitre, tant la vérité de l'Ismaélisme disparaissait sous la trame d'un affreux « roman noir » dont les responsables seront évoqués plus loin à propos d'Alamût. La séparation entre les deux principales branches du shî'isme, imâmisme duodécimain d'une part, Ismaélisme septimanien d'autre part, s'accomplit, lorsque le VI⁰ Imâm, Ja'far Sâdiq, grande figure entre toutes, quitte ce monde (148/ 765). Son fils aîné, l'Imâm Isma'îl, était décédé prématurément avant lui. L'investiture de l'imâmat revenait-elle au fils de celui-ci, ou bien l'Imâm Ja'far avait-il le droit, usant de sa prérogative comme il le fit, de reporter l'investiture sur un autre de ses propres fils, Mûsâ Kâzem, frère cadet d'Isma'îl ? En fait, ces questions de personnes sont dominées par quelque chose de plus profond : la perception d'une structure transcendante dont les figures terrestres des Imâms exemplifient la typologie. Celle-ci départage les shî'ites duodécimains et les shî'ites septimaniens.

Autour du jeune Imâm Isma'îl, éponyme de l'*Ismaélisme*, s'était constitué un groupe de disciples enthousiastes dont les tendances peuvent être qualifiées d' « ultra-shî'ites », en ce sens qu'elles les portaient à tirer les conséquences radicales des prémisses de la gnose shî'ite exposées ci-dessus : l'épiphanie divine dans l'imâmologie ; la certitude qu'à toute chose extérieure ou exotérique correspond une réalité intérieure, ésotérique ; l'accent mis sur la *Qiyâmat* (résurrection spirituelle) au détriment de l'observance de la *sharî'at* (la Loi, le rituel). On reconnaîtra le même esprit dans l'Ismaélisme réformé d'Alamût. Autour de tout cela, s'est nouée la tragédie qui eut pour centre la pathétique figure d'Abû'l-Khattâb et de ses compagnons, amis de l'Imâm Isma'îl, et désavoués, extérieurement du moins, par l'Imâm Ja'far qui en eut le cœur déchiré.

2. De cette fermentation spirituelle du iie/viiie siècle, il ne nous reste que peu de textes ; ils suffisent à nous faire pressentir le lien entre la gnose antique et la gnose ismaélienne. Le plus ancien, intitulé *Omm al-Kitâb* (« L'archétype du Livre »), nous est conservé en un persan archaïque ; que celui-ci soit le texte original ou une version de l'arabe, il reflète en tout cas fidèlement les idées qui avaient cours en ces milieux où prenait forme la gnose shî'ite. Le livre se présente comme un entretien entre le Ve Imâm, Mohammad Bâqir (ob. 115/733), et trois de ses disciples (des *roshaniyân*, des « êtres de lumière »). Il contient, dès le début, une réminiscence très nette des Évangiles de l'Enfance (faisant déjà comprendre comment l'imâmologie sera l'homologue d'une christologie gnostique). Autres motifs dominants : la science mystique des lettres (le *jafr*), particulièrement goûtée déjà dans l'école de Marc le Gnostique ; les groupes de cinq, le *pentadisme* qui domine une cosmologie où l'on retrouve des traces très nettes du manichéisme, et d'où l'analyse dégage un *kathénothéisme* d'un extrême intérêt.

Un autre thème dominateur : les « sept combats de Salmân » contre l'Antagoniste. Salmân cumule les traits de l'archange Michel et de l'*Anthropos* céleste, comme théophanie primordiale. Parce qu'il refuse pour

lui-même la divinité, ce refus le rend transparent à cette
divinité qui ne peut être adorée qu'à travers lui. On
verra plus loin que les hautes spéculations philosophiques de l'Ismaélisme situent là même le secret du
tawhîd ésotérique. Privé de figures théophaniques, le
monothéisme s'inflige un démenti à lui-même et périt
dans une idolâtrie métaphysique qui s'ignore. En finale
du livre se trouve le thème du « Salmân du microcosme ».
Déjà est amorcée la fructification de l'imâmologie en
expérience mystique, qui se précisera dans l'Ismaélisme
soufi issu d'Alamût.

On vient de faire allusion à la « science des lettres »,
laquelle aura une si grande importance chez Jâbir ibn
Hayyân (*infra* IV, 2), voire chez Avicenne (*infra* V, 4) ;
empruntée aux Shî'ites par les mystiques sunnites, elle
prendra des développements considérables chez Ibn
'Arabî et dans son école. On sait que pour Marc le Gnostique, le corps de l'*Aletheia* (Vérité) se composait des
lettres de l'alphabet. Pour Moghîra, le plus ancien peut-
être des gnostiques shî'ites (ob. 119/737), les lettres
sont les éléments dont est fait le « corps » même de Dieu.
D'où l'importance de ses spéculations sur le Nom suprême
de Dieu (par exemple, dix-sept personnes ressuscite-
ront à l'apparition de l'Imâm-Mahdî ; à chacune d'elles
sera donnée l'une des dix-sept lettres dont se compose
le Nom suprême). Aucune comparaison méthodique
avec la Kabbale juive n'a encore été tentée.

3. Malheureusement entre ces textes où s'exprime
ce que l'on peut appeler le *proto-ismaélisme* et la période
triomphale où l'avènement de la dynastie fâtimide au
Caire (296/909), avec 'Obaydallah al-Mahdî, passe pour
réaliser sur terre l'espoir ismaélien du royaume de Dieu,
il nous est très difficile de suivre la transition. Entre
la mort de l'Imâm Mohammad, fils de l'Imâm Isma'îl,
et le fondateur de la dynastie fâtimide, se place la période
obscure de trois Imâms cachés (*mastûr* : ne pas con-

fondre avec la notion de la *ghaybat* du XIIᵉ Imâm,
chez les imâmites duodécimains). Signalons seulement
que la tradition ismaélienne regarde le second de ces
Imâms cachés, l'Imâm Ahmad, arrière-petit-fils de
l'Imâm Isma'îl, comme ayant patronné la rédaction
de l'Encyclopédie des *Ikhwân al-Safâ*, et comme étant
l'auteur de la *Risâlat al-Jâmi'a*, c'est-à-dire de la synthèse qui récapitule le contenu de l'Encyclopédie, du
point de vue de l'ésotérisme ismaélien (cf. *infra* IV, 3).
On peut citer également un auteur yéménite, Ja'far
ibn Mansûr al-Yaman, qui déjà nous conduit au milieu
du IVᵉ/Xᵉ siècle.

Au terme de cette période obscure, nous constatons
l'éclosion de grandes œuvres systématiques, en possession d'une technique parfaite et d'un lexique philosophique précis, sans que l'on puisse déterminer dans
quelles conditions elles ont été préparées. Plus nettement encore que chez les Shî'ites duodécimains, les grands
noms parmi ces maîtres de la pensée ismaélienne,
hormis celui de Qâdî No'mân (ob. 363/974), sont des
noms iraniens : Abû Hâtim Râzî (ob. 322/933), dont les
célèbres controverses avec son compatriote, le médecin-
philosophe Rhazès, seront évoquées plus loin (*infra* IV,
4) ; Abû Ya'qûb Sejestânî (ivᵉ/xᵉ s.), penseur profond,
auteur d'une vingtaine d'ouvrages écrits dans une langue
concise et difficile ; Ahmad ibn Ibrâhîm Nîshâpûrî
(vᵉ/xiᵉ s.) ; Hamîdoddîn Kermânî (ob. vers 408/1017),
auteur prolifique et d'une profondeur remarquable
(étant un *dâ'î* du khalife fâtimide al-Hâkim, il écrivit
également plusieurs traités de controverse avec les
Druzes, « frères séparés » de l'Ismaélisme) ; Mo'ayyad
Shîrâzî (ob. 470/1077), auteur également prolifique en
arabe et en persan, titulaire du haut grade de *bâb*
(Seuil) dans la hiérarchie ésotérique ; le célèbre Nâsir-e
Khosraw (ob. entre 465/1072 et 470/1077), dont les
œuvres nombreuses sont *toutes* en persan.

4. On rappellera ci-dessous (B II, 1) comment, en
conséquence de la décision prise par le VIII⁰ khalife
fâtimide, al-Mostansir bi'llâh, relativement à son successeur, sa mort (487/1094) entraîna la scission de la
communauté ismaélienne en deux branches : d'une
part, celle dite des Ismaéliens « orientaux », c'est-à-dire
celle des Ismaéliens de Perse ; elle eut pour principal
centre la « commanderie » d'Alamût (dans les montagnes
au sud-ouest de la Mer Caspienne). Ce sont ceux que
dans l'Inde on appelle aujourd'hui les Khojas ; ils
reconnaissent pour chef l'Aghâ-Khân. D'autre part, il
y eut la branche dite des Ismaéliens « occidentaux »
(c'est-à-dire ceux de l'Égypte et du Yémen) qui reconnurent l'imâmat d'al-Mosta'lî, second fils d'al-Mostansir, et continuèrent l'ancienne tradition fâtimide.
Ils reconnaissent comme dernier Imâm fâtimide Abûl'-
Qâsim al-Tayyib, fils du X⁰ khalife fâtimide, al-Amir
bi-ahkamil-lâh (ob. 524/1130) ; c'était le XXI⁰ Imâm
dans la lignée imâmique depuis 'Alî ibn Abî-Tâlib
(trois *heptades*). Mais il disparut tout enfant, et en fait
les Ismaéliens de cette branche (ceux que l'on appelle
dans l'Inde les Bohras) professent, comme les Shî'ites
duodécimains, la nécessité de l'occultation de l'Imâm,
avec ses implications métaphysiques. Ils donnent leur
obédience à un *dâ'î* ou grand-prêtre, qui est simplement
le représentant de l'Imâm invisible.

Le sort de la littérature de l'Ismaélisme d'Alamût
sera rappelé plus loin. Quant à celle des Ismaéliens
« occidentaux », fidèles à l'ancienne tradition fâtimide,
elle est représentée par un certain nombre d'œuvres
monumentales, produites particulièrement au Yémen
jusque vers la fin du XVI⁰ siècle (lorsque la résidence
du grand *dâ'î* fut transférée en Inde). Cette philosophie
yéménite a été, bien entendu, totalement absente
jusqu'ici de nos histoires de la philosophie, pour la
bonne raison que ses trésors ont été gardés longtemps

sous le sceau du secret le plus strict (on rappelle que
le Yémen appartient, officiellement, à la branche
zaydite du shî'isme, qui ne peut être étudiée ici). Plusieurs de ces Ismaéliens du Yémen ont été des auteurs
prolifiques : Sayyid-nâ Ibrâhîm ibn al-Hâmidî, IIe
dâ'î (ob. à San'a en 557/1162) ; Sayyid-nâ Hâtim ibn
Ibrâhîm, IIIe dâ'î (ob. 596/1199) ; Sayyid-nâ 'Alî ibn
Mohammad, V[e] dâ'î (ob. 612/1215), dont, sur un ensemble de vingt grands ouvrages, se détache la monumentale réplique aux attaques de Ghazâlî (cf. *infra*
V, 7) ; Sayyid-nâ Hosayn ibn 'Alî, VIIIe dâ'î (ob. 667/
1268), le seul dont un traité ait été jusqu'ici traduit
en français (cf. bibliographie). Toute cette période yéménite atteint son point culminant dans l'œuvre de Sayyid-
nâ Idrîs 'Imâdoddîn, XIXe dâ'î au Yémen (ob. 872/1468).
Bien que les trois derniers noms nous réfèrent à des
dates postérieures à celle que s'est fixée pour limite la
première partie de la présente étude, ils étaient à signaler
ici.

5. Le sens précis de la philosophie pour l'Ismaélisme
est à chercher dans l'exégèse ismaélienne (développée
dans le commentaire d'une *Qasîda* de Abû'l-Haytham
Gorgânî) de ce *hadîth* du Prophète : « Entre ma tombe
et la chaire d'où je prêche, il y a un jardin d'entre les
jardins du Paradis. » Bien entendu, ce propos ne peut
être entendu au sens littéral, exotérique (*zâhir*). La
chaire de la prédication, c'est justement cette apparence littérale, c'est-à-dire la religion positive, avec ses
impératifs et ses dogmes. Quant à la tombe, c'est elle
la philosophie (*falsafa*), car il est nécessaire que dans
cette tombe l'aspect exotérique de la religion positive
et de ses dogmes passe par la décomposition et la disso-
lution de la mort. Le jardin du paradis qui s'étend
entre cette chaire et cette tombe, est le jardin de la
vérité gnostique, le champ de la Résurrection où l'initié
ressuscite à une vie incorruptible. Cette conception

fait donc de la philosophie une phase *initiatique* nécessaire. Sans doute est-ce unique en Islam ; c'est tout
l'esprit de la gnose shî'ite, et c'est le propos de la
Da'wat, la « Convocation ismaélienne » (litt. le *kerygma*
ismaélien).

Ce n'est ni un équilibre plus ou moins précaire entre
la philosophie et la théologie, ni la « double vérité »
des averroïstes, ni moins encore l'idée de la philosophie
comme *ancilla theologiæ*. C'est de l'entre-deux, l'entre-
deux du dogme et de la tombe où il faut que la croyance
dogmatique meure et se métamorphose, que ressuscite
la religion qui est *theosophia*, la Religion Vraie (*Dîn-e
haqq*). Le *ta'wîl* est l'exégèse qui transcende toutes les
données de fait, pour les reconduire à leur origine. La
philosophie s'achève en gnose ; elle conduit à la naissance spirituelle (*wilâdat rûhânîya*). On entrevoit les
thèmes communs à l'imâmisme duodécimain et à
l'Ismaélisme, comme aussi les thèmes sur lesquels
l'Ismaélisme, surtout celui d'Alamût, se différenciera :
le rapport entre *sharî'at* et *haqîqat*, entre prophétie
et Imâmat. Mais ce ne sont pas des thèmes provenant
de la philosophie grecque.

Il nous sera impossible d'entrer ici dans les détails.
Il y a, par exemple, des différences entre le schéma
pentadique de la cosmologie de Nâsir-e Khosraw, et
la structure du Plérôme chez Hamîd Kermânî. En
revanche, le système *décadique* exposé par celui-ci concorde avec ceux d'al-Fârâbî et d'Avicenne. Mais nous
constaterons, précisément chez al-Fârâbî (ob. 339/950),
les préoccupations d'une philosophie prophétique (*infra*
V, 2), et de leur côté, certaines grandes œuvres ismaéliennes d'une importance décisive (celles d'Abû Ya'qûb
Sejestânî, de Hamîd Kermânî) furent produites antérieurement à Avicenne (ob. 423/1037). Préciser compa-
rativement les traits d'une pensée islamique beaucoup
plus diverse et plus riche qu'on ne l'a supposé jusqu'ici

en Occident ; dégager les conditions propres d'une
philosophie qui ne s'identifie pas avec l'apport grec,
— tout cela reste le travail de l'avenir. Nous ne donnons
ici qu'un bref aperçu d'ensemble de quelques thèmes,
principalement d'après Abû Ya'qûb Sejestânî, Hamîd
Kermânî et les auteurs yéménites.

I. L'ISMAÉLISME FATIMIDE

1. *La dialectique du Tawhîd.*

1. Pour comprendre ce qui fait l'originalité profonde de la doctrine ismaélienne comme forme par excellence de la gnose en Islam, et ce qui la différencie des philosophes hellénisants, il faut considérer son intuition initiale. Les anciens Gnostiques recouraient à des désignations purement négatives, afin de préserver l'Abîme divin de toute assimilation avec quelque chose de dérivé : Inconnaissable, Non-nommable, Ineffable, Abîme. Ces expressions ont leurs équivalents dans la terminologie ismaélienne : le Principe ou Originateur (*Mobdi'*), le Mystère des Mystères (*ghayb al-ghoyûb*), « celui que ne peut atteindre la hardiesse des pensées ». On ne peut lui attribuer ni noms ni attributs, ni qualifications, ni l'être ni le non-être. Le Principe est Super-être ; il n'*est* pas ; il *fait être*, il est le *faire-être*. L'Ismaé-lisme, en ce sens, a réellement poursuivi une « philosophie première ». Tout ce que les philosophes avicen-niens énoncent concernant l'Être Nécessaire, le Premier Être (*al-Haqq al-awwal*), doit en fait être décalé pour être vrai ; leur métaphysique commence par se donner de l'être, et partant ne commence qu'avec le *fait-être*. La métaphysique ismaélienne s'exhausse au niveau du *faire-être* ; antérieurement à l'être, il y a la mise de l'être à l'impératif, le *KN* (*Esto!*) originateur. Au-delà même de l'Un, il y a l'Unifique (*mowahhid*), celui qui

monadise toutes les monades. Le *Tawhîd* prend alors l'aspect d'une monadologie ; en même temps qu'il dégage cet Unifique de tous les *uns* qu'il unifie, c'est en eux et par eux qu'il l'affirme.

2. Le *Tawhîd*, l'affirmation de l'Unique, doit donc éviter le double piège du *ta'tîl* (agnosticisme) et du *tashbîh* (assimilation du Manifesté à sa Manifestation). D'où la dialectique de la double négativité : le Principe est non-être et *non* non-être ; non dans le temps et *non* non-dans-le-temps, etc. Chaque négation n'est vraie qu'à la condition d'être niée elle-même. La vérité est dans la simultanéité de cette double négation, laquelle a son complément dans la double opération du *tanzîh* (écarter de la divinité suprême les Noms et les opérations pour les reporter sur les *hodûd* ou degrés célestes et terrestres de sa Manifestation) et du *tajrîd* (qui isole, re-projette au-delà de ses Manifestations la divinité qu'elles manifestent). Ainsi est fondée et délimitée la « fonction théophanique ». Un auteur yéménite du xiie siècle définit le *tawhîd* comme « consistant à connaître les *hodûd* (pluriel de *hadd*, limite, degré) célestes et terrestres, et à reconnaître que chacun d'eux est unique en son rang et degré, sans qu'un autre lui soit associé ».

Ce *Tawhîd* ésotérique apparaît, dans son énoncé, assez éloigné du monothéisme courant des théologiens. Pour le comprendre, il faut donner toute son importance à la notion de *hadd*, limite, degré. La notion est caractéristique en ce qu'elle noue le lien entre la conception « monadologique » du *Tawhîd* et le hiérarchisme fondamental de l'ontologie ismaélienne. Cette notion établit une corrélation étroite entre l'acte du *Tawhîd* (reconnaître l'Unique) et le *tawahhod*, processus constitutif d'une unité, monadisation d'une monade. Autrement dit, le *shirk* qui désintègre la divinité parce qu'il la pluralise, est *eo ipso* la propre désintégration de la monade humaine qui n'arrive pas à se constituer en une unité vraie, faute de connaître le *hadd* dont elle est le *mahdûd*, c'est-à-dire la limite par laquelle elle est délimitée à son rang dans l'être. La question est alors celle-ci : à quelle limite, quel *hadd*, éclôt depuis le Super-Être, la révélation de l'être? En d'autres termes, comment se constitue le premier *hadd* qui est le Premier Être, c'est-à-dire quelle est la *limite* où la divinité se lève de son abîme d'incognoscibilité absolue, la limite à laquelle elle se révèle comme une Personne, telle qu'une relation personnelle de connaissance et d'amour devienne possible avec elle? Comment, à la suite de la primordiale Épiphanie divine, éclosent alors tous les *hodûd*? (on traduit souvent ce mot par « grades » ou « dignitaires » des hiérarchies ésotériques, célestes et terrestres. Ce n'est pas inexact, mais en dissimule l'aspect métaphysique). Poser ces questions, c'est s'interroger sur la naissance éternelle du Plérôme.

3. Les auteurs plus anciens (les Iraniens nommés ci-dessus) l'ont envisagée en termes de procession de l'être à partir de la Première Intelligence. Les auteurs yéménites énoncent que toutes les Intelligences, les « Formes de lumière » archangéliques du Plérôme, ont été instaurées d'un seul coup et à égalité entre elles, mais que ce n'était encore là qu'une « perfection première ». La « perfection seconde » qui devait les constituer définitivement dans l'être, dépendait de leur accomplissement du *Tawhîd*, puisque de celui-ci dépend l'intégration de chaque être (*tawahhod*). C'est par le *Tawhîd* que s'accomplissent différenciation, structure et hiérarchisation de l'être. Observons tout de suite que le terme de *Ibdâ*, instauration créatrice immédiate (nos auteurs n'acceptent de dire ni « à partir de quelque chose » ni *ex nihilo*), est réservé à l'acte éternel qui met l'être du Plérôme céleste à l'*impératif*. Le Plérôme est désigné comme *'âlam al-Ibdâ*, *'âlam al-Amr* (le monde de l'être à l'impératif, *Esto*). Il forme contraste avec

'*âlam al-khalq* (le monde créaturel, objet de la création).
Dans le schéma plus ancien aussi bien que dans celui
des Yéménites, la procession de l'être, l'*Emanation*
(*inbi'âth*), commence seulement à partir de la Première
Intelligence, Intelligence intégrale ou universelle ('*Aql*
koll).

Celle-ci est elle-même l'être mis à l'impératif. Comme
Instauré initial (*mobda' awwal*), elle est l'acte même de
l'Instauration éternelle (*Ibdâ'*), elle est elle-même le
Verbe divin créateur (*Kalâm Allâh*), puisque ce Verbe
impératif, en amenant l'épiphanie de la première Intelligence comme premier Être, ne fait qu'un avec elle
comme Manifestée. Les auteurs yéménites énoncent
que la première Intelligence fut la première à accomplir
le *Tawhîd* et y appela les autres Formes de lumière.
D'où le nom de *Sâbiq* qui lui est donné, « celui qui de-
vance, précède ». Les auteurs anciens se sont attachés
justement à méditer le cas exemplaire de ce *Tawhîd*
initial, comme celui d'une liturgie cosmique, typifiée
dans les deux moments de la profession de foi islamique :
lâ ilâha illâ'lLâh. Car dans ce *Tawhîd* s'accomplit la
délimitation de l'être de la première Intelligence, délimitation qui fait d'elle le premier *hadd*, l'Épiphanie
essentielle. L'intellection par laquelle elle reconnaît
son Principe, est aussi la seule Ipséité divine qui soit
accessible à notre connaissance : elle est le *Deus deter-
minatus, Deus revelatus*.

4. Le *Tawhîd*, dans ses deux phases, constitue le secret de l'être de la première Intelligence. *Lâ ilâha* : pas
de Dieu, négation absolue. L'*Absconditum divin* ne laisse
aucune possibilité d'appréhender ni d'affirmer une divinité quelconque, à laquelle donner des prédicats. Lui
succède (cf. la dialectique décrite ci-dessus) une
proposition « exceptative » (*illâ = nisi*), affirmation
particulière absolue, ne découlant d'aucune prémisse
logique. Entre les deux, passe le chemin de crête : entre

les deux abîmes du *ta'tîl* et du *tashbîh*. Car en tant que,
et parce que, la première Intelligence ou premier Être
reconnaît que la divinité en son essence est au-delà
d'elle-même, et parce que cette divinité, elle se la dénie
à elle-même, — précisément elle est investie du Nom
suprême de la divinité, et elle est la seule ipséité du
Principe que nous puissions connaître. C'est tout le
mystère du *Deus revelatus*. L'affirmation *illâ'lLâh*, comme
étant le défi que, par son adoration, la première Intelligence porte à sa propre impuissance, et comme « dimension » positive de son être, évoque à l'être la deuxième Intelligence, l'Ame universelle, le premier Emané
d'elle (*monba'ith awwal*), appelé le *Tâlî*, « celui qui suit ».
Ou bien en termes yéménites : le *Tawhîd* de la première
Intelligence rend possible celui de la deuxième, en ce
sens que celle-ci, dont la première est la « limite » (*hadd*),
l' « horizon », le *Sâbiq*, rapporte à la première les mots
illâ'lLâh. Mais la première Intelligence a, dès l'origine,
rejeté au-delà d'elle-même, sur son Principe, la divinité.
C'est pourquoi, de la même manière, de degré en degré
(de *hadd* en *hadd*), le *Tawhîd* est possible sans *tashbîh* ni
ta'tîl, tandis que les littéralistes orthodoxes tombent
dans le piège de l'idolâtrie métaphysique qu'ils préten-
daient éviter.

Éviter cette idolâtrie métaphysique, c'est reconnaître
que la seule ipséité du Principe que nous puissions
atteindre, c'est la connaissance que, de par l'acte même
de son être, la première Intelligence, l'archange Logos,
possède du Principe qui l'instaure. Mais cette connaissance est elle-même une Inconnaissance : l'Intelligence
sait qu'elle ne peut atteindre le fond essentiel du Principe. Pourtant, en dehors de cela, il n'y a aucun sens
à parler de l'existence ou de l'absence d'une réalité divine, car le Principe n'est ni de l'être dont on puisse
affirmer ce qu'il est, ni du non-être dont on puisse énoncer négativement ce qu'il n'est pas. C'est pourquoi,

pour toute la gnose ismaélienne, la première Intelligence est le *Deus revelatus*, à la fois le Voile et le support du Nom suprême *Al-Lâh*. C'est à elle que se rapportent tous les versets qorâniques où ce nom est nommé. Mais il faut l'entendre dans la tonalité que précise l'étymologie du Nom *Al-Lâh*, telle que la professent les penseurs ismaéliens avec certains grammairiens arabes (il ne s'agit pas de mettre d'accord ici grammairiens et linguistes, mais de constater ce qui, *en fait*, est présent à la conscience ismaélienne). Ils dérivent le mot de la racine *wlh*, connotant l'idée d'être frappé de stupeur et de tristesse (comme le voyageur dans le désert) : *ilâh* = *wilâh*. De même, l'écriture arabe permet de lire à la façon d'un idéogramme, dans le mot *olhânîya*, divinité, le mot *al-hânnîya*, état de celui qui soupire, désire. Il y a là un pressentiment pathétique du mystère divin : l'idée que l'ipséité divine ne s' « essencifie » que dans la négativité, la stupeur ou tristesse du premier Archange ou première Intelligence, éprouvant son impuissance à atteindre l'en-soi de cette divinité, dont le Nom lui échoit tandis qu'il se la dénie à lui-même. Il devient ainsi pour tous ceux qui procéderont de lui, l'objet de leur désir et de leur nostalgie. A tous les rangs (*hodûd*) des hiérarchies du Ciel et de la Terre se répète le même paradoxe. Quelle que soit la limite (*hadd*) atteinte, il y a toujours au-delà une autre limite. Le hiérarchisme métaphysique de la gnose ismaélienne s'enracine dans le sentiment de ces lointains qui, on le verra, entraîne toute la *Da'wat* dans un mouvement ascensionnel continu.

5. La relation initialement déterminée est donc celle du premier *hadd* et du premier *mahdûd*, c'est-à-dire celle de la première Intelligence et de la deuxième, laquelle procède de la première et a en elle sa « limite », son horizon. C'est la dyade du *Sâbiq* et du *Tâlî*, du Calame et de la Tablette (*Lawh*), ayant pour homologues terrestres

le Prophète et son *waṣî* (héritier), premier Imâm d'une période (cf. *infra* B 1, 3). Cette structure dyadique va se répéter à tous les degrés des hiérarchies célestes et terrestres, en correspondance les unes avec les autres, et donnera son sens ismaélien à la maxime : « Celui qui se connaît soi-même connaît son Seigneur. » Cependant, avec la III⁰ Intelligence, éclôt un drame qui reporte l'origine du mal jusqu'à un « passé » bien antérieur à l'existence de l'homme terrestre.

2. *Le drame dans le Ciel et la naissance du Temps.*

1. Si la communauté ismaélienne se désigne elle-même comme la *da'wat*, la « Convocation » au *Tawḥîd* ésotérique, c'est que cette Convocation (ou « Procla-mation », *kerygma*) commença « dans le Ciel » par l'appel que la I⁰⁰ Intelligence adressa, dès avant les temps, à toutes les Formes de lumière du Plérôme archangéli-que. Cette *da'wat* « dans le Ciel » est la Convocation éternelle dont la « Convocation ismaélienne » n'est que la forme terrestre, propre à la période mohammadienne du cycle actuel de la prophétie. Sur terre, c'est-à-dire dans le monde phénoménal, elle commença d'exister avec l'Adam initial, bien avant même l'Adam de notre cycle. Tandis que la II⁰ Intelligence (le I⁰⁰ Emané) acquiesçait à cet Appel, la III⁰ Intelligence, procédant de la dyade des deux premières, lui opposa une négation et un refus. Or cette III⁰ Intelligence était l'*Adam rû-ḥânî*, l'Adam spirituel céleste, l'ange-archétype de l'humanité ; en sa personne, l'imagination métaphy-sique ismaélienne configure en symboles la hiérohis-toire des origines humaines.

L'Adam spirituel, donc, s'immobilise dans un ver-tige d'éblouissement devant lui-même ; il refuse la « limite » (le *hadd*) qui le précède (la II⁰ Intelligence), parce qu'il ne voit pas que, si ce *hadd* « limite » son champ d'horizon, il réfère aussi au-delà. Il croit pouvoir atteindre le Principe inaccessible sans cette « limite » intermédiaire, parce que, méconnaissant le mystère du *Deus revelatus* en la Ire Intelligence, il pense que ce serait identifier celle-ci avec la déité absolue, le Principe (*Mobdi'*). Pour fuir cette idolâtrie, il s'érige lui-même en absolu et succombe à la pire idolâtrie métaphysique. Quand enfin il s'arrache à cette stupeur, en quelque sorte comme un archange Michel remportant sur soi-même sa victoire, il rejette loin de lui l'ombre démoniaque d'Iblîs (Satan, Ahriman) dans le monde inférieur, où elle reparaîtra de cycle en cycle d'occultation. Mais alors il se voit « dépassé », « mis en retard » (*takhallof*), retombé en arrière de lui-même. De troisième, il est devenu dixième Intelligence. Cet intervalle mesure le *temps* de sa stupeur qu'il lui faudra rédimer. Il correspond à l'émanation de *sept* autres Intelligences, qui sont appelées les « Sept Chérubins » ou les « Sept Verbes divins », et qui aident l'Ange-Adam à revenir à lui-même. Les *Sept* indiquent la distance idéale de sa déchéance. Le *temps*, c'est son retard sur lui-même ; il est littéralement vrai de dire ici que le temps est « l'éternité retardée ». C'est pourquoi *sept* périodes rythment le cycle de la prophétie, *sept* Imâms rythment chaque période de ce cycle. Ce sont ici les racines métaphysiques du shî'isme *septimanien* ou ismaélien : le nombre sept chiffre le retard d'éternité dans le Plérôme, retard que le IIIe Ange devenu X^e, doit reconquérir pour les siens et avec l'aide des siens.

Ce « retard » introduit dans un être de lumière une dimension qui lui est étrangère, et qui se traduit par une « opacité ». Il est intéressant de rappeler ici que dans la théosophie zervânite de l'ancien Iran, la Ténèbre (Ahriman) s'origine à un *doute* éclos dans la pensée de Zervân, divinité suprême. Cependant chez les Zervâ-

nites et les Gayomartiens que décrit Shahrastânî
(VIe/XIIe s.), Zervân n'est plus la divinité suprême mais
un ange du Plérôme. On peut dire que l'Adam spirituel,
le IIIe Ange de la cosmogonie ismaélienne, est l'homologue de l'Ange Zervân de ce néo-zervânisme tardif.

2. Chaque Intelligence archangélique du Plérôme
contient elle-même un plérôme de Formes de lumière
innombrables. Toutes celles composant le plérôme de
l'Adam céleste, s'immobilisèrent avec lui dans le même
retard. A son tour, il leur fit entendre la *Da'wat,* la « Convocation » éternelle. Mais la plupart, à des degrés divers
d'obstination et de fureur, le repoussèrent et lui dénié-
rent même le droit de leur lancer cet appel. Et cette
dénégation enténébra le fond essentiel de leur être qui
avait été pure incandescence. L'Ange-Adam comprit
que, s'ils demeuraient dans le monde spirituel pur,
jamais ils ne se délivreraient de leurs Ténèbres. C'est
pourquoi il se fit le *démiurge* du cosmos physique,
comme instrument par lequel les Formes jadis de lumière trouveraient leur salut.

Cette histoire symbolique présente de nettes rémi-
niscences manichéennes. En outre, la IIIe Intelligence
devenue Xe, assume, dans le schéma ismaélien, le même
rang et le même rôle que, chez les philosophes avicenniens et les *Ishrâqîyûn* (*infra* V, 4 et VII), l' « Intelligence agente », dont on a dit ci-dessus pourquoi elle est
identifiée avec l'Esprit-Saint, Gabriel, comme ange de
la Connaissance et de la Révélation. Il y a cette différence que la théosophie ismaélienne ne situe pas simplement cette Intelligence comme dixième au terme
d'une Emanation ; elle en fait la figure centrale d'un
« drame dans le Ciel » qui est le prologue et l'explication
de notre humanité terrestre présente.

Tous les membres de son plérôme furent pris d'une
terreur panique en voyant la Ténèbre envahir leur
être. Du triple mouvement qu'ils tentèrent en vain

pour s'en arracher, résultèrent les trois dimensions de
l'espace cosmique. La masse la plus dense se stabilisa
au centre, tandis que l'espace cosmique éclatait en
plusieurs régions : celles des Sphères célestes et celles
des Éléments. Chacune des planètes exerça à son tour,
pendant un millénaire, sa régence sur un monde en
gestation, jusqu'à ce qu'au début du septième millénaire, le cycle de la Lune, se produisit, à la façon d'une
plante croissant de la Terre, l'apparition du premier
humain terrestre, entouré de ses compagnons.

3. *Le temps cyclique : hiérohistoire et hiérarchies.*

1. Cet *Anthropos* terrestre est désigné comme l'*Adam
primordial intégral* (*Adam al-awwal al-kollî*), le *pananthropos*. Il faut donc le distinguer à la fois de son archétype céleste, l'Adam spirituel, le IIIe Ange devenu X^e,
et de l'Adam partiel (*joz'î*) qui inaugura notre cycle
actuel. Il est caractérisé comme la « personnification
physique du Plérôme primordial ». Il n'a rien à voir,
certes, avec l'homme primitif de nos paléontologies
philosophantes. Il apparaît à Ceylan (*Sarandîb*), parce
que c'est alors le lieu le plus parfaitement tempéré,
en même temps que vingt-sept compagnons, parmi
lesquels il se distingue, comme eux-mêmes se distinguent du reste de l'humanité éclose en même temps
qu'eux, « autant que la hyacinthe rouge se distingue
entre les autres pierres ». Ces vingt-sept compagnons
sont avec lui la typification visible, sous un « volume
physique », du Plérôme archangélique primordial,
parce qu'ils sont l'humanité fidèle du plérôme du
Xe Ange, ceux qui répondirent à sa *da'wat*, et dont la
fidélité « dans le Ciel » se traduit dans leur condition
terrestre par leur supériorité spirituelle et physique sur
tous les humains des autres climats (*jazîra*), éclos avec

eux au terme du même processus anthropogonique.

Cet Adam terrestre initial est à la fois la forme épiphanique (*mazhar*) et le Voile de l'Adam céleste ; il en
est la pensée initiale, il est le terme de sa connaissance,
la substance de son action, le projet recueillant l'irradiation de ses lumières. Comme l'Adam de la prophétologie judéo-chrétienne, il est ἀναμάρτητος (le terme
a son équivalent exact dans l'arabe *ma'sûm*), immunisé
de toute impureté, de tout péché, et ce privilège il l'a
transmis à tous les saints Imâms, de cycle en cycle.
Son cycle fut un cycle d'épiphanie (*dawr al-kashf*), une
ère de félicité où la condition humaine, jusque dans ses
particularités physiques, était encore celle d'une humanité paradisiaque. Les humains percevaient les réalités
spirituelles (*haqâ'iq*) directement, non pas sous le voile
des symboles. Le premier Adam instaura en ce monde
la « Noble Convocation » (*da'wat sharîfa*) ; c'est lui qui
institua la hiérarchie du hiérocosmos (*'âlam al-Dîn*),
symbolisant avec celle du Plérôme comme avec celle
du macrocosme. Il dispersa *douze* de ses vingt-sept
compagnons (douze *Dâ'î*) dans les douze *jazîra* de la
Terre, et établit devant lui douze *Hojjat*, l'élite de ses
compagnons. Bref, il fut le fondateur de cette hiérarchie ésotérique permanente, ininterrompue de cycle
en cycle, de période en période de chaque cycle, jusqu'à
l'Islam et depuis l'Islam.

Lorsqu'il eut investi son successeur, le premier Adam
fut transféré au Plérôme où il succéda au Xe Ange
(l'Adam céleste), qui lui-même, et avec lui toute la
hiérarchie des Intelligences, s'éleva à un rang supérieur
à son rang précédent. Ce mouvement ascensionnel ne
cessera pas, jusqu'à ce que le IIIe Ange-Intelligence que
son égarement, en l'immobilisant, rétrograda au rang
de Dixième, ait regagné le cercle du Second Emané ou
Seconde Intelligence. Ainsi en fut-il pour chacun des
Imâms succédant à l'Adam initial en ce premier cycle

d'épiphanie. A ce cycle d'épiphanie succéda un cycle d'occultation (*dawr al-satr*); à celui-ci un nouveau cycle d'épiphanie ; ainsi de suite, les cycles alternant en une succession vertigineuse, jusqu'à l'ultime Résurrection des Résurrections (*Qiyâmat al-Qiyâmât*), laquelle achèvera la consommation de notre *Aiôn*, la restauration de l'humanité et de son Ange en leur état initial. Certains propos des saints Imâms vont jusqu'à évaluer le Grand Cycle (*kawr a'zam*) à 360 000 fois 360 000 ans.

2. Il va de soi que le seul cas dont nos théosophes ismaéliens peuvent parler d'abondance, est la transition qui, du cycle d'épiphanie précédant le nôtre, conduisit à notre présent cycle d'occultation. Le *ta'wîl* ismaélien s'est exercé avec une profondeur extraordinaire sur l'histoire qorânique et biblique d'Adam, récit qui n'est pas celui d'un commencement absolu, mais qui, en fait, prend les choses au lendemain de terribles catastrophes. Au cours des trois derniers millénaires du cycle d'épiphanie antérieur, des troubles très graves obligèrent les hauts dignitaires à rétablir la « discipline de l'arcane ». Les hautes sciences spirituelles rentrent dans le silence ; l'humanité devient indigne de la divulgation des mystères. Il faut instaurer une *Loi* religieuse, *sharî'at*, dont le *ta'wîl* ne libérera que ceux qu'il conduira à la résurrection par une nouvelle naissance, dans la nuit des symboles. C'est la chute que l'on désigne comme la « sortie du paradis ». Désormais il n'y aura plus que le « paradis en puissance », c'est-à-dire la sodalité ésotérique, la *Da'wat* ismaélienne.

L'histoire qorânique d'Adam est comprise comme étant celle de l'investiture du jeune Imâm Adam par son père Honayd, dernier Imâm du cycle d'épiphanie antérieur. Tous les « Anges terrestres » (les membres de la *Da'wat*) le reconnurent, sauf Iblîs-Satan et les siens. Iblîs était un dignitaire du cycle antérieur, en la personne de qui reparaît, à ce moment, la forme de Ténè-

5

bres précipitée sur terre, à l'origine, par l'Adam céleste.
Et le propos d'Iblîs fut d'émouvoir Adam, de toucher
sa générosité pour l'induire à révéler aux hommes
cette « connaissance de la résurrection » qu'ils avaient
eue, l'un et l'autre, dans le cycle précédent. Alors Adam,
sous une impulsion insensée, trahit, livra à l'incompréhension de tous ce qui ne pouvait être révélé que par
le dernier Imâm de notre cycle, l'Imâm de la Résurrection (*Qâ'im al-Qiyâmat*).

3. La structure du cycle d'occultation inauguré par
notre Adam, est à comprendre par la structure originelle
instituée sur terre par le premier Adam, le Ier Imâm
sur terre, en correspondance avec celle des Cieux visibles et celle des Cieux invisibles. Comme nous l'avons
relevé, les « grades » des hiérarchies célestes et terrestres
sont désignés par le terme de *hadd* (limite, cf. le grec ὄρος);
le *hadd* définit pour chaque degré l'horizon de sa conscience, le mode de connaissance proportionné à son mode
d'être. Chaque limite inférieure est ainsi le « délimité »
(*mahdûd*) par le *hadd* immédiatement supérieur. De
même qu'elle est essentielle pour la compréhension du
Tawhîd, cette structure détermine tout le processus de
l'anthropologie.

Bien que la signification plénière de la hiérarchie
ésotérique tout au long des périodes de l'Ismaélisme,
nous pose encore des problèmes, la structure en est
parfaitement esquissée déjà par Hamîd Kermânî
(ob. vers 408/1017). Il y a la hiérarchie céleste (les *hodûd*
d'en-haut) et il y a la hiérarchie terrestre (les *hodûd*
d'en-bas), symbolisant l'une avec l'autre. L'ensemble
de chacune forme *dix grades* s'articulant en une *triade*
(degrés supérieurs) et une *heptade*. 1) Il y a sur terre
le *Nâtiq*, c'est-à-dire le prophète *énonciateur* d'une
sharî'at, Loi divine communiquée par l'Ange (cf. *supra*
A, 5). C'est la lettre du texte énoncé sous forme exotérique (*zâhir*) comme code de la religion positive. Le *Nâtiq*

est l'homologue terrestre de la Ire Intelligence (celle qui inaugura la *da'wat* « dans le Ciel »). 2) Il y a le *Wasî*, l'Imâm héritier spirituel direct du prophète, celui qui est le fondement (*Asâs*) de l'Imâmat et premier Imâm d'une période. Comme dépositaire du secret de la révélation prophétique, sa fonction propre est le *ta'wîl*, l'exégèse ésotérique qui « reconduit » l'exotérique au sens caché, à son archétype (*asl*). Il est l'homologue de la IIe Intelligence, Ier Émané, Ame universelle (la dyade Nabî-Wasî, Ire et IIe Intelligence, correspond ici aux deux aspects de la « Réalité mohammadienne éternelle » dans le shî'isme duodécimain, *supra* A, 3). 3) Il y a l'Imâm successeur du *Asâs*, perpétuant au cours du cycle l'équilibre de l'ésotérique et de l'exotérique, dont la connexion est indispensable. Il est l'homologue de la IIIe Intelligence (l'Adam spirituel). C'est pourquoi il y aura, à chaque période, une *heptade* ou plusieurs heptades d'Imâms, typifiant l'intervalle de « retard », le *temps* que l'Adam céleste doit rédimer, avec l'aide des siens, pour regagner son rang. Quant aux *sept* autres grades, chacun est respectivement l'homologue de l'une des autres Formes de lumière ou Intelligences du Plérôme : le *Bâb* ou « seuil » de l'Imâm ; le *Hojjat* ou la Preuve, le Garant (qui prend une signification toute spéciale dans l'Ismaélisme d'Alamût) ; trois degrés de *Dâ'î* ou prédicateur (litt. « convocateur »), et deux grades inférieurs : le licencié majeur (*ma'dhûn motlaq*) qui peut recevoir l'engagement du nouvel adepte ; le licencié mineur (*ma'dhûn mahsûr*) qui attire les néophytes.

Telle se présente la structure verticale de la hiérarchie ésotérique qui, selon nos auteurs, permane de cycle en cycle. Cette forme du hiérocosmos dans l'espace a son isomorphe dans sa forme dans le temps, laquelle est celle de la hiérohistoire. Chaque période d'un cycle de prophétie, c'est-à-dire d'un cycle d'occultation, est

inaugurée par un *Nâtiq*, un *Wasî*, auxquels succède
une ou plusieurs heptades d'Imâms ; elle est clôturée
par un dernier Imâm, lequel est le *Qâ'im*, c'est-à-dire
l'Imâm de la résurrection qui met fin à la période antérieure, et c'est lui qui suscite (*moqîm*) le nouveau prophète. L'ensemble des sept périodes constitue la totalité du cycle de la prophétie (l'idée est commune à la
prophétologie shî'ite). Ce sont celles des six grands
prophètes : Adam, qui eut pour Imâm Seth ; Noé, dont
l'Imâm fut Sem ; Abraham, dont l'Imâm fut Ismaël ;
Moïse, dont l'Imâm fut Aaron ; Jésus, dont l'Imâm
fut Sham'ûn (Simon) ; Mohammad, dont l'Imâm fut
'Alî. Quant au VIIe *Nâtiq*, c'est l'Imâm de la Résurrection (correspondant au XIIe Imâm des imâmites). Il
n'apportera pas une nouvelle *sharî'at*, mais révélera
le sens caché des Révélations, avec le tumulte et les
bouleversements que cela comporte, et préparera le
passage au futur Cycle d'épiphanie.

4. *Imâmologie et eschatologie.*

1. On comprend mieux le sens de l'imâmologie, et
avec elle l'*ethos* eschatologique qui domine toute conscience shî'ite, si l'on se souvient de ce qui a déjà été
indiqué ici, à savoir que l'imâmologie ismaélienne,
comme l'imâmologie shî'ite en général, s'est trouvée
placée devant des problèmes analogues à ceux qui assail-
lirent la christologie, au cours des premiers siècles de
notre ère, mais que ce fut toujours pour incliner à des
solutions de type gnostique, rejetées précisément par
la christologie officielle.

Lorsqu'ils parlent du *nâsût* ou humanité de l'Imâm,
le souci des auteurs ismaéliens est de suggérer que le
corps de l'Imâm n'est pas un corps de chair, constitué
comme celui des autres humains. Ce corps résulte de

toute une alchimie cosmique opérant sur les « corps
éthériques » (*nafs rîhîya*, l' « âme d'effluve ») des adeptes
fidèles. Ces restes « éthériques » s'élèvent de Ciel en
Ciel, puis redescendent purifiés, invisibles à la perception optique, avec les irradiations lunaires, et se dépo-
sent comme une rosée céleste à la surface d'une eau
pure ou de quelques fruits. Eau et fruits sont consom-
més par l'Imâm du moment et par son épouse, et la
rosée céleste devient le germe du corps subtil du nouvel
Imâm. Simple enveloppe ou gaîne (*ghilâf*), on le désigne
comme *jism kâfûrî*, corps qui a la subtilité et la blan-
cheur du camphre ; c'est ce corps qui constitue l'humanité (*nâsût*) de l'Imâm. Si l'on peut parler ici de
« docétisme », ce n'est nullement qu'il s'agisse d'un
« phantasme », mais de l'effort pour imaginer et concevoir, comme dans une christologie gnostique, une *caro
spiritualis*. C'est pourquoi l'union de *nâsût* (humanité)
et de *lâhût* (divinité) dans la personne des Imâms,
n'aboutit jamais à l'idée d'une « union hypostatique
des deux natures », avec toutes les conséquences philosophiques, historiques et sociales de ce concept.

2. Quant à ce que la gnose ismaélienne entend par la
divinité (*lâhût*) de l'Imâm, il faut, pour le comprendre,
partir de ce qu'elle se représente comme la « naissance
spirituelle » (*Wilâdat rûhânîya*), et là même on perçoit
une nette réminiscence de gnose manichéenne. L'auteur
yéménite déjà cité, précise ceci : « Lorsque le nouvel
adepte (*mostajîb*) formule son acquiescement entre les
mains de l'un des dignitaires (*hodûd*), au moment où il
récite la formule qui l'engage, et si son intention est
droite et pure, voici que se conjoint à son âme un point
de lumière qui reste à côté d'elle sans se confondre
avec elle. » De sa pensée et de son agir, il dépendra que
ce point de lumière naissante croisse en Forme de lumière. S'il y réussit, voici que lors de son *exitus*, la Forme
de lumière de l'adepte fidèle est entraînée par le « magné-

tisme de la Colonne de lumière » vers la Forme de lumière
du Compagnon qui le précède en grade mystique (il y a
comme un pacte de chevalerie mystique qui rend les
adeptes responsables les uns des autres jusque dans
l'au-delà). Ensemble ils s'élèvent vers le *hadd* qui leur
est supérieur à tous deux. Ainsi de suite, tous ensemble
prennent rang pour constituer avec l'ensemble des *hodûd*
le « Temple de Lumière » (*Haykal nûrânî*) qui, tout en
ayant la forme humaine, est un Temple purement spirituel. C'est ce *Temple de Lumière* qui est l'Imâmat, et qui
est comme tel le *lahût*, la *divinité* de l'Imâm.

3. Dès qu'il est « investi » (*nass*), le jeune Imâm devient
le support de ce Temple de Lumière. Son Imâmat, sa
« divinité », c'est ce *corpus mysticum* constitué de toutes
les Formes de lumière de ses adeptes. Ainsi qu'il en fut
pour l'Adam initial, chacun des Imâms qui se succèdent
en chacune des périodes du cycle, a son propre « Temple
de Lumière sacrosaint » (*Haykal nûrânî qodsânî*) ainsi
constitué. Tous les Imâms ensemble forment le « Sublime Temple de Lumière » (*H. n. a'zam*), en quelque
sorte la coupole du Temple de Lumière. Lorsqu'un
Imâm émigre de ce monde, son Temple de Lumière
s'élève avec lui dans l'enceinte du Xe Ange (l'Adam
spirituel, Anthropos céleste), et tous attendent, rassemblés dans cette enceinte, la surrection du *Qâ'im*,
l'Imâm-résurrecteur clôturant le Cycle, pour s'élever
avec lui lors de son avènement comme successeur du
Xe Ange.

A chaque Grande Résurrection (*Qiyâmat al-Qiyâmât*)
clôturant un cycle d'occultation ou un cycle d'épiphanie,
le dernier Imâm, le *Qâ'im*, entraînant avec lui tout le
Temple mystique des *hodûd*, s'élève au Plérôme où il
prend la succession du Xe Ange, l'Adam spirituel,
comme démiurge du monde naturel. Le Xe Ange lui-
même s'élève alors d'un rang dans le Plérôme, qu'il
entraîne également tout entier dans cette ascension.

Chaque Grande Résurrection, chaque accomplissement d'un cycle, permet ainsi à l'Ange de l'humanité de se rapprocher avec tous les siens, de son rang et de leur rang originel. C'est ainsi que la succession des cycles et des millénaires rédime le *temps*, cette « éternité retardée » par l'enténèbrement momentané de l'Ange. Ainsi se prépare le dénouement du « drame dans le Ciel ». Cosmogonie et sotériologie sont deux aspects du même processus conduisant à ce dénouement. La production du cosmos a pour *sens* et pour fin d'en faire un organe par lequel l'Adam céleste regagne le rang perdu. Il le regagne de cycle en cycle avec l'aide de tous ceux qui, dès avant leur condition terrestre, acquiescèrent à son « appel » dans le Plérôme, ou qui acquiescent, en cette vie, à la convocation (*da'wat*) des prophètes et des Imâms.

4. Quant à la forme ténébreuse des négateurs maléfiques, elle s'élève, lors de leur *exitus*, vers la région désignée en astronomie comme « la tête et la queue du Dragon » (les points auxquels l'orbite de la Lune coupe celle du Soleil), région de ténèbres où tournoie la *massa perditionis* de tous les démons de l'humanité, masse des pensées et des projets maléfiques conspirant à produire les catastrophes qui ébranlent le monde des hommes.

C'est pourquoi les événements terrestres ne s'expliquent que par leur réalité ésotérique, c'est-à-dire par rapport au « drame dans le Ciel » dont ils préparent en fait le dénouement. Dans cette « philosophie de l'histoire » s'exprime la vision grandiose d'une philosophie prophétique qui est le bien propre de la pensée ismaélienne. En fait, la version ismaélienne du shî'isme présente des traits qui sont communs à tout le shî'isme : l'éthique eschatologique, la figure dominante du *Qâ'im*, identifiée nommément, nous l'avons vu, avec le Paraclet annoncé dans l'Évangile de Jean. C'est pourquoi Abû Ya'qûb Sejestânî (ɪᴠᵉ/xᵉ s.) percevait dans les quatre branches de la Croix chrétienne et dans les quatre mots composant l'Attestation de la foi islamique (le *Tawhîd*), le symbole du même secret : la parousie de l'Imâm se levant au terme de la Nuit du Destin (*laylat al-Qadr*, sourate 97), car celle-ci est la Nuit même de l'humanité en ce cycle d'occultation.

II. L'ISMAÉLISME RÉFORMÉ D'ALAMUT

1. *Périodes et sources.*

1. Nous n'avons pas à insister ici sur le « roman noir » qui, en l'absence de textes authentiques, a obscurci si longtemps le nom de l'Ismaélisme, et particulièrement la mémoire d'Alamût. Les responsables sont sans doute, en premier lieu, l'imagination des Croisés et celle de Marco Polo. Mais au XIXe siècle encore, un homme de lettres et orientaliste autrichien, von Hammer-Purgstall, projetant sur les malheureux Ismaéliens son obsession des « sociétés secrètes », les soupçonna de tous les crimes qu'en Europe les uns attribuent aux Francs-Maçons, les autres aux Jésuites ; il en résulta cette *Geschichte der Assassinen* (1818) qui passa longtemps pour sérieuse. A son tour, S. de Sacy, dans son *Exposé de la religion des Druzes* (1838), soutint avec passion son explication étymologique du mot « Assassins » par le mot *Hashshâshîn* (ceux qui font usage du *hashîsh*). Tout cela procède du zèle habituel à accuser les minorités religieuses ou philosophiques des pires dépravations morales. Le plus étrange est que des Orientalistes se soient faits ainsi, en compagnie de publicistes avides de sensationnel, les complices, jusqu'à nos jours, de la violente propagande anti-ismaélienne du khalifat abbasside de Baghdâd. Ces fantaisies n'ont plus d'excuse, depuis l'impulsion donnée aux études ismaéliennes par W. Ivanow et la *Ismaili Society* de Karachi (anciennement à Bombay). Un exemple significatif : nous avons vu que la *Da'wat* ismaélienne se désigne comme le « paradis en puissance », et l'exégèse ismaélienne du « *hadîth* de la tombe » (ci-dessus, p. 115) nous fait comprendre comment l'entrée dans la *Da'wat* est en effet l'entrée dans le « paradis en puissance » (*jinnat*, paradis, jardin). Il n'en fallut pas plus pour que la propagande adverse imaginât les « orgies » dans les « jardins d'Alamût ». Pour le reste, il s'agit d'un phénomène de résistance anti-turque, d'une lutte menée par les Ismaéliens dans des circonstances tragiques. Mais la philosophie et la doctrine spirituelle de l'Ismaélisme n'ont, elles, rien à faire avec les « histoires d'assassins ».

2. Comme on l'a rapidement évoqué ci-dessus, le khalife fâtimide du Caire, Mostansir bi'llâh, ayant transféré l'investiture de l'Imâmat de son fils aîné Nizâr à son jeune fils Mosta'lî, il arriva qu'à sa mort (487/1094) les uns donnèrent leur allégeance à Mosta'lî (ce sont ceux qui continuèrent la *Da'wat* fâtimide et que l'on appelle aussi les Mosta'liyân), tandis que les autres restèrent fidèles à l'Imâm Nizâr (lequel périt assassiné avec son fils au Caire, en 489/1096). Ces derniers sont appelés *nizârî* ; ce sont les Ismaéliens « orientaux », ceux de l'Iran. Ici encore, sous l'histoire extérieure et les questions de personnes, agissent les motifs essentiels, l'enjeu spirituel. Au fond, le triomphe politique marqué par l'avènement de la dynastie des Fâtimides du Caire, apparaît comme un paradoxe. Dans quelle mesure une sodalité ésotérique était-elle compatible avec l'organisation officielle d'un État ? Le même motif qui amena, dès le début, la scission des Qarmates, reparaît plus tard dans la proclamation de la réforme d'Alamût. Tel que nous pouvons en juger par ceux des textes maintenant accessibles, c'est l'esprit de l'Ismaélisme primitif que réactivait cette réforme, après l'intermède politique fâtimide.

D'autre part, il y eut la forte personnalité de Hasan
Sabbâh (ob. 518/1124), qu'il faut apprendre à connaître
dans les textes ismaéliens eux-mêmes, tant elle a été
défigurée par ailleurs. Son rôle fut prépondérant dans
l'organisation des « commanderies » ismaéliennes en
Iran. Que des adeptes dévoués aient réussi ou non à
conduire en sécurité le petit-fils de l'Imâm Nizâr au
château fort d'Alamût (dans les montagnes au sud-ouest
de la mer Caspienne), on ne tranche pas ici la question.
Car, en tout état de cause, un fait demeure, et il est
d'une portée spirituelle exceptionnelle.

3. Ce fait dominant fut l'initiative prise par l'Imâm
Hasan *'alâ dhikri-hi's-salâm* (on le distingue en faisant
toujours suivre son nom de cette salutation), nouveau
grand-maître (*Khodâvand*) d'Alamût (né en 520/1126,
grand-maître en 557/1162, mort en 561/1166). Le
17 Ramazan 559/8 août 1164, l'Imâm proclama la
Grande Résurrection (*Qiyâmat al-Qiyâmât*) devant tous
les adeptes rassemblés sur la haute terrasse d'Alamût.
Le protocole nous en a été conservé. Ce qu'impliquait
la proclamation, ce n'était rien de moins que l'avènement d'un pur Islam spirituel, libéré de tout esprit
légalitaire, de toute servitude de la Loi, une religion
personnelle de la Résurrection qui est naissance spirituelle, parce qu'elle fait découvrir et vivre le sens spirituel des Révélations prophétiques.

Le château fort d'Alamût, comme les autres commanderies ismaéliennes en Iran, fut détruit par les Mongols
(654/1256). L'événement ne signifia nullement la fin
de l'Ismaélisme réformé d'Alamût ; celui-ci ne fit que
rentrer dans la clandestinité en prenant le manteau
(la *khirqa*) du soufisme. Son action sur le soufisme, et
en général sur la spiritualité iranienne, présuppose
des affinités foncières qui font envisager sous un jour
nouveau le problème même des origines et du sens du
soufisme. Aussi bien les Ismaéliens regardent-ils comme

étant des leurs, un bon nombre de maîtres du soufisme,
à commencer par Sanâ'î (vers 545/1151) et 'Attâr (vers
627/1230) ; Jalâloddîn Rûmî (672/1273), envers qui
Shams Tabrîzî assuma le rôle du *Hojjat* ; 'Azîz Nasafî
(VIIe/XIIIe s.), Qâsim-e Anwârî (837/1434), etc. On hésite
parfois à décider si un texte provient d'un soufi imprégné
d'Ismaélisme, ou d'un ismaélien imprégné de soufisme.
Ce n'est pas assez dire, car le célèbre poème persan de
Mahmûd Shabestarî (ob. 720/1317), la « Roseraie du
mystère » (*Golshan-e Râz*), vade-mecum du soufisme
iranien, a été commenté et amplifié par l'enseignement
ismaélien.

Les questions posées par là sont toutes récentes ; elles
résultent de la remise au jour, grâce principalement au
labeur de W. Ivanow, de ce qui a survécu de la littérature alamûtî, toute de langue persane (on sait que la
bibliothèque d'Alamût fut entièrement détruite par
les Mongols). Cependant on doit rattacher à cette littérature celle, en langue arabe, des Ismaéliens de Syrie qui,
avec la forte personnalité de leur chef, Rashîdoddîn Si-
nân (1140/1192), eurent un lien direct avec Alamût (on
sait aussi qu'une tragique méprise des Templiers fit
échouer un accord déjà conclu entre ces « Templiers de
l'Islam » et le roi de Jérusalem). Quant aux œuvres
persanes issues d'Alamût, nommons principalement le
grand livre des *Tasawworât*, attribué à Nasîr Tûsî
(ob. 672/1273), et qu'il n'y a aucune raison décisive de
lui contester ; les œuvres, aux XVe et XVIe siècles, de Sayyed Sohrâb Walî Badakhshânî, Abû Ishâq Qohestânî,
Khayr-khwâh Herâtî, auteur prolifique. Tous nous
ont conservé des fragments beaucoup plus anciens,
notamment les « Quatre Chapitres » de Hasan Sabbâh
lui-même. Ils nous indiquent également une renaissance
de la pensée ismaélienne, concomitante de celle de la pensée shî'ite en général, dont elle fut peut-être même un
des facteurs. C'est au cours de la même période en

effet, que le shî'isme duodécimain (avec Haydar Amolî, Ibn Abî Jomhûr notamment) est amené à « repenser », en s'assimilant l'œuvre d'Ibn 'Arabî, ses rapports avec le soufisme, et conséquemment avec l'Ismaélisme.

5. Il est remarquable de constater comment un auteur shî'ite duodécimain de l'envergure de Haydar Amolî (VIIIe/XIVe siècle) prend conscience, sans polémique, de la différence essentielle qui le sépare des Ismaéliens. Il la formule en termes qui ne font rien d'autre qu'expliciter les conséquences de la Grande Résurrection proclamée à Alamût. Tandis que la gnose shî'ite duodécimaine s'efforce de conserver la simultanéité et l'équilibre de *zâhir* et *bâtin*, en revanche, pour la gnose ismaélienne, toute apparence extérieure, tout exotérique (*zâhir*), ayant un sens caché, intérieur, une réalité ésotérique (*bâtin*), et celle-ci étant supérieure à celle-là, puisque de sa compréhension dépend le progrès spirituel de l'adepte, l'exotérique est donc une coquille qu'il faut briser une fois pour toutes. C'est cela même qu'accomplit le *ta'wîl*, l'exégèse ismaélienne « reconduisant » les données de la *sharî'at* à leur vérité gnostique (*haqîqat*), compréhension du sens vrai de la révélation littérale ou *tanzîl*, religion positive. Si l'adepte fidèle agit en accord avec le sens spirituel, les obligations de la *sharî'at* sont abolies pour lui. C'est profondément en accord avec le sens de la philosophie explicité ci-dessus dans l'exégèse du « *hadîth* de la tombe ».

Or, le Guide pour ce sens spirituel, voire celui dont la personne même *est* ce sens, parce qu'elle est la manifestation terrestre d'une Théophanie primordiale, c'est l'Imâm. La conséquence en est la préséance de l'Imâm et de l'Imâmat qui est éternel, sur le prophète et la mission prophétique qui est temporaire. Le shî'isme duodécimain professe, nous l'avons vu, que la suprématie de la *walâyat* sur la *nobowwat* doit être considérée dans la personne même du Prophète ; elle n'implique

pas que la personne du *walî* soit supérieure à celle du
Nabî-Envoyé. En revanche, l'Ismaélisme en déduit une
conclusion radicale. Puisque la *walâyat* est supérieure
à la prophétie dont elle est elle-même la source, il s'ensuit
que c'est la personne du *walî*, c'est-à-dire l'Imâm, qui
a la préséance sur celle du Prophète, l'Imâmat ayant
dès toujours et à jamais la préséance sur la mission
prophétique. Ce que le shî'isme duodécimain médite
comme étant au terme d'une perspective eschatologique, l'Ismaélisme d'Alamût l'accomplit « au présent »
par une anticipation de l'eschatologie qui est une insurrection de l'Esprit contre toutes les servitudes. Les implications et conséquences philosophiques, théologiques,
sociologiques, par rapport au commun de l'Islam, sont
telles qu'on ne peut les envisager ici. On n'en esquisse
que l'aspect essentiel d'après les textes publiés récemment : une anthropologie dont dépend la philosophie
de la résurrection, et qui s'exprime dans le concept de
l'Imâm.

2. *Le concept de l'Imâm.*

1. L'adamologie ismaélienne a été esquissée ci-dessus
(B I, 3) : d'une part, l'Adam partiel qui inaugura notre
cycle, fut le premier prophète de ce cycle d'occultation ;
d'autre part, l'Adam initial, le *pananthropos*, image
terrestre de l'Anthropos céleste, inaugurant à l'origine le
premier cycle d'épiphanie, avait été le Ier Imâm et le
fondateur de l'Imâmat, comme religion permanente
de l'humanité. A cette intuition s'origine l'insistance
ismaélienne sur le thème de l'Imâm comme « homme de
Dieu » (*Mard-e Khodâ*, en persan, cf. *anthropos tou
Theou*, chez Philon), comme Face de Dieu, Homme
Parfait (*anthropos teleios*). « Celui qui n'aura pas compris *qui*, en son temps, était l'Homme Parfait, celui-là

restera un étranger. C'est en ce sens qu'il a été dit : Celui
qui m'a vu, celui-là a vu Dieu ». Nous avons remarqué
déjà que semblable réminiscence de l'Évangile de Jean
(14/9), confirmée par d'autres, s'insère fort bien dans
la structure qui fait de l'imâmologie en théologie shî'ite
quelque chose comme l'homologue d'une christologie en
théologie chrétienne. On y pressent, avec le secret de
l'imâmologie ismaélienne (faisant valoir nombre de traditions remontant aux saints Imâms), ce qui en fait
aussi l'essence : l'exaltation de l'Imâm comme Homme
Parfait au rang suprême, et corollairement la prépondérance décisive et définitive du *ta'wîl*, c'est-à-dire de
l'Islam ésotérique sur l'Islam exotérique, de la religion
de la Résurrection sur la religion de la Loi.

Ce concept de l'Imâm est solidaire de toute la philosophie de l'homme. Parce que la Forme humaine est
« l'image de la Forme divine », elle est investie par
excellence de la fonction théophanique. Elle assume
par là même une fonction de salut cosmique, parce
que le retour à l'outremonde, le monde des entités spirituelles, est le passage à un état d'existence où tout
prend forme d'une réalité humaine, puisque seul l'être
humain possède le langage, le *logos*. C'est donc par l'intermédiaire de l'Homme que les choses retrouvent la
voie de leur Origine. Mais cette Forme humaine parfaite, théophanie éclose dès la prééternité, c'est elle
précisément l'Imâm. Dire que l'Imâm est l'Homme de
Dieu, l'Homme Parfait, c'est le reconnaître comme
étant l'organe suprême de la sotériologie. Aussi bien
celle-ci est-elle conditionnée par le *tahqîq*, la réalisation
du *sens vrai* de tous les exotériques, conditionnée
elle-même par le *ta'wîl* qui est le ministère de l'Imâm.
Cette imâmologie vise essentiellement, ici encore, non
pas la figure empirique de tel ou tel Imâm, mais la réalité et l'essence d'un Imâm éternel, dont chaque Imâm
individuellement est l'exemplification terrestre. C'est

à cet Imâm éternel qu'est rapportée l'expression qorânique *Mawlâ-nâ*, « notre seigneur », dont il est dit que
toujours il exista, existe et existera. Toutes les varia-
tions de son Apparaître sont relatives à la perception des
hommes. Dans le plérôme divin, (*'âlam-e Khodâ*), ces
mutations n'existent pas.

2. Une première conséquence : c'est que la connaissance de l'Imâm, Homme Parfait, *est* la seule connaissance de Dieu qui soit possible à l'homme, puisque
l'Imâm est la théophanie initiale. Dans la sentence
citée ci-dessus, comme dans toutes les autres semblables,
c'est l'Imâm éternel qui parle. « Les prophètes passent
et changent. Nous sommes, nous, des Hommes éternels. » « J'ai connu Dieu avant que fussent créés les
Cieux et la Terre ». « La lumière qui émane de la lampe,
n'est pas la lampe elle-même ; mais s'il n'y avait pas
cette lumière, comment saurait-on ce qu'est la lampe,
ni même s'il y a une lampe et où est la lampe ? » « Les
Hommes de Dieu ne sont pas Dieu lui-même ; cependant ils ne sont pas séparables de Dieu ». Parce que
l'Imâmat est la théophanie primordiale, révélation de
l'Abîme divin et *guide* vers cette Révélation, l'Imâm
est le *Hojjat* suprême, le garant qui *répond pour* la divinité inconnaissable. Ainsi le dit le grand prône que
prononça l'Imâm Hasan *'alâ dhikri-hi's-salâm*, le 8 août
1164, en proclamant à Alamût la Grande Résurrection :
« *Mawlâ-nâ* (notre seigneur) est le Résurrecteur (*Qâ'im
al-Qiyâmat*) ; il est le seigneur des êtres ; il est le seigneur qui est l'acte d'être absolu (*wojûd motlaq*) ; il
exclut toute détermination existentielle, car il les transcende toutes ; il ouvre le seuil de sa Miséricorde, et par
la lumière de sa Connaissance, il fait que tout être soit
voyant, entendant, parlant, pour l'éternité ». L'Imâm
éternel comme théophanie rend seul possible une ontologie : étant *le* révélé, il est l'*être* comme tel. Il est la
Personne absolue, la Face divine éternelle (*Chahreh-ye*

Khodâ, en persan), le suprême Attribut divin qui est
le Nom suprême de Dieu. En sa forme terrestre, il est
l'épiphanie du Verbe suprême (*mazhar-e Kalimeh-ye
a'lâ*), le Porte-vérité de chaque temps (*Mohiqq-e waqt*),
manifestation de l'Homme Éternel manifestant la
Face de Dieu.

Une seconde conséquence, c'est que la connaissance
de soi, chez l'homme, présuppose la connaissance de
l'Imâm. S'enchaînant à ce propos du IVe Imâm : « La
connaissance de Dieu est la connaissance de l'Imâm »
— nos textes répètent : « Celui qui meurt sans avoir
connu son Imâm, meurt de la mort des inconscients ».
Et la raison en est donnée, cette fois, dans la précision
apportée à la maxime que répètent tous les spirituels
de l'Islam : « Celui qui se connaît soi-même connaît son
Seigneur, *c'est-à-dire* connaît son Imâm. » C'est la connaissance promise par le Ier Imâm : « Sois mon fidèle,
et je te rendrai semblable à moi comme Salmân ». De
ces textes il ressort que connaissance de Dieu, connaissance de l'Imâm, connaissance de soi, sont les aspects
d'une seule et même connaissance fondamentale libé-
ratrice, d'une même gnose.

C'est pourquoi les textes persans de la tradition
d'Alamût insistent sur les quatre manières possibles de
connaître l'Imâm. « On peut avoir une connaissance de
sa personne sous sa forme physique ; c'est une connaissance dont les animaux eux-mêmes sont capables. On
peut avoir la connaissance de son nom officiel et de sa
généalogie terrestre ; cette connaissance est accessible même aux adversaires. Il y a la connaissance qui
est reconnaissance de son Imâmat ; y participent tous
les membres de la *Da'wat.* Enfin il y a la connaissance
de son Essence selon la réalité éternelle de ses attributs, c'est-à-dire une connaissance qui postule que l'on
transcende tous les autres modes de connaissance ; elle
éblouit les âmes, et c'est la connaissance qui est le pri-

vilège du *Hojjat.* » C'est que, parallèlement, il y a un
quadruple lien de descendance par rapport à l'Imâm :
selon la chair ; au sens spirituel ; à la fois selon la chair
et au sens spirituel ; enfin, à la fois selon la chair, le sens
spirituel et la réalité éternelle de son essence. Le descendant purement spirituel *(farzand-e ma'nawî)* de
l'Imâm, c'est le *Hojjat* ; c'est le cas dont Salmân le
Perse est l'archétype et qui, selon la promesse de l'Imâm,
s'exemplifie en chaque adepte fidèle. Avec le *Hojjat*
promu ainsi au premier rang, c'est tout le hiérarchisme
traditionnel qui se trouve modifié.

3. *Imâmologie et philosophie de la résurrection.*

1. On peut parler d'un décalage radical. De toutes
manières, la hiérarchie des *hodûd* marque leur degré de
proximité respective par rapport à l'Imâm. Mais désormais, le sens de cette hiérarchie tendra à s'intérioriser,
« les limites » marquant plutôt les degrés de la « confor-
mation avec l'Imâm », comme autant de degrés dans
la progression de la connaissance intérieure. Le *ta'wîl*
fait symboliser le hiérocosmos (la sodalité ésotérique
hiérarchique) avec le microcosme. Conséquemment,
se produisent une régression dans le rang reconnu au
Nâtiq, le prophète énonciateur d'une Loi, et une appré-
ciation différente du cycle de la prophétie. Ce sont là
deux corollaires de l'exaltation du rang du *Hojjat.* A
la prédominance de la syzygie Prophète-Imâm se substitue celle de l'Imâm et de son *Hojjat.*

Pour la théosophie shî'ite duodécimaine, le missionnement du prophète de l'Islam marqua l'heure du plein
midi (équilibre entre *zâhir* et *bâtin*). Aussitôt après,
commença le déclin vers le soir, la rentrée dans la nuit
de l'ésotérisme, le cycle de la *walâyat* pure. Pour la
théosophie ismaélienne, l'entrée de la *haqîqat,* de la

pure religion spirituelle, dans la nuit de l'ésotérisme,
a commencé, non pas avec Mohammad, le Sceau des
prophètes, mais déjà avec le premier prophète, avec
Adam, initiateur de notre présent cycle d'occultation,
c'est-à-dire dès les débuts de l'humanité actuelle. C'est
à cette catastrophe radicale que le pessimisme ismaélien fait face avec toute sa philosophie de la Résurrection, voire son insurrection contre la *sharî'at*.

Les six grandes périodes de la « prophétie législatrice »
sont toujours comprises comme étant l'*hexaemeron*, les
« six jours » de la création du cosmos religieux (le hiérocosmos), chaque « jour » étant un « millénaire ». Mais en
fait, les six « jours » sont la nuit de la religion divine
(*shab-e Dîn*), la nuit de l'Imâm, puisque, pendant ces
six jours, la Loi littérale des prophètes législateurs, la
sharî'at, est le voile cachant la réalité, le soleil de l'Imâm.
Comme le soleil est suppléé par la lune éclairant la nuit,
l'Imâm est suppléé par celui qui est son *Hojjat*, sa
preuve, son garant (son « Salmân »). La connaissance
de l'Imâm en sa vraie Essence ne sera manifestée qu'au
septième jour, au lendemain donc de l'hexaemeron qui
dure encore. Seul ce septième jour aura vraiment la
nature du jour, celui où se montrera le soleil (le *Yawm
al-Qiyâmat*, jour de la Résurrection).

2. La régression du rang du prophète législateur, dans
le contexte de cette vision, se comprend d'elle-même.
Alors que pour l'imâmisme duodécimain comme pour
l'Ismaélisme fâtimide, il occupait le premier rang
(homologue terrestre de la Ire Intelligence), l'Ismaélisme
d'Alamût ne lui reconnaît que le troisième rang. Il
semble bien que l'imâmologie d'Alamût ne fasse ainsi
que reproduire un ordre de préséance admis dans l'Ismaélisme préfâtimide, représenté par l'ordre de succession des trois lettres symboliques : *'ayn* ('Alî, l'Imâm),
sîn (Salmân, Gabriel, le *Hojjat*), *mîm* (Mohammad, le
prophète). C'est qu'en effet le prophète en tant que

Nâtiq, énonciateur d'une *sharî'at*, a le rang et la fonction de *dâ'î* « convoquant » les hommes *vers* l'Imâm qui est le sens secret de la *sharî'at* qu'il énonce. C'est pourquoi chaque prophète, au principe de sa vocation comme *dâ'î*, est allé à la rencontre du *Hojjat* de l'Imâm de son temps, lequel est envers lui dans le même rapport que Khezr-Elie, le prophète initiateur de Moïse, envers celui-ci (l'exégèse ismaélienne interprète les données de l'histoire des prophètes en ce sens : le paradis pour Adam, l'arche pour Noé, le Buisson ardent pour Moïse, Maryam pour Jésus, Salmân pour Mohammad, sont autant de figures de la rencontre du *Hojjat*). A son tour, chaque adepte suit l'exemple du prophète-dâ'î, en progressant vers la même rencontre, qui est unification spirituelle avec le *Hojjat* : ils deviennent des gnostiques (*'ârif*) connaissant de la même gnose. C'est ce que signifie la promesse de l'Imâm à son adepte, de le rendre pareil à lui comme Salmân. La diminution du nombre des « grades » dans la hiérarchie d'Alamût ne correspond nullement à une « réduction d'effectifs », mais à un approfondissement métaphysique du concept de l'Imâmat, tel que la philosophie prophétique s'achève en une philosophie de la résurrection.

L'Imâm est envers son *Hojjat* dans le même rapport que l'*Esto* créateur envers la Ire Intelligence. Tel est le cas privilégié du *Hojjat* (chacun de ceux dont Salmân est l'archétype), celui dont il est dit que, dès la prime origine, l'essence spirituelle (*ma'nâ*) de sa personne est la même que celle de l'Imâm (d'où le quatrième des modes de connaissance et de filiation décrits ci-dessus). « Se promouvoir au rang de *Hojjat* », c'est exemplifier en soi-même le cas de Salmân, atteindre au « Salmân de ton être » (le « Salmân du microcosme » comme dit le vieux traité *Omm al-Kitâb* cité ci-dessus). Quant au secret de cette atteinte, ces quelques lignes nous livrent peut-être le suprême message de la philosophie

ismaélienne : « L'Imâm a dit : Je suis avec mes amis
partout où ils me cherchent, sur la montagne, dans la
plaine et dans le désert. Celui à qui j'ai révélé mon Essence, c'est-à-dire la connaissance mystique de moi-
même, celui-là n'a plus besoin d'une proximité physique. Et c'est cela la Grande Résurrection. »

4. *Ismaélisme et soufisme.*

1. Ces textes de la tradition ismaélienne d'Alamût
nous montrent à la fois comment l'imâmologie fructifie en expérience mystique, et comment elle est la
présupposition d'une telle expérience. La coalescence
de l'Ismaélisme et du soufisme, postérieurement à Alamût, nous réfère au problème encore obscur des origines. Si l'on admet avec les spirituels shî'ites que le
soufisme sunnite est quelque chose qui s'est séparé du
shî'isme à un moment donné, en reportant sur le Prophète seul les attributs de l'Imâm (et en faisant ainsi
de la *walâyat* une imâmologie sans Imâm), l'Ismaélisme
d'Alamût ne fait que restaurer l'ancien ordre des choses ;
d'où son importance pour tout le soufisme shî'ite à partir
de cette époque, et pour l'aire culturelle de langue persane dans son ensemble.

2. On vient de voir comment la substitution du couple
Imâm-Hojjat au couple Nabî-Imâm reflète le processus
d'intériorisation mystique. Dans le commentaire qu'un
auteur ismaélien anonyme nous a laissé de la « Roseraie
du mystère » de Mahmûd Shabestarî, l'*unio mystica*
de l'Imâm et du Hojjat est méditée dans le magnifique
symbole de l'olivier croissant au sommet du Sinaï
(Qorân 95/1-2). Il y a deux montagnes : la montagne
de l'intelligence et la montagne de l'amour. Méditant
le secret de la Forme humaine terrestre dans laquelle
est caché l'amour du « Trésor caché qui aspira à être

connu », le pèlerin mystique découvre que sa propre
personne, comme celle de Moïse, *est* le Sinaï au sommet
(ou au cœur) duquel se révèle la Forme théophanique
qui est l'Imâm éternel. C'est sur ce sommet (ou dans
ce sanctuaire) que « l'Ame de l'âme » se révèle à l'âme
comme l'olivier mystique qui se dresse dans les hauteurs
invisibles du Sinaï de l'amour. Plus haut que la montagne
de l'intelligence, il lui faut gravir le Sinaï de l'amour ;
si l'intellect est le guide qui conduit au secret de la
théophanie, il est aussi le guide qui finalement s'efface
(comme Virgile devant Béatrice).

En accomplissant ce pèlerinage intérieur, le disciple,
on l'a vu, ne fait que répéter la démarche initiale de
chaque prophète à la quête de l'Imâm. Atteindre au
sommet du Sinaï de son âme, c'est pour le mystique
réaliser l'état de Salmân le Pur, l'état du *Hojjat* : atteindre à l'Ame de l'âme (*Jân-e jân*). Cette Ame de
l'âme, c'est l'Imâm, c'est l'olivier croissant au sommet
du Sinaï de l'amour. Et l'âme du mystique *est* cet amour,
puisque ce Sinaï est le Sinaï de son être. Ainsi, ce qu'elle
découvre au sommet (ou au cœur) de son être, c'est
l'Imâm comme Aimé éternel. La syzygie de l'Imâm et
de son *Hojjat* devient le dialogue intérieur de l'Aimé
et de l'Ami. L'Ame de son âme, c'est celle à qui il dit
toi, son *moi* à la seconde personne. En présence de
l'Ame de l'âme, comme il en fut pour Moïse au Sinaï,
le « Moïse de son être », son *moi* à la 1re personne, est
volatilisé. En se contemplant dans l'Ame de l'âme,
l'âme devient la contemplée de celle-ci, et celle-ci articule en son lieu et place : *Ego sum Deus*. Ainsi la célèbre
outrance d'al-Hallâj (*Anâ'l-Haqq*), répétée de siècle
en siècle par les Soufis, prend ici sa résonance proprement shî'ite. L'imâmologie lui évite le piège du
monisme transcendental qui a créé tant de difficultés
à la pensée réflexive.

3. A sa limite, l'expérience mystique des soufis

réfère à une métaphysique qui déroute aussi bien la
dialectique des philosophes purs et simples que celle
des théologiens du *Kalâm*. Ce que l'on vient de lire, fera
comprendre qu'il y a en Islam une autre forme encore
de métaphysique, sans laquelle on ne s'expliquera peut-
être pas comment le soufisme a commencé et a évolué.
Cette autre forme, c'est essentiellement la gnose shî'ite
remontant aux Imâms eux-mêmes. On a tenté d'en
montrer ici, pour la première fois, croyons-nous, l'originalité unique, en tant que configurant la philosophie
prophétique répondant aux exigences d'une religion
prophétique. Parce qu'elle est essentiellement l'expli-
citation du sens spirituel caché, elle est eschatologique ;
et parce qu'elle est eschatologique, elle reste ouverte à
l'avenir.

Avec les théologiens dialectiques du *Kalâm* sunnite,
nous pénétrons dans un « climat » tout autre.

III. *Le Kalâm sunnite*

1. *Les Mo'tazilites*

A. LES ORIGINES

1. Le mot arabe *Kalâm* veut dire parole, discours. Le mot *motakallim* désigne celui qui parle, l'orateur (en grammaire, la première personne). Il n'est pas possible de retracer ici l'évolution par laquelle le mot *Kalâm* finit par signifier la théologie tout court, et le mot *Motakallimûn* (ceux qui s'occupent de la science du *Kalâm*, *'ilm al-Kalâm*) les « théologiens ». Il faudrait simultanément analyser plus en détail la genèse du problème posé par le Qorân comme *Kalâm Allâh*, « Parole de Dieu », tel qu'il sera brièvement évoqué ci-dessous. En outre, la science du *Kalâm*, comme théologie scolastique de l'Islam, finit par désigner plus spécialement une théologie professant un atomisme qui, tout en rappelant celui de Démocrite et d'Épicure, en diffère par tout son contexte.

Le *Kalâm*, comme scolastique de l'Islam, se caractérise comme une *dialectique* rationnelle pure, opérant sur les concepts théologiques. Il n'y est question ni de gnose mystique (*'irfân*), ni de cette « science du cœur » dont les Imâms du shî'isme ont été les premiers à parler. En outre, comme l'ont souligné les philosophes, al-Fârâbî, Averroës, aussi bien que Mollâ Sadrâ Shîrâzî, les *Motakallimûn* sont surtout des apologistes, s'attachant non pas tant à une vérité démontrée ou démontrable, qu'à soutenir, avec toutes les ressources de leur

dialectique théologique, les articles de leur credo religieux traditionnel. Sans doute, semblable tâche est-elle
inéluctable pour une communauté religieuse. Il y eut
aussi un *Kalâm* shî'ite. Mais déjà les Imâms mettaient
en garde leurs disciples contre un attachement exclusif
aux problèmes et à la méthode du *Kalâm*. C'est que la
théosophie mystique, *'irfân*, opère de façon beaucoup
plus herméneutique que dialectique, et se tient aussi
loin que possible de tout « intellectualisme ».

Ceux que l'on appelle les *Mo'tazilites* sont regardés
comme ayant été les plus anciens *Motakallimûn*. Ils
forment, sans aucun doute, une école de pensée religieuse spéculative de première importance, leur effort
procédant des données religieuses fondamentales de
l'Islam. Mais ce qui a été exposé précédemment ici
(chap. II) nous dispense d'adhérer à une opinion courante qui considère cette situation comme le privilège
de cette école. Ou plutôt, elle ne fait que développer un
des aspects dont la totalité exige non plus une dialectique
conceptuelle, mais une « philosophie prophétique ».
On doit se limiter ici à dire brièvement qui furent les
Mo'tazilites et quelle fut leur doctrine, et à évoquer
ensuite la grande figure d'Abû'l-Hasan al-Ash'arî.

2. Sous le nom de *Mo'tazilites*, on désigne un groupe
de penseurs musulmans qui se forma, dès la première
moitié du IIe siècle de l'hégire, dans la ville de Basra.
Leur mouvement prit une expansion si rapide que se
trouva désignée sous leur nom une bonne partie de
l'élite musulmane cultivée. La capitale de l'empire
abbasside, Baghdâd, devint, sous plusieurs règnes, le
centre de leur école, et leur doctrine s'imposa même, un
moment, comme doctrine officielle de l'Islam sunnite.

Plusieurs explications ont été données de leur nom.
L'hérésiographe al-Baghdâdî, par exemple, considère
que la désignation de *mo'tazilite* vient de ce que cette
secte s'est « séparée » de la communauté musulmane à

cause de sa conception du « péché » et du « pécheur »
(l'usage de ces deux mots ne réfère naturellement pas
ici à la notion spécifiquement chrétienne du péché avec
ses implications). Le péché est en effet considéré par
les Mo'tazilites comme un état intermédiaire entre la
foi (*îmân*) et l'infidélité (*kofr*). Shahrastânî expose une
autre opinion : Wâsil ibn 'Atâ' (ob. 131/748), le fondateur de l'école mo'tazilite, était en opposition avec son
maître Hasan Basrî (ob. 110/728) sur la question des
péchés graves. Ayant exprimé publiquement son point
de vue, il quitta le cercle de Hasan Basrî ; ses partisans formèrent, autour de la colonne de la Grande Mosquée, un nouveau groupe où Wâsil ibn 'Atâ' enseignait
sa doctrine. Hasan Basrî s'écria alors : « Wâsil s'est
séparé de nous (*i'tazala 'annâ*). » Depuis lors on désigna
Wâsil et ses disciples sous le nom de *mo'tazilites*, les
« séparés », les « sécessionnistes ». Cependant Nawbakhtî
(*Firaq al-shî'a*) fait entendre un point de vue shî'ite :
« Sa'd ibn Abî Waqqâs, 'Abdollah ibn 'Omar, Mohammad ibn Maslama, 'Osâma ibn Zayd, tous ceux-là se
sont séparés de 'Alî (le Ier Imâm) ; ils se sont abstenus
de combattre, soit pour lui, soit contre lui. D'où ils
furent nommés *mo'tazilites*. Ce sont les ancêtres de
tous les mo'tazilites postérieurs. »

3. De ces diverses opinions, on recueille une double
impression. 1) Le terme mo'tazilite serait appliqué
aux adeptes de la doctrine par leurs adversaires. Or,
cette désignation porte en elle-même une désappro-
bation : ceux qui se sont séparés, ont fait sécession. 2) La
cause première du mo'tazilisme serait une option d'ordre
« politique ». En réalité, si l'on réfléchit sérieusement
tant sur la doctrine mo'tazilite que sur l'option en
question, on doit convenir que ni l'une ni l'autre n'ont
leur raison suffisante dans la « politique ».

Quant au nom de *mo'tazilites*, il n'est guère concevable que ce nom leur ait été appliqué uniquement

par leurs adversaires. Car ce nom, ils l'ont porté eux-
mêmes avec fierté au cours de l'histoire, non point
comme un nom impliquant leur condamnation. Dès lors,
ce nom n'avait-il pas pour eux une autre signification ?
Leur doctrine est centrée sur deux principes : à l'égard
de Dieu, principe de la transcendance et de l'Unité absolue ; à l'égard de l'homme, principe de la liberté individuelle entraînant la responsabilité immédiate de nos
actes. Ces deux principes, ils considèrent à tort ou à
raison, qu'ils sont les seuls à les défendre et à les développer (en fait les Shî'ites s'accordent parfaitement avec
eux sur le principe de la responsabilité humaine). Observons que le Qorân, en présentant les « Sept Dormants »
comme les modèles de la fidélité et de la foi, caracté-
risent précisément leur attitude par le mot *i'tizâl* (18/15),
parce que, dans leur adoration de l'Unique, ils s'étaient
séparés d'une communauté devenue infidèle. Telle
que les Mo'tazilites la comprennent, la qualification
ne tourne pas à leur blâme ; s'ils se sont « séparés »,
c'est pour garder la pureté du *Tawhîd* et défendre la
justice et la liberté humaine.

D'autre part, les événements politiques survenus
dans la communauté musulmane, quelle que soit leur
gravité, ne peuvent être considérés comme la raison suffisante de l'apparition du mo'tazilisme. Certes l'investiture de Abû Bakr, comme khalife de la communauté
musulmane en lieu et place de 'Alî ibn Abî-Tâlib,
l'assassinat de 'Othmân, IIIe khalife, le fractionnement
de la communauté musulmane en plusieurs camps, à la
suite de la lutte sanglante entre Mo'awîa et 'Alî, tous
ces événements ont contraint les musulmans, sans ex-
cepter les penseurs, à prendre parti devant les problèmes
posés.

Mais là encore, l'enjeu de ces luttes dépasse infini-
ment ce que nous qualifions couramment de « politique ». L'investiture de l'Imâm légitime de la commu-

nauté est-elle une question purement *sociale*, l'Imâm
étant soumis au vote de la communauté musulmane
et responsable devant elle ? Ou bien la fonction de l'Imâm
a-t-elle une signification *métaphysique*, lié intimement
à la destinée de la communauté jusqu'au-delà de ce
monde, et ne pouvant, par là même, dépendre du vote
d'une majorité quelconque ? C'est l'essence de l'Islam
shî'ite qui est en cause (*supra* chap. II). Quant à ceux
qui se sont rebellés contre l'Imâm investi, quel est leur
statut théologique et juridique, indépendamment de
leur souci de justice ? Il ne s'agit pas de théorie, mais
d'une réalité existentielle concrète. Les Mo'tazilites
avaient à apporter une solution conforme à leur pensée.

4. D'autres facteurs interviennent encore dans l'élaboration de leur pensée. Il y a leur réaction et leur attitude générale à l'égard des groupes non musulmans
établis au sein de la société musulmane. Il s'agit des
Mazdéens en Irak, des Chrétiens et des Juifs en Syrie.
H. S. Nyberg considère avec raison qu'un des facteurs
déterminants de la pensée des Mo'tazilites serait leur
lutte contre le dualisme de certaines sectes iraniennes
qui s'étaient répandues à Koufa et à Basra. D'autres
témoignages (celui du *Kitâb al-aghânî* notamment) le
confirment : Wâsîl ibn 'Atâ' et 'Amr ibn 'Obayd, les
deux grandes figures du mo'tazilisme naissant, assis-
taient souvent à des séances organisées dans la demeure
d'un notable de Azd, au cours desquelles les assistants
exposaient et défendaient la doctrine dualiste de l'ancien Iran.

Les Mo'tazilites étaient également attentifs à certaines idées juives et chrétiennes ; les incidences en pouvaient concerner la théologie dogmatique et morale,
comme aussi le concept même de l'Islam et la personne
de son fondateur. On peut considérer à bon droit que la
conception mo'tazilite de l'Unité divine ait été motivée,
en partie, comme une réaction contre certains aspects

du dogme chrétien de la Trinité. Les Mo'tazilites dénient
en effet tout attribut à l'Essence divine ; ils dénient
aux attributs toute réalité positive distincte de l'Essence
une, car si l'on affirmait le contraire, on se trouverait,
selon eux, en présence non plus même d'une divinité
trine, mais d'une divinité multiple, les attributs divins
étant illimités.

De même, leur doctrine affirmant le Qorân *créé*, peut
être considérée comme une opposition au dogme chrétien de l'Incarnation. En effet, selon eux, dire que le
Qorân *est* la Parole divine incréée qui se manifeste dans
le temps sous la forme d'un discours en arabe, cela
équivaut à dire ce que disent les chrétiens concernant
l'Incarnation, à savoir que le Christ *est* la Parole divine
incréée, manifestée dans le temps sous la forme d'un
être humain. Cela, parce que la différence entre le dogme
du Qorân *incréé* et le dogme de l'Incarnation consiste
non pas tant dans la nature de la Parole divine elle-même,
que dans la modalité de sa manifestation : tandis que
pour le christianisme la Parole s'est faite chair dans le
Christ, ici cette même Parole s'est faite énonciation
dans le Qorân. (On a signalé plus haut (I, 1) comment
cette controverse tumultueuse apparaît aux yeux du
philosophe *'irfânî*. L'imâmologie shî'ite ne sépare pas
le problème de la Révélation qorânique de celui de son
exégèse spirituelle (*supra*, II). D'où, les recroisements
de l'imâmologie avec les problèmes de la christologie
ont une signification encore plus précise que le rapport
relevé ici, l'imâmologie se décidant toujours justement
pour des types de solution rejetés par le dogme chrétien officiel).

B. LA DOCTRINE

Il est difficile de parler d'emblée d'*une* doctrine mo'ta
zilite, si l'on veut rendre compte de la richesse et de la

diversité de ses multiples formes, et sauvegarder ce qui revient à chacun de ses penseurs. Cependant, il y a cinq thèses acceptées par tout Mo'tazilite, et personne ne saurait être un membre de l'école, sans y adhérer. De ces cinq thèses, les deux premières concernent la divinité ; la troisième a un aspect eschatologique ; la quatrième et la cinquième concernent la théologie morale. Nous en donnerons ici une rapide esquisse.

1) Le *Tawhîd* (l'Unité divine). C'est le dogme fondamental de l'Islam. Les Mo'tazilites ne l'ont donc pas « inventé », mais ils se sont distingués par les explications qu'ils en donnent, et l'application qu'ils font de ces dernières à d'autres domaines de la théologie. Les Mo'tazilites aimaient à se désigner eux-mêmes comme les « hommes du *Tawhîd* » (*ahl al-Tawhîd*). Al-Ash'arî (in *Maqâlât al-Islâmîyîn*) expose ainsi la conception mo'tazilite du *Tawhîd* : « Dieu est unique, nul n'est semblable à lui ; il n'est ni corps, ni individu, ni substance, ni accident. Il est au-delà du temps. Il ne peut habiter dans un lieu ou dans un être ; il n'est l'objet d'aucun des attributs ou des qualifications créaturelles. Il n'est ni conditionné ni déterminé, ni engendrant ni engendré. Il est au-delà de la perception des sens. Les yeux ne le voient pas, le regard ne l'atteint pas, les imaginations ne le comprennent pas. Il est une chose, mais non comme les autres choses ; il est omniscient, tout-puissant, mais son omniscience et sa toute-puissance ne sont comparables à rien de créé. Il a créé le monde sans un archétype préétabli et sans auxiliaire. »

Cette conception de l'Être divin et de son unité est statique, non dynamique ; elle est limitée ontologiquement au plan de l'être inconditionné, elle ne s'étend pas à celui du non-inconditionné. Elle a pour résultat la négation des attributs divins, l'affirmation du Qorân créé, la négation de toute possibilité de la vision de Dieu dans l'au-delà (comparer *supra* II A ,3). Ces graves consé-

quences ont joué un rôle considérable dans la pensée
dogmatique de l'Islam ; elles ont conduit la communauté
à prendre conscience des valeurs religieuses fondamentales.

2) *La justice divine (al-'adl)*. Pour traiter de la justice
divine, les Mo'tazilites traitent de la responsabilité et
de la liberté humaine (on a déjà signalé leur accord avec
les Shî'ites sur ce point). Ils signifient par là que le principe de la justice divine implique la liberté et la responsabilité de l'homme, ou bien encore, que notre
liberté et notre responsabilité découlent du principe
même de la justice divine. Sinon, l'idée de récompense
ou de châtiment dans l'au-delà est vidée de son sens,
et l'idée de la justice divine privée de son fondement.
Cependant, comment est-il possible de concilier l'idée
de la liberté humaine et le fait pour l'homme d'être
maître de son destin, avec certains passages qorâniques
qui affirment le contraire, par exemple lorsque le Qorân
déclare expressément que tout ce qui nous arrive est
selon la *Mashî'a* divine, ou que tout ce que nous faisons
est écrit dans un registre céleste ? A cela, les Mo'tazilites
répondent que la *Mashî'a* divine (on pourrait traduire
la « Volonté divine foncière ») qui englobe toute chose,
ce ne sont ni ses actes de volition (*Irâda*) ni ses actes de
commandement (*Amr*), mais le dessein éternel et le
génie créateur de Dieu, lesquels sont deux aspects de
sa connaissance infinie. De même, l'affirmation qorânique que « toute chose est inscrite dans un registre
céleste » exprime métaphysiquement la connaissance
divine elle-même. Celle-ci ne s'oppose pas à la liberté
humaine, son objet étant *l'être*, non pas l'*acte* comme
dans le cas de la volition et du commandement.

Il y a plus. En affirmant la liberté humaine, les Mo'tazilites déclarent que ce principe ne découle pas seulement de notre idée de la justice divine, mais, de plus
et surtout, est en plein accord avec le Qorân lui-même,

lorsque celui-ci affirme expressément que toute âme est responsable quant à ce qu'elle acquiert : « Celui qui fait le bien, le fait pour soi-même ; celui qui fait le mal, le fait contre soi-même. » Ce verset et beaucoup d'autres affirment la liberté humaine. Enfin, tous les musulmans admettent que Dieu leur a imposé des obligations d'ordre culturel, moral, social, etc. Comment concevoir l'idée d'obligation sans admettre que l'homme est libre, maître de ses actes ?

3) *Les promesses dans l'au-delà* (*Wa'd et wa'îd*). Que Dieu ait promis à ses fidèles une récompense et menacé les infidèles de châtiment, c'est une thèse admise par toutes les sectes et doctrines islamiques ; mais les Mo'tazilites lient cet article de foi à leur conception de la justice divine et de la liberté humaine. La justice divine postule que ne soient pas traités de la même façon celui qui reste fidèle et celui qui commet l'infidélité. Quant à l'homme, la liberté une fois admise, implique qu'il soit responsable de ses actes, dans le bien comme dans le mal. Ainsi l'idée de la grâce divine ne passe que très discrètement dans l'enseignement mo'tazilite ; celle de la justice y occupe une place prépondérante.

4) *La situation intermédiaire* (*al-manzila bayn al-manzilatayn*). C'est cette thèse, on l'a rappelé ci-dessus, qui provoqua la rupture, la « séparation » entre Wâsil ibn 'Atâ', fondateur de l'école mo'tazilite, et son maître Hasan Basrî ; le désaccord portait sur la conception du « péché ». La thèse mo'tazilite situe celui-ci par rapport à la foi et à l'infidélité ; elle détermine, théologiquement et juridiquement, la situation du « pécheur » comme distincte à la fois de celle du musulman et de celle du non-musulman. En accord avec l'ensemble des théologiens et des canonistes de l'Islam, les Mo'tazilites distinguent deux sortes de péchés : *saghâ'ir* (fautes légères) et *kabâ'ir* (fautes graves). Ceux de la première catégorie n'entraînent pas l'exclusion du cercle des

croyants, pour autant que le pécheur ne récidive pas. Quant à ceux de la seconde catégorie, ils se divisent également en deux espèces : *kofr* (l'infidélité) et les autres. Ces derniers, selon les Mo'tazilites, excluent le musulman de la communauté, sans qu'il ait à être considéré pour autant comme un *kâfir* (infidèle au sens absolu). Le pécheur se trouve donc dans une situation intermédiaire qui n'est ni celle du croyant, ni celle du non-croyant. Cette thèse de l' « entre-deux » comportait, elle aussi, ses difficultés.

5) *L'impératif moral* (*al-amr bi'l-ma'rûf*). La dernière des cinq thèses mo'tazilites essentielles concerne la vie de la communauté ; elle vise la mise en pratique des principes de la justice et de la liberté dans les comportement sociaux. Pour les Mo'tazilites, la justice ne consiste pas seulement à éviter personnellement le mal et l'injustice ; c'est aussi une action de l'ensemble de la communauté pour créer une atmosphère d'égalité et d'harmonie sociale, grâce à laquelle chaque individu puisse réaliser ses possibilités. De même, la liberté et la responsabilité humaine ne se limitent pas au seul exercice des différentes facultés de l'individu ; elles s'étendent, ou doivent s'étendre, à l'ensemble de la communauté. Aussi bien est-ce un principe fréquemment énoncé dans le Livre saint de l'Islam. Mais l'ingéniosité de l'école mo'tazilite fut de fonder le principe de l'action morale et sociale sur le principe théologique de la justice et de la liberté de l'homme.

2. *Abû'l-Hasan al-Ash'arî.*

A. VIE ET ŒUVRES D'AL-ASH'ARI

1. Abûl'-Hasan 'Alî ibn Isma'îl al-Ash'arî est né à Basra en l'an 260/873. Il adhéra dès sa jeunesse à l'école mo'tazilite, dont il étudia les doctrines auprès de l'un des maîtres les plus représentatifs de la secte à l'époque, al-Jobbâ'î (ob. 303/917). Jusqu'à l'âge de 40 ans il suivit l'enseignement de l'école, et pendant toute cette période il prit part à la défense des doctrines mo'tazilites, rédigeant lui-même à cette fin un bon nombre d'ouvrages. Puis, au témoignage de ses biographes, voici que parvenu à l'âge de 40 ans, Ash'arî s'enferme chez lui pour une retraite qui ne dure pas moins de deux semaines. Il en sort pour faire irruption dans la Grande Mosquée de Basra, à l'heure de la réunion pour la Prière. Là, il proclame à voix haute : « Celui qui me connaît, me connaît. A celui qui ne me connaît pas, je vais me faire connaître. Je suis 'Alî ibn Isma'îl al-Ash'arî. Naguère j'ai professé la doctrine mo'tazilite, croyant au Qorân créé, niant la vision divine dans l'au-delà, déniant à Dieu tout attribut et toute qualification positive... Soyez tous témoins que maintenant je renie cette doctrine et que je l'abandonne définitivement. »

Nombreuses sont les raisons par lesquelles les biographes ont expliqué ce revirement spectaculaire. Il semble que la cause principale doive en être recherchée à la fois en lui-même et dans la situation extérieure,

on veut dire dans la division de la communauté musulmane sunnite partagée, à cette époque, entre deux
extrémismes. En lui-même, tout d'abord : Abû'l-Hasan
al-Ash'arî est profondément heurté par le rationalisme
excessif des docteurs mo'tazilites dans leur conception de
Dieu et du salut humain. La divinité, objet de leurs
spéculations, n'était-elle pas devenue une abstraction
pure, sans relation avec le monde ni avec l'homme ? Quel
sens et quelle portée métaphysique ont la connaissance
et l'adoration chez l'homme, si tout est déterminé par
le simple fait de la causalité dans la création ? Abû'l-
Hasan souffrait de voir à quel point l'opinion musulmane sunnite était dominée par les tendances extrêmes.
D'une part les Mo'tazilites avec leurs spéculations abstraites, et d'autre part les littéralistes qui, réagissant
contre le rationalisme des Mo'tazilites, avaient encore
durci leur attitude. C'est donc à la fois par l'intention
de résoudre son propre problème et le propos de donner
à la communauté divisée le moyen de sortir de l'impasse,
qu'il faut s'expliquer la « conversion », le revirement
radical survenu chez Ash'arî.

2. Ash'arî a écrit de nombreux ouvrages durant sa
période mo'tazilite comme après sa conversion. D'après
ses propres dires, il n'aurait pas composé moins de
90 ouvrages englobant la quasi totalité du savoir théologique de l'époque. Il a écrit un commentaire du Qorân.
Il a composé un recueil traitant de la *shari'at* ; un recueil
de *hadîth* et de récits ; des traités contre les matérialistes, les *khârijites* et, après sa conversion, des ouvrages
de critique contre les Mo'tazilites. Parmi ceux de ses
ouvrages qui nous sont parvenus, il en est deux qui ont
une importance particulière.

Dans le premier (*Maqâlât al-Islâmîyîn*), Ash'arî expose avec précision et objectivité toutes les doctrines
connues de son temps. Ce traité peut être considéré
comme l'une des sommes les plus importantes de l'his-

toire des dogmes, voire comme le premier du genre dans
l'histoire des doctrines et des dogmes en Islam. Il se
divise en trois parties : la première contient un exposé
détaillé des différentes sectes et doctrines islamiques ;
la seconde expose la voie des « hommes du hadîth », les
littéralistes ; enfin la dernière concerne les différentes
branches du *Kalâm*.

Quant au second ouvrage (*Kitâb al-Ibâna*), il expose
strictement la doctrine de l'Islam sunnite. Il commence
par faire l'éloge d'Ibn Hanbal (fondateur du rite juridique hanbalite, ob. 241/855). Viennent ensuite, sans
plan précis, différents thèmes théologiques, tous dévelop-
pés à la lumière de la nouvelle orientation de l'auteur.
Si l'on peut dire avec certitude que ce second ouvrage
fut écrit au cours de la seconde période de la vie d'al-
Ash'arî, on ne peut risquer la même affirmation pour le
premier.

Ash'arî mourut à Baghdâd en 324/935, après une vie
admirablement remplie.

B. LA DOCTRINE D'AL-ASH'ARI

1. *Les tendances du système.* Deux tendances apparemment contradictoires, en réalité complémentaires, dominent le système d'al-Ash'arî. D'une part, il semble si
proche de telle ou telle école juridique de l'Islam, que
l'on a pu affirmer tantôt qu'il était shafi'ite, tantôt
qu'il était malékite ou hanbalite. D'autre part, il observe
une réserve manifeste, son souci intime étant avant
tout de concilier les différentes écoles du sunnisme,
toutes étant d'accord à ses yeux quant aux principes,
et ne divergeant qu'en matière d'applications. Tel est
le jugement que Ibn 'Asâkir rapporte de lui : « Chaque
mojtahid a raison, et tous les *mojtahid* sont établis sur
un terrain solide de vérité. Leurs divergences ne con-

cernent pas les principes, mais résultent seulement des applications. » Dans le domaine du dogme, ou plus précisément dans le domaine des preuves à apporter aux dogmes, Ash'arî ne dédaigne nullement la valeur de la démonstration rationnelle, comme le faisaient les littéralistes. Mais s'il n'admet pas que l'usage de la démonstration rationnelle soit une hérésie, sous prétexte qu'elle n'était pratiquée ni par le Prophète ni par ses Compagnons, il ne va cependant pas jusqu'à considérer la raison comme un critère absolu devant la foi et les données religieuses fondamentales.

Ash'arî prend ainsi position contre les Mo'tazilites, et cela pour deux motifs essentiels.

1) Donner une valeur absolue à la raison, cela aboutit non point à soutenir la religion, comme le prétendent les Mo'tazilites, mais à la supprimer, en substituant purement et simplement la raison à la foi. A quoi bon avoir foi en Dieu et en ses révélations, si la raison en moi est supérieure aux données mêmes de la religion ?
2) Le Qorân considère souvent que la foi dans le *ghayb* (l'invisible, le suprasensible, le mystère) est un principe essentiel de la vie religieuse, sans lequel la foi est sans fondement. Or le *ghayb*, c'est ce qui dépasse la démonstration rationnelle. Prendre la raison comme critère absolu dans le domaine du dogme, est donc incompatible avec le principe de la foi dans le *ghayb*.

Le système de pensée d'al-Ash'arî est ainsi marqué par le souci de concilier deux extrêmes. Cette tendance apparaît dans presque toutes les solutions proposées par lui, et c'est par là que sa pensée et sa doctrine ont trouvé une si large audience en Islam sunnite, pendant plusieurs siècles. Nous prendrons ici comme exemple la position que prend Ash'arî devant trois grands problèmes théologiques : le problème des Attributs divins, le problème du Qorân, le problème de la liberté humaine.

2. *Les Attributs divins.* On a vu que les Mo'tazilites
professaient que Dieu est privé de tout attribut positif,
en ce sens que toute qualification divine doit être comprise comme étant l'essence elle-même. En revanche,
les littéralistes, par leur conception naïve des Attributs divins, aboutissaient à se représenter la divinité
comme un complexe de noms et de qualifications à
côté de l'essence divine elle-même. L'attitude des Mo'tazilites est connue dans l'histoire des dogmes sous le
nom de *ta'tîl*, c'est-à-dire qu'elle consiste à priver Dieu
de toute activité opérante, et aboutit finalement à
l'agnosticisme (à remarquer que le sens de la racine
'tl, d'où vient *ta'tîl*, est appliqué dans l'ancien usage
arabe au puits sans eau et à la femme privée de sa
parure). A l'opposé, l'attitude des littéralistes extrémistes est connue sous le nom de *tashbîh* (anthropomorphisme). Nous avons déjà rencontré ces deux termes dans
un autre contexte (*supra* chap. II).

La solution proposée par al-Ash'arî admet que l'Être
divin possède réellement les Attributs et les Noms mentionnés dans le Qorân. En tant que ces Noms et Attributs ont une réalité positive, ils sont distincts de l'essence,
mais n'ont cependant ni existence ni réalité en dehors
d'elle. L'heureuse inspiration d'al-Ash'arî fut ici, d'une
part, de distinguer entre l'attribut comme concept, et
d'autre part, de considérer que la dualité entre essence
et attribut doit être située non sur le plan quantitatif,
mais sur le plan qualitatif ; c'est ce qui échappait à la
pensée mo'tazilite.

Lors donc que le Qorân et certains *hadîth* présentent
la divinité sous une forme anthropomorphique (Dieu
possède des mains, un visage, il est assis sur le Trône,
etc.), pour les Mo'tazilites il s'agit de métaphores. La
main désigne métaphoriquement la puissance ; le
visage désigne l'essence ; le fait que Dieu soit assis sur
le Trône est une image métaphorique du règne divin,

etc. Pour les littéralistes, ce sont des phénomènes réels
concernant Dieu. Ils doivent être considérés et compris
comme tels. Ash'arî est d'accord avec les littéralistes,
quant à la réalité de ces phénomènes rapportés à Dieu,
mais il met en garde contre toute acception matérielle
physique dans leur attribution à Dieu. Pour lui, le
musulman doit croire que Dieu a réellement des mains,
un visage, etc. mais sans « se demander comment ».
C'est le fameux *bi-lâ kayfa*, où la foi atteste qu'elle se
passe de la raison. Bref, les Mo'tazilites en étaient réduits
à parler de métaphores ; le grand effort d'al-Ash'arî
aboutit à laisser face à face, sans médiation, la foi et
la raison.

3. *Le dogme du Qorân incréé.* Les Mo'tazilites professent que le Qorân est la Parole divine *créée*, sans distinguer entre la parole en tant qu'attribut divin éternel, et l'énonciation arabe qui la représente dans le
Qorân. Les littéralistes opposent un refus catégorique
à cette manière de voir, mais ils confondent, pour leur
part, la Parole divine et l'énonciation humaine manifestée dans le temps. Plus grave encore, certains parmi
eux considèrent que le Qorân est éternel non seulement
quant à son contenu et quant aux mots qui le composent,
mais aussi quant à tout ce qui le constitue matériellement, par exemple les pages, l'encre, la reliure etc.

Entre ces deux extrêmes intervient la solution d'al-
Ash'arî. Il considère que la nature de la parole, qu'elle
soit humaine ou divine, ne se limite pas, comme le considèrent les Mo'tazilites, à ce qui est prononcé et composé
de sons et de mots articulés ; elle est aussi discours
de l'âme (*hadîth nafsî*), et par là elle est indépendante
de la manifestation verbale (*hadîth lafzî*). Lorsqu'il
déclare que le Qorân est éternel, il entend par là l'attribut divin du *Kalâm* subsistant éternellement en Dieu et,
en tant que tel, exempt de toute articulation verbale
et sonore. Mais le Qorân est aussi composé de mots. Il

est écrit. Sous cet aspect, le Qorân est un fait temporel créé, à l'encontre de ce que pensent les littéralistes. Mais comment dans un seul fait tel que le Qorân, peuvent coïncider ces deux aspects antinomiques, l'un créé, l'autre incréé ? Ici encore, Ash'arî conseille au croyant de pratiquer son fameux principe : « Avoir la foi sans demander *comment*. »

4. *La liberté humaine*. Pour résoudre ce problème, Ash'arî recourt non pas à la notion de *qodra* (puissance créatrice) au sens mo'tazilite, mais à la notion de *kasb* (acquisition). Ici de nouveau, il lui faut trouver une solution entre deux extrêmes : les Mo'tazilites, partisans de la *qodra*, et les fatalistes, partisans du *jabr*. Ash'arî considère, non sans raison, que la thèse mo'tazilite introduit une sorte de dualisme par rapport à l'activité divine. En effet, selon les Mo'tazilites, l'homme n'est pas seulement libre et responsable ; il possède en outre la *qodra*, c'est-à-dire la puissance créatrice, la faculté de créer ses propres œuvres. Pour échapper au risque d'instituer une autre puissance créatrice à côté de la puissance divine, tout en conférant à l'homme une liberté qui le rend responsable de ses actes, Ash'arî attribue à l'homme non pas la *qodra*, la création de ses œuvres, mais le *kasb*, l' « acquisition » de ses œuvres. Il admet la distinction que font les Mo'tazilites entre les deux sortes d'action chez l'homme : action contrainte et action libre. Il admet également leur thèse que l'homme a parfaitement conscience de la différence. Mais il considère la *qodra*, la puissance créatrice des actes humains, comme extérieure à l'homme ; elle ne lui est pas immanente. Aussi, dans chaque acte libre de l'homme, Ash'arî distingue-t-il l'acte de création qui est la part de Dieu, et l'acte d'acquisition qui est la part de l'homme. Toute la liberté de l'homme consiste dans cette *co-incidence* entre Dieu « créateur » et l'homme « acquéreur ».

Dans toutes les solutions qu'il propose, Ash'arî n'obéit pas tellement à des soucis spéculatifs et rationnels, qu'à des motifs spirituels et religieux. Ce qu'il cherche avant tout, c'est à donner un sens à la foi en Dieu, en un Dieu dont les qualifications ne sont pas vaines, car il est à la fois essence et attribut, et qui peut être par conséquent l'objet de l'adoration et de l'amour du fidèle. Que son effort soit jugé comme une réussite ou au contraire, faute d'armature métaphysique suffisante, comme un échec, c'est pourtant encore ce que cherche al-Ash'arî, avec une parfaite probité, en soutenant la simultanéité des deux aspects du Qorân, créé et incréé : la jonction mystérieuse et miraculeuse entre l'éternel et l'éphémère.

3. *L'ash'arisme.*

A. LES VICISSITUDES
DE L'ÉCOLE ASH'ARITE

1. L'école ash'arite, formée au milieu du ɪᵛᵉ/xᵉ siècle par les disciples directs d'al-Ash'arî, dérive son nom de celui du maître (en arabe on dit les *Ash'arîya* ou *Ashâ'-ira*). Pendant plusieurs siècles cette école a dominé presque totalement l'Islam sunnite ; à certaines époques et en certaines régions, l'ash'arisme fut même identifié purement et simplement avec le sunnisme.

Vers la fin de sa vie, Abû'l-Hasan al-Ash'arî avait vu se grouper autour de lui de nombreux disciples qui admiraient sa vie exemplaire, sa pensée imprégnée des valeurs religieuses et son souci d'en assurer la sauvegarde. Ils trouvaient en lui un refuge à la fois contre le littéralisme étroit des hommes du *hadîth*, et contre le rationalisme excessif des Mo'tazilites. C'est ainsi que l'ash'arisme commença de prendre forme du vivant même du maître.

Mais à peine l'ash'arisme eut-il affirmé son existence et pris une figure distincte, à côté des autres écoles du moment, qu'il devint une cible pour toutes les attaques. Tout d'abord, les Mo'tazilites avaient sur le cœur la volte-face d'al-Ash'arî, leur ancien disciple ; ils accusaient l'école ash'arite de flatter la masse par son opportunisme, et formulaient contre elle le reproche toujours facile de « syncrétisme ». De même les littéralistes, et à leur tête les hanbalites, s'étonnaient de voir ce nouveau venu qui, tout en ayant la prétention d'échapper au piège de l'*i'tizâl*, n'avait pas le courage de revenir purement et simplement aux sources, à savoir le texte révélé littéral et la tradition primitive, telle qu'elle est reconnue de l'Islam sunnite.

Un autre fait vient encore tout compliquer. Au moment même où Ash'arî prend conscience, à Basra et à Baghdâd, des problèmes qu'affronte l'Islam et leur cherche une solution, un autre penseur, formé également dans le sunnisme, Abû Mansûr al-Matorîdî (ob. 333/944 à Samarkande, dans l'orient du monde islamique) pressent, lui aussi, les mêmes problèmes et vise le même but. Ses propres disciples considèrent l'effort de l'école ash'arite comme une réforme manquée ; ils en critiquent le conservatisme et le conformisme. L'effort de l'ash'arisme s'arrêtant à mi-chemin, les disciples de Matorîdî prétendent opérer eux-mêmes le renouveau, et restaurer le sunnisme intégral.

2. Malgré toutes les critiques dressées contre l'ash'arisme naissant, l'école se développe et prend de l'extension; le temps aidant, elle devient le porte-parole de l'orthodoxie sunnite dans une grande partie de l'univers islamique. Mais au milieu du ve/xie siècle, le mouvement subit un temps d'arrêt et de difficulté. Les princes iraniens de la dynastie des Bouyides sont les véritables maîtres de l'empire abbasside. Or, ce sont des shî'ites ; ils favorisent une sorte de synthèse entre la pensée mo'tazilite et certains aspects de la pensée shî'ite. Mais, dès que les princes turks seljoukides, d'appartenance sunnite, prennent le pouvoir, la situation change. L'ash'arisme reprend sa place privilégiée dans la société musulmane sunnite ; l'école reçoit même l'appui des autorités officielles, particulièrement celui du célèbre vizir seljoukide Nizâm al-Molk (ob. 485/1093. Cette situation fait comprendre contre quoi luttaient désespérément les Ismaéliens d'Alamût).

Nizâm al-Molk fonde les deux grandes universités de Baghdâd et de Nîshâpour. L'enseignement qui y est dispensé, est l'ash'arisme, lequel devient alors la doctrine officielle de l'empire abbasside. C'est à cette époque que ses représentants deviennent les porte-parole de la doctrine sunnite elle-même. Forts de cette situation, les ash'arites passent à l'attaque contre les sectes et doctrines non conformes à leur « orthodoxie », non seulement sur le plan idéologique pur, mais sur le plan politique, pour autant que leurs adversaires représentent une opinion que favorise un État ou un gouvernement hostile au khalifat abbasside. L'offensive que Ghazâlî a entreprise contre les « Bâtiniens » (c'est-à-dire contre l'ésotérisme ismaélien) et contre les philosophes (*infra* V, 7), vise en même temps le pouvoir fâtimide du Caire, parce que celui-ci protégeait les philosophes et faisait sienne la doctrine bâtinienne.

3. Au VIIe/XIIIe siècle, l'ash'arisme rencontre dans la personne d'Ibn Taymîya et de son disciple, Ibn al-Qayyim al-Jawzîya, tous deux de Damas, des adversaires de taille. Ibn Taymîya en effet, le père du mouvement *salafite* à travers les siècles, conteste à l'ash'arisme la validité de sa réforme sunnite. Il proclame une réforme intégrale du sunnisme basée principalement sur la valeur absolue du texte littéral de la Révélation et de la Tradition des Compagnons du Prophète (de cette « Tradition » est évidemment exclu le *corpus* des traditions théologiques remontant aux Imâms du shî'isme). Malgré la valeur d'Ibn Taymîya et la force incisive de sa critique, l'ash'arisme conserve son rang prédominant dans l'Islam sunnite jusqu'à nos jours. La renaissance de l'Islam sunnite, quels que soient les éléments divers (mo'tazilisme et salafisme, par exemple) convergeant dans la conscience musulmane, ne peut que favoriser cette prépondérance de l'ash'arisme.

4. Parmi les grandes figures que l'école ash'arite a

produites au cours des temps, on doit nommer : Abû
Bakr al-Bâqillânî (ob. 403/1013) auteur du *Kitâb al-
Tamhîd* qui est le premier essai de doter l'ash'arisme
d'un vrai système doctrinal ; Ibn Fûrak (Abû Bakr
Moham. ibn al-Hasan, ob. 400/1015) ; Abû Ishaq al-
Isfarâ'inî (ob. 418/1027) ; 'Abd al-Qâhir ibn Tâhir al-
Baghdâdî (ob. 429/1037) ; Abû Ja'far Ahmad ibn Moh.
al-Semnânî (ob. 444/1052) ; Imâm al-Haramayn (al-
Jowaynî, ob. 478/1085), dont l'ouvrage, *Kitâb al-Irshâd*,
est considéré comme la forme achevée de l'ash'arisme ;
le célèbre Ghazâlî (ob. 505/1011, cf. *infra* V, 7) ; Ibn
Tûmart (ob. vers 524/1030) ; Shahrastânî (ob. 548/1153);
Fakhroddîn Râzî (ob. 606/1210) ; 'Adod al-Dîn Ijî
(ob. vers 756/1355) ; Jorjânî (ob. 816/1413) ; Sanoussî
(ob. 895/1490).

On vient de souligner que l'ash'arisme, non seulement
survécut à toutes les critiques, mais réussit à s'assurer
la prépondérance en Islam sunnite, particulièrement
dans le Proche-Orient. Cette place, il ne se l'est pas assurée
fortuitement ; même si les circonstances extérieures
(politiques et autres) lui furent favorables à un moment
donné, il dut son succès essentiellement au fait qu'il
apportait des solutions, apparemment définitives, à
deux grands problèmes. Ces deux problèmes, en contraste
avec ce qui a été exposé ici précédemment, sont
de ceux qui se posent à la conscience spécifiquement
« exotérique ». Le premier se situe sur le plan cosmolo-
gique ; c'est là que l'école ash'arite a formulé son
atomisme devenu classique. Le second problème concerne
la psychologie religieuse et l'individu.

B. L'ATOMISME

1. On a vu précédemment (II, B) comment la gnose
ismaélienne articulait l'idée d'Émanation avec le

principe de l'Instauration créatrice (*ibdâ'*). L'émanatisme proprement dit est représenté par excellence, en Islam, par les philosophes hellénisants (*infra*, chap. V). Ces derniers comprennent le fait de la création, tel qu'ils le méditent dans la Révélation qorânique, à la lumière de cette idée fondamentale. Ils considèrent la multiplicité des mondes et des phénomènes comme procédant de l'Un absolu. Dieu se trouve au sommet de la Manifestation ; tous les êtres, constituant cette même Manifestation, sont liés organiquement, depuis la Première Intelligence jusqu'à la matière inanimée.

D'autres écoles de pensée, notamment les Mo'tazilites, se réfèrent pour expliquer la création et les rapports entre Dieu et le monde, à l'idée d'une causalité universelle. Les phénomènes de la création sont, selon eux, soumis à un ensemble de causes qui s'élèvent graduellement depuis les causes secondes régissant le monde de la matière, jusqu'aux causes premières et jusqu'à la Cause des causes.

Les Ash'arites n'ont été satisfaits ni par l'idée de l'Émanation mise en œuvre par les philosophes, ni par l'idée de la causalité universelle admise par les Mo'tazilites. Telle que les Ash'arites la comprennent, la conception émanatiste exclut l'idée qu'ils se font de la liberté et de la volonté comme caractérisant l'essence de l'Être divin. Il leur apparaît que l'émanatisme aboutit à identifier le principe et la manifestation, soit sur le plan de l'essence, soit sur le plan de l'existence. Dans les êtres émanés, ils ne peuvent voir ni des êtres créés au sens où ils comprennent ce mot dans le Qorân, ni des états multiples d'un seul être, mais une multitude d'êtres si bien liés intrinsèquement à leur principe qu'ils s'identifient avec lui.

Dans l'idée mo'tazilite de la causalité universelle, les Ash'arites voient une sorte de déterminisme (la cause étant liée ontologiquement à son effet, et réciproquement), et ce déterminisme est pour eux incompatible avec l'idée fondamentale du Qorân affirmant, avec la toute-puissance, la liberté divine absolue. C'est en vain, à leurs yeux, que les Mo'tazilites ont tenté de justifier la causalité en la rattachant au principe de la sagesse divine, en faisant valoir que c'est la sagesse qui est à l'origine de la causalité. Car, pour les Ash'arites, la sagesse divine, tout comme la puissance et la volonté divines, sont absolues, au-dessus de toute condition et de toute détermination.

2. L'idée de la création du monde, et par voie de conséquence la relation qu'il convient de se représenter entre Dieu et l'univers, les Ash'arites ont pensé en trouver la base et la justification dans leur théorie de l'indivisibilité de la matière ou *atomisme*. Certes, la théorie de ce nom était déjà connue chez les penseurs de la Grèce et de l'Inde, mais les Ash'arites l'ont développée selon leurs préoccupations propres pour sauvegarder, par les conséquences qu'ils en déduisaient, leur idée de la toute-puissance et leur idée de la création.

L'argumentation ash'arite peut être indiquée très brièvement comme suit. Une fois admis que la matière est indivisible, on aboutit à l'affirmation d'un principe transcendant qui donne à cette matière et à tous les êtres composés, leur détermination et leur spécification. En effet, si la matière est en soi divisible, elle porte en elle-même la possibilité et la cause de sa détermination. L'idée d'un principe est alors superflue. En revanche, si l'on admet la théorie de la matière indivisible en soi (*atome*), il faut pour que cette matière soit déterminée, spécifiée et quantifiée dans tel ou tel être, l'intervention d'un principe transcendant. L'idée d'un Dieu créateur apparaît alors évidente et bien fondée.

Dès lors aussi, l'idée de l'indivisibilité de la matière porte en elle-même une autre conséquence, à savoir la récurrence de la création. Si en effet, la matière ne trouve

pas en elle-même la raison suffisante de ses différencia-
tions et combinaisons, il faut que toute agglomération
d'atomes spécifiant tel ou tel être, soit purement acci-
dentelle. Or ces accidents, du fait qu'ils sont en éternel
changement, nécessitent l'intervention d'un principe
transcendant qui les crée et les soutienne. La conclusion s'impose : il faut que la matière et l'accident soient
créés *à chaque instant*. L'univers tout entier est main-
tenu d'instant en instant par la Main divine toute-puis-
sante. Selon la conception ash'arite, l'univers est en
expansion continue, et seule la Main divine lui conserve
son unité, sa cohésion et sa durée, bien que la faiblesse
de nos sens et de notre raison ne nous permettent pas de
percevoir qu'il en est ainsi.

C. LA RAISON ET LA FOI

1. Outre le problème qu'il résout par sa cosmologie
atomiste, l'ash'arisme fait face à un second problème
qui se pose à lui en termes caractéristiques, comme
le problème des rapports entre la raison et la foi. Il y
confirme sa vocation qui l'oppose aux extrêmes :
d'un côté les Mo'tazilites qui ne veulent reconnaître
que la raison et le rationnel, de l'autre les littéralistes
qui ne veulent pas en entendre parler. Si on admet
la thèse mo'tazilite reconnaissant la raison humaine
comme l'arbitre absolu, aussi bien dans le domaine
des choses temporelles que sur le plan spirituel, le
simple croyant pourra se demander : pourquoi dois-je
nécessairement acquiescer à une Loi religieuse ? Sans
doute le Mo'tazilite répondra-t-il que la religion est
une nécessité d'ordre éthique et social pour la masse,
du fait que tout le monde ne soit pas capable de se
guider à la lumière du vrai et du bien. Soit. Mais
lorsque l'individu conscient atteint sa maturité, pour-

quoi assumerait-il encore quelque engagement religieux, alors qu'il estime être en mesure, par son expérience personnelle, d'atteindre la vérité et d'agir en conséquence ?

Or, ceux pour qui la raison humaine est tout et ceux pour qui elle n'est rien, aboutissent à la même séparation de la raison et de la foi. Les Mo'tazilites exilent la foi religieuse, parce que l'individu conscient n'en a plus besoin ; à l'extrême opposé, les littéralistes exilent la raison, sous prétexte qu'elle n'est d'aucune utilité en matière religieuse, où seule la foi est requise. Mais alors pourquoi le Qorân incite-t-il au raisonnement et à la spéculation ? Pourquoi invite-t-il notre intelligence à s'exercer sur les objets proprement religieux, l'existence divine, la providence divine, la révélation, etc. ?

Entre les deux extrêmes, l'ash'arisme a tenté de frayer la voie moyenne, s'efforçant de circonscrire le domaine propre à l'intelligence rationnelle et le domaine réservé à la foi. S'il est vrai qu'une même réalité spirituelle peut être saisie par la raison et peut l'être par la foi, il s'agit néanmoins dans chaque cas d'un mode de perception dont les conditions sont si différentes, qu'on ne saurait ni les confondre, ni les substituer l'un à l'autre, ni se passer de l'un pour ne garder que l'autre.

2. Dans le combat livré ainsi par l'ash'arisme, il y a quelque chose de pathétique, car on peut se demander s'il disposait des armes suffisantes pour le mener à bien. Si l'on compare avec la philosophie prophétique de la gnose shî'ite exposée ici précédemment (chap. II) la situation révèle un puissant contraste. En faisant face simultanément aux Mo'tazilites et aux littéralistes, l'ash'arisme reste en fait sur leur propre terrain. Et sur ce terrain, il serait difficile que se lèvent les perspectives ascendantes du *ta'wîl*, et que s'ouvre un passage menant du *zâhir* au *bâtin*. C'est le contraste entre la dialectique rationnelle du *Kalâm* et ce que nous avons

appris à connaître comme *hikmat ilâhîya* (*theosophia*),
'irfân (gnose mystique), *ma'rifat qalbîya* (connaissance
du cœur), bref cette forme de conscience pour laquelle
toute connaissance reconduit à un acte de connaissance de soi. En réfléchissant à la solution donnée par
al-Ash'arî au dilemme du Qorân incréé ou créé, on a
l'impression que son effort s'arrête prématurément.
En pouvait-il être autrement ? Il aurait fallu toute une
prophétologie, avec l'approfondissement des notions de
temps et d'*événement* à leurs différents niveaux de
signification. Mais certains auteurs shî'ites nous ont
déjà fait observer que l'atomisme ash'arite et la négation
des causes intermédiaires rendaient précisément impossible une prophétologie.

Si l'ash'arisme a survécu à tant d'attaques et de
critiques, il faut admettre que la conscience de l'Islam
sunnite s'est reconnue en lui. Et c'est bien là le symptôme le plus aigu d'une situation qui conduit à se
demander si la philosophie devait jamais s'y trouver
« chez elle », ou bien y rester en porte à faux. Le mo'-
tazilisme est contemporain des Imâms du shî'isme
(dont les disciples eurent plus d'une discussion avec
les maîtres mo'tazilites). Ash'arî est né l'année même
où commence l' « occultation mineure » du XIIᵉ Imâm
(260/873). Il meurt à Baghdâd quelques années seulement avant Kolaynî, le grand théologien shî'ite, qui
précisément travailla à Baghdâd pendant vingt ans.
Les noms des deux maîtres pourraient être pris comme
le symbole des conditions très différentes que l'avenir
réservait à la philosophie, respectivement en Islam
shî'ite et en Islam sunnite.

IV. *Philosophie et sciences*
de la nature

1. *L'hermétisme.*

1. On a rappelé ci-dessus (I, 2) que les Sabéens de Harran faisaient remonter leur ascendance à Hermès et à Agathodaimôn. Leur plus célèbre docteur, Thâbit ibn Qorra (ob. 288/901) avait écrit en syriaque et traduit lui-même en arabe un livre des « Institutions d'Hermès ». Pour les Manichéens, Hermès était l'un des cinq grands prophètes ayant précédé Mani. De la prophétologie manichéenne le personnage d'Hermès est passé dans la prophétologie islamique, où il est identifié avec Idrîs et Hénoch (Okhnokh).

Il n'est nullement surprenant que les premiers musulmans qui « hermétisèrent » aient été des shî'ites. D'une part en effet, la prophétologie shî'ite (*supra* II, A, 2) prévoit spontanément la catégorie prophétique à laquelle appartient Hermès. Ce n'est pas un prophète-législateur, chargé de révéler aux hommes une *sharî'at*. Son rang dans la hiérohistoire des prophètes, est celui d'un Nabî qui fut envoyé pour organiser la vie des premières cités sédentaires et enseigner aux hommes les techniques. D'autre part, la gnoséologie shî'ite prévoit également le mode de connaissance commun aux simples Nabîs antérieurs à l'Islam (tel Hermès), aux Imâms et aux *Awliyâ* en général pendant le cycle de la *walâyat* succédant au cycle de la prophétie législatrice. C'est ce qui nous a été décrit (*supra* II, A, 5) comme inspi-

ration divine directe (*ilhâm*), voire supérieure à la mission prophétique législatrice. De fait la philosophie
hermétiste se désigne comme une *hikmat ladonîya*, une
sagesse inspirée, c'est-à-dire une philosophie prophétique.

En revanche, les Sunnites (au témoignage de Shahra-
stanî) dénonçaient dans l'hermétisme des Sabéens une
religion incompatible avec l'Islam, puisqu'elle peut se
passer de prophète (de prophète-législateur d'une *sharî'at*, s'entend) : l'*ascension* de l'esprit au Ciel, telle
que Hermès y initie ses adeptes, dispenserait de croire
à la *descente* d'un Ange révélant au prophète le texte
divin. Il n'y a plus cette incompatibilité tranchée, si la
question est posée dans le cadre de la prophétologie et
de la gnoséologie shî'ite. Les conséquences en vont très
loin. On s'explique comment et pourquoi, en pénétrant
par la porte du shî'isme, l'hermétisme put être reconnu
en Islam avant que la syllogistique et la métaphysique
d'Aristote y aient fait leur entrée. Le fait souligne
encore les raisons de l'attitude shî'ite et ses conséquences
pour l'avenir de la philosophie en Islam, tandis que du
côté sunnite on dénonçait indistinctement tant l'attitude
shî'ite que l'attitude ismaélienne et hermétiste, comme
foncièrement hostile à la prophétie et ruinant l'Islam
légalitaire de la *sharî'at*.

2. Comme beaucoup de « fortes personnalités » de
l'époque, le philosophe iranien Sarakhshî (ob. 286/899),
élève du philosophe al-Kindî (*infra* V, 1), était shî'ite
ou passait pour tel. Il avait écrit un ouvrage (aujour-
d'hui perdu) sur la religion des Sabéens. Son maître,
al-Kindî, avait lu également ce qu'Hermès enseignait
à son fils (référence implicite, sans doute, au « Poiman-
drès »), concernant le mystère de la transcendance
divine, et il affirmait qu'un philosophe musulman comme
lui n'aurait pu mieux dire. Malheureusement les
Sabéens n'avaient pas de « Livre » apporté par un

prophète-législateur, un Livre qui aurait pu les faire
reconnaître officiellement comme *Ahl al-Kitâb*. Ils
durent peu à peu se convertir à l'Islam. Leur dernier
chef connu, Hokaym ibn 'Isâ ibn Marwân, mourut
en 333/944. Leur influence n'en a pas moins laissé des
traces ineffaçables. Leur conviction de l'inefficacité
du syllogisme pour discriminer les attributs divins,
fait écho aux réticences de l'Imâm Ja'far à l'égard de la
dialectique (la science du *Kalâm*). Quelque chose de
leur terminologie, jointe à celle du manichéisme, se
retrouve chez Shalmaghânî (ob. 322/934), pathétique
figure d'une tragédie personnelle propre à un ultra-
shî'ite. Par l'intermédiaire de Dhû'l-Nûn Misrî (ob.
245/859), Égyptien à la fois alchimiste et mystique,
quelque chose en pénètre dans le soufisme (Kharrâz,
286/899 ; Hallâj, 309/922). Les néoplatoniciens de
l'Islam qui opèrent la synthèse de la spéculation philosophique et de l'expérience spirituelle, se réclament
expressément d'une chaîne d'initiation (*isnâd*) remontant à Hermès : ainsi firent Sohrawardî (587/1191),
Ibn Sab'în (ob. 669/1270). Au VIIe/XIIIe siècle, un philosophe iranien shî'ite, Afzâl Kâshânî, traduit en persan
un traité hermétiste (cf. ci-dessous). Hermès ne cesse
de figurer dans la hiérohistoire des prophètes (cf. en
Iran, Majlisî, Ashkevarî au XVIIe s.).

3. Pour caractériser la pensée hermétiste et tout ce
qui en Islam en subit l'influence, on relèvera avec L. Massignon (cf. bibliographie) les signes suivants : il y a,
en théologie, la conviction que, si la divinité ineffable
est inaccessible au syllogisme, il en procède des Émanations, et qu'elle peut être atteinte par notre prière, par
un effort d'ascèse et de conjuration. Il y a une idée du
temps cyclique solidaire d'une conception astrologique
hermétiste (idée fondamentale du temps dans le shî'isme
ismaélien ; chez les Nosayris, Hermès est la théophanie
de la seconde « coupole » ; chez les Druzes, Okhnokh

est identifié avec Ève, comme seconde Émanation, Ame du monde). « Il y a une physique synthétique qui, bien loin d'opposer le monde sublunaire au Ciel empyrée (et les quatre Éléments corruptibles à la quintessence), affirme l'unité de l'univers. » D'où le principe et la science des *correspondances*, fondées sur la *sympathie* de toutes choses. Il y a l'usage de ce que L. Massignon appelle les « séries causales anomalistiques », c'est-à-dire la tendance à toujours considérer non pas la loi générale, mais l'individualité des cas, même aberrants. C'est cela même qui, en différenciant l'hermétisme de la tendance logique de l'aristotélisme, le rapproche de la dialectique concrète et empirique des écoles stoïciennes. Ce n'est pas seulement sur l'école des grammairiens arabes de Koufa (*infra*, IV, 5) que l'on décèle cette influence stoïcienne ou stoïcisante, mais sur un type de science shî'ite attachée à la considération des causes de l'individuel (chez Ibn Bâbûyeh, par exemple). A l'apogée de la pensée shî'ite duodécimaine, dans la métaphysique de l'*exister* que Mollâ Sadrâ Shîrâzî oppose à la métaphysique des essences, on peut encore déceler la même affinité.

4. Il est impossible de relever ici les titres des ouvrages figurant dans la tradition hermétiste en Islam : traités attribués à Hermès, à des disciples (Ostanès, Zozime, etc.), traductions (le Livre de Kratès, le Livre de l'Ami), les ouvrages d'Ibn Wahshîya ou ceux qui lui sont attribués (entre autres la fameuse « Agriculture nabatéenne », en fait l'œuvre d'un shî'ite de famille vizirale, Abû Tâlib Ahmad ibn al-Zayyat, ob. vers 340/951). Cependant il faut mentionner spécialement le nom de deux grands ouvrages hermétistes arabes : 1) Le « Livre du secret de la Création et technique de la Nature » (*sirr al-khalîqa*) fut produit sous le khalife Ma'mûn (ob. 218/833) par un musulman anonyme et mis par lui sous le nom d'Apollonios de Tyane. C'est ce

traité qui se termine par la célèbre « Table d'émeraude »,
Tabula smaragdina (Il est à rapprocher du « Livre des
Trésors », encyclopédie de sciences naturelles, produit
à la même époque par Job d'Edesse, médecin nestorien
à la cour abbasside). 2) Le « But du Sage » (*Ghâyat al-
Hakîm,* faussement attribué à Maslama Majrîtî, ob.
398/1007). Ce traité contient, outre de précieuses informations sur les liturgies astrales des Sabéens, tout un
enseignement sur la « Nature Parfaite », attribué
à Socrate.

5. Le thème de la « Nature Parfaite » (*al-tibâ' al-tâmm*)
est l'un des plus attachants de toute cette littérature.
La Nature Parfaite est l' « entité spirituelle » (*rûhâ-
nîyat*), l' « Ange du philosophe », son guide personnel
qui l'initie personnellement à la sagesse. Elle est en
somme un autre nom de Daênâ, l'*Alter ego* céleste,
Figure de lumière à la ressemblance de l'âme qui, dans
le zoroastrisme et dans le manichéisme, apparaît à
l'élu au moment de son *exitus*. La vision qu'Hermès eut
de sa Nature Parfaite est commentée par Sohrawardî,
et après lui par toute l'école *ishrâqî* (*infra* VI), jusque
chez Mollâ Sadrâ et les élèves de ses élèves. Nous verrons que par le thème de la « Nature Parfaite », Abû'l-
Barakât Baghdâdî (*infra* V, 6) dégage, de façon très
personnelle, les implications de la doctrine avicennienne de l'Intelligence agente. On peut suivre la trace
de la « Nature Parfaite » sous d'autres noms : c'est à
sa quête que s'en va le pèlerin des épopées mystiques
persanes de 'Attâr. On la retrouve dans l'école de
Najm Kobrâ, désignée comme le « Témoin dans le
Ciel », le « guide invisible ». Daimôn socratique, daimôn
personnel de Plotin, elle est tout cela aussi. C'est sans
doute à l'hermétisme que cette lignée de Sages en Islam
doit d'avoir pris conscience de ce « moi céleste », « moi
à la seconde personne », but de leur pèlerinage intérieur,
c'est-à-dire de leur réalisation personnelle.

2. *Jâbir ibn Hayyân et l'alchimie.*

1. L'œuvre immense portée sous le nom de Jâbir
ibn Hayyân, est hermétiste, elle aussi, par un certain
nombre de ses sources. On ne peut que référer ici au
monumental travail que lui a consacré le regretté Paul
Kraus et qui restera pour longtemps le guide des études
jâbiriennes. Décider de l'auteur du *corpus* jâbirien est une
question redoutable. Berthelot, surtout préoccupé par
le Jâbir (ou *Geber*) latin, et les documents étant alors
inaccessibles, avait abouti à des dénégations sommaires
et infondées. Holmyard, en revanche, avait accumulé
une masse d'arguments pertinents en faveur de la tradition : Jâbir avait réellement vécu au IIe/VIIIe siècle,
avait bien été l'élève du VIe Imâm, l'Imâm Ja'far,
et était bien l'auteur de la volumineuse collection
d'environ trois mille traités qui lui sont attribués (ce
n'est pas tellement impensable si l'on compare avec
l'œuvre d'un Ibn 'Arabî ou d'un Majlisî). Ruska avait
cherché une voie moyenne : excluant l'influence directe
de l'Imâm (cette exclusion fait fi un peu arbitrairement
d'une tradition shî'ite constante), mais admettant une
tradition ayant ses centres en Iran. De ses recherches et critiques prudentes, Paul Kraus concluait à une
pluralité d'auteurs : autour d'un noyau primitif, plusieurs collections s'étaient constituées dans un ordre
que l'on peut approximativement restituer. Il en datait
l'éclosion aux alentours des IIIe/IXe-IVe/Xe siècles,
non pas au IIe/VIIIe siècle.

On voudrait cependant observer ici que, nonobstant
le contraste entre les collections dites « techniques »
et les autres, il y a un lien organique entre toutes et
une inspiration constante. S'il est vrai qu'une collection du *corpus* réfère au « Secret de la Création » attribué à Apollonios de Tyane (cf. ci-dessus IV, 1), lequel

est du IIIe/IXe siècle, nous n'avons aucune certitude
que ce dernier ouvrage ait créé son propre lexique et
sa propre matière et ne les ait pas reçus d'un prédécesseur. Le témoignage antijâbirien du philosophe Solaymân
Mantiqî Sejestânî (ob. vers 371/981) se contredit lui-
même. A parler franchement, nous croyons que dans
un tel domaine (où un grand nombre d'œuvres de l'époque ont été perdues), le souci de dégager ce qui explique
et ce qu'explique une tradition, est plus fécond qu'une
hypercritique historique piétinant un terrain qui ne
cesse de se dérober. Si l'on veut bien ne pas déprécier
ou ignorer systématiquement tout ce qui nous est rapporté des Imâms du shî'isme (le retard des études shî'ites
se fait particulièrement sentir ici), et si l'on se rappelle
que l'Ismaélisme s'est constitué d'abord chez les adeptes
qui entouraient l'Imâm Isma'îl, fils de l'Imâm Ja'far,
alors les liens de Jâbir avec l'Ismaélisme et avec l'Imâm
nous apparaissent sous leur vrai jour. Si la biographie
cohérente dégagée plus tard du *corpus* par l'alchimiste
Jildakî, affirme qu'il y a eu un Jâbir ibn Hayyân alchimiste, disciple du VIe Imâm et adepte du VIIIe Imâm,
l'Imâm Rezâ, et mort finalement à Tûs (dans le Khoras-
sân) en l'an 200/804, il n'y a aucune raison décisive de
le contester. Que certaines collections du *corpus* pos-
tulent une pluralité d'auteurs, il n'y aurait même alors
aucune contradiction à l'admettre, car finalement on
verra que le concept de Jâbir, la figure de sa personne,
finissent par prendre une signification dépassant les
limites d'un *situs* fixé et immobilisé dans la chronologie.

2. Les recherches de Paul Kraus ont tendu à montrer
que la théorie jâbirienne de la Balance (*mîzân*) « a représenté au Moyen Age la tentative la plus rigoureuse pour
fonder un système quantitatif de sciences naturelles. »
La légitimité de cette proposition eût apparu sous son
vrai jour, si hélas! la disparition tragique de Paul Kraus
ne l'eût empêché d'achever son œuvre. Il restait encore

à réaliser le projet de montrer les liens de l'alchimie de
Jâbir avec la philosophie religieuse de l'Ismaélisme.
Car la science « quantitative » jâbirienne n'est pas
simplement un chapitre de l'histoire primitive des
sciences, telle qu'on entend de nos jours le mot « sciences ».
C'est toute une *Weltanschauung*. La science de la Balance
tend à englober toutes les données de la connaissance
humaine. Elle ne s'applique pas seulement aux trois
règnes du « monde sublunaire », mais aussi aux mouvements des astres et aux hypostases du monde spirituel.
Comme le dit le « Livre des Cinquante », il y a des Balances pour mesurer « l'Intelligence, l'Ame du monde,
la Nature, les Formes, les Sphères, les astres, les quatre
Qualités naturelles, l'animal, le végétal, le minéral,
enfin la Balance des lettres qui est la plus parfaite de
toutes. » Il y a donc à craindre que le terme de « quantitative » appliquée à la science jâbirienne, ne crée quelque
équivoque ou illusion.

Le propos de la « science de la Balance », c'est de
découvrir dans chaque corps le rapport qui existe
entre le manifesté et le caché (le *zâhir* et le *bâtin*, l'exotérique et l'ésotérique). L'opération alchimique se présente ainsi, nous l'avons dit, comme le cas par excellence du *ta'wîl* (l'exégèse spirituelle) : occulter
l'apparent, faire apparaître l'occulté. Comme l'explique
longuement le « Livre de l'arène de l'Intelligence »
(*Kitâb maydân al-'aql*), mesurer les Natures d'une
chose (chaleur, froidure, humidité, sécheresse), c'est
mesurer les quantités que l'Ame du monde s'en est
appropriées, c'est-à-dire l'intensité du désir de l'Ame en
descendant dans la matière : c'est du désir éprouvé par
l'Ame pour les Éléments que dérive le principe qui est à
l'origine des Balances (*mawâzîn*). On peut donc dire
que c'est la transmutation de l'Ame revenant à elle-
même qui va conditionner la transmutation des corps :
l'Ame est le lieu même de cette transmutation. L'opé-

ration alchimique s'annonce donc comme une opération psycho-spirituelle par excellence, non pas du tout que les textes alchimiques soient une « allégorie de l'Ame », mais parce que les phases de l'opération *réellement* accomplie sur une matière *réellement* donnée, *symbolisent avec* les phases du retour de l'Ame à elle-même.

Les mesures si complexes, les chiffres parfois colossaux établis minutieusement par Jâbir, n'ont pas de sens pour un laboratoire de nos jours. La science de la Balance ayant pour principe et fin de mesurer le désir de l'Ame du monde incorporé à chaque substance, il est difficile d'y voir une anticipation de la science quantitative moderne ; en revanche, elle pourrait être regardée comme une anticipation de cette « énergétique de l'âme » qui sollicite de nos jours tout un ensemble de recherches. La Balance de Jâbir était alors la seule « algèbre » qui pût noter le degré d' « énergie spirituelle » de l'Ame incorporée aux Natures, puis s'en libérant par le ministère de l'alchimiste qui, en libérant les Natures, libérait aussi sa propre âme.

3. On vient de lire que Jâbir regardait la « Balance des lettres » comme la plus parfaite de toutes (cf. encore *infra* IV, 5). Les gnostiques en Islam ont amplifié une théorie de la gnose antique considérant que les lettres de l'alphabet, étant à la base de la Création, représentent la matérialisation de la Parole divine (cf. Marcos le gnostique, et ci-dessus le gnostique shî'ite Moghîra). L'Imâm Ja'far est regardé unanimement comme l'initiateur de la « science des lettres ». Les mystiques sunnites l'ont eux-mêmes empruntée aux shî'ites, dès la seconde moitié du IIIe/IXe siècle. Ibn 'Arabî et son école en font un grand usage. Chez les Ismaéliens, les spéculations sur le Nom divin correspondent à celles de la gnose juive sur le tétragramme.

C'est de cette « Balance des lettres » que Jâbir fait particulièrement état dans le traité qu'il intitule le

« Livre du Glorieux » (*Kitâb al-Mâjid*, cf. bibliographie),
traité qui, si abstrus soit-il, nous révèle au mieux le
lien de sa doctrine alchimique avec la gnose ismaélienne,
et nous fait entrevoir peut-être le secret de sa personne.
Ce traité analyse longuement la valeur et le sens des
trois lettres symboliques *'ayn* (symbolisant l'Imâm,
le Silencieux, *sâmit*, 'Alî) ; *mîm* (symbolisant le prophète, *Nâtiq*, énonciateur de la *sharî'at*, Mohammad) ;
sîn (rappel de Salmân, le *Hojjat*). On a déjà signalé
précédemment (p. 147) que selon l'ordre de préséance
dans lequel on les range, on obtient l'ordre symbolique
typifiant le shî'isme duodécimain et l'Ismaélisme fâtimide (*mîm*, *'ayn*, *sîn*), ou bien le proto-ismaélisme (celui
des *Sept combats de Salmân* du traité *Omm al-Kitâb*)
et l'Ismaélisme d'Alamût (*'ayn*, *sîn*, *mîm*) : dans ce
second cas, il y a préséance de Salmân, le *Hojjat*,
sur le *mîm*. Cet ordre de préséance, Jâbir le motive par
une application rigoureuse de la valeur que découvre
la Balance des trois lettres en question.

Qui est le *sîn*, le Glorieux ? A aucun moment Jâbir
ne dit qu'il s'agit de l'Imâm attendu, l'Elixir (*al-Iksîr*)
qui, émanant de l'Esprit divin, transfigurera la cité
d'ici-bas (cette idée correspond à l'eschatologie de tout
le shî'isme, que les interprètes occidentaux ont trop
souvent tendance à « politiser »). Le *Sîn*, c'est l'Étranger,
l'Expatrié (*gharîb*), le *Yatîm* (l'orphelin, le solitaire,
le sans-pareil), celui qui par son propre effort a trouvé
la voie et est l'*adopté* de l'Imâm ; celui qui montre la
pure lumière du *'ayn* (l'Imâm) à tous les étrangers
comme lui, pure Lumière abolissant la Loi qui « géhenne »
les corps et les âmes, Lumière transmise depuis Seth,
fils d'Adam, jusqu'à Christ, de Christ à Mohammad
en la personne de Salmân. Or, le « Livre du Glorieux »
énonce que le comprendre, lui, ce livre, et comprendre
ainsi l'ordre même de tout le *corpus*, c'est être *tel* que
Jâbir lui-même. Ailleurs, sous le symbole de la langue

himyarite (sud-arabique) et d'un mystérieux shaykh qui la lui apprit, il dit à son lecteur : « En lisant le Livre de la Morphologie, tu connaîtras la préséance de ce shaykh, ainsi que *ta propre préséance*, ô lecteur. Dieu sait que *tu es lui*. » Le personnage de Jâbir n'est ni un mythe ni une légende ; mais Jâbir est plus que son personnage historique. Le Glorieux est l'archétype ; y eut-il plusieurs rédacteurs du *corpus*, chacun avait à reprendre, authentiquement sous le nom de Jâbir, la *geste* de l'archétype.

Cette geste est celle de l'alchimie dont on ne peut jalonner ici la voie que par l'énoncé de quelques noms. Mo'ayyadoddîn Hosayn Toghrâ'î, célèbre poète et écrivain alchimiste d'Ispahan (exécuté en 515/1121). Mohyiddîn Ahmad Bûnî (ob. 622/1225), qui avait étudié deux cents ouvrages jâbiriens. L'émir égyptien Aydamûr Jildakî (ob. 743/1342, ou 762/1360) réfère fréquemment à Jâbir ; parmi ses nombreux ouvrages, le « Livre de la preuve concernant les secrets de la Balance » comprend quatre énormes volumes (l'ouvrage est particulièrement attentif à la transmutation spirituelle symbolisant avec l'opération alchimique. Le chapitre final du livre *Natâ'ij al-fikar*, intitulé le « Songe du prêtre », célèbre l'union d'Hermès et de sa Nature Parfaite). En Iran, au xve siècle, un maître du soufisme à Kerman, Shâh Ni'matollah Walî, annote de sa main son propre exemplaire d'un livre de Jildakî (*Nihâyat al-tâlib*). Aux confins des xviiie et xixe siècles, les maîtres de la renaissance du soufisme iranien, Nûr 'Alî-Shâh et Mozaffar 'Alî-Shâh, expriment à leur tour en notations alchimiques les phases de l'union mystique. Dans l'école shaykhie enfin, les représentations alchimiques sont liées à la doctrine théosophique du « corps de résurrection ».

3. L'Encyclopédie des « Ikhwân al-Safâ ».

1. Il est devenu traditionnel de traduire le titre que
se donne cette société de pensée qui eut son centre à
Basra, par « les Frères de la Pureté et les Amis de la
Fidélité » (on a fait des objections contre le terme de
« pureté », pourtant c'est bien le sens du mot ; il ne signifie pas « chasteté », mais s'oppose à *kadûra*, impureté,
opacité. A lire leur texte, on comprend que ce sont « les
Frères au cœur pur et les Fidèles à toute épreuve »).
Ils se donnent dans leur encyclopédie comme une confrérie dont les membres taisent leurs noms. On s'accorde
à dater du ive/xe siècle l'état du texte tel qu'il nous est
parvenu. En outre, par certains philosophes et historiens (Tawhîdî, Ibn al-Qiftî, Shahrazûrî), nous connaissons les noms de quelques collaborateurs de l'œuvre :
Abû Solaymân Bostî, Moqaddasî, 'Alî ibn Harûn
Zanjânî, Moham. ibn Ahmad Nahrjûrî (ou Mehrjânî),
'Awfî.

Il s'agit en fait non pas simplement d'un groupe de
sympathisants shî'ites, mais d'une société de pensée
ismaélienne caractérisée, bien que la rédaction très
prudente ne laisse reconnaître la chose qu'à « celui qui
sait ». L'entreprise vise, certes, un but de propagande,
mais le mot « populaire » serait déplacé ici, car le contenu ne l'est pas. Si des copies de l'œuvre étaient à
l'époque discrètement distribuées dans les mosquées,
c'est que, selon la pédagogie ismaélienne, il s'agit
d'éveiller quiconque en est capable à la connaissance
qu'il y a quelque chose au-dessus de la religion légalitaire littérale, la *sharî'at*, laquelle n'est une médecine
excellente que pour les âmes faibles et malades ; il s'agit
de conduire quiconque y est appelé, à la pure religion
spirituelle gnostique. Il serait encore inexact ici de
parler selon nos habitudes, d'une « conciliation » entre

la religion et la philosophie. Pour l'ésotérisme, il y a des *niveaux de significations* correspondant aux aptitudes respectives des âmes. L'organisation idéale des Frères est fondée là-dessus. C'est une entreprise de libération spirituelle, certes, ce qui ne veut pas dire rationalisme ou agnosticisme, car ce ne serait pas là, pour nos penseurs, une « libération ». Il s'agit de conduire l'adepte à vivre à la ressemblance divine ; cette philosophie initiatique est dans la ligne de la philosophie prophétique.

2. L'encyclopédie des Frères de Basra tend donc à englober toutes les connaissances et à donner leur sens aux efforts de la race humaine. Elle se présente comme constituée de 51 traités (les éditions actuelles en donnent un 52ᵉ, qui paraît avoir été ajouté après coup ; le véritable 52ᵉ Traité est signalé ci-dessous). Les traités sont groupés en quatre grandes divisions : 14 traitent de propédeutique, de mathématique et de logique ; 17 traitent de la philosophie naturelle, y compris la psychologie ; 10 traitent de métaphysique ; 10 (ou 11 avec le traité additif) traitent de mystique et de questions astrologiques.

Certaines données de provenance islamique se greffent sur les données grecques concernant les propriétés de chaque nombre. Ce n'est pas un hasard si cette encyclopédie, où l'arithmologie pythagoricienne occupe une place considérable, comprend 51 traités, et si 17 traités ($17 \times 3 = 51$) y traitent de la physique (le nombre 17 joue un rôle ailleurs, dans la gnose juive. En outre, 17 est le nombre des personnes qui, selon le gnostique shî'ite Moghîra, seront ressuscitées au jour de la parousie de l'Imâm-Mahdî, et à chacune desquelles sera donnée l'une des 17 lettres composant le Nom suprême de Dieu. 51 élus mystiques, qui s'abreuvent à la mer du *'Ayn-Mîm-Sîn*, veillent aux portes de Harran, la cité des Sabéens, centre oriental de l'école pythagoricienne).

On retrouve chez les Frères la tendance, déjà pro-
noncée chez Jâbir ibn Hayyân, à élever le principe
de la Balance au rang d'un principe métaphysique.
Chaque philosophie et chaque science, disait déjà
Jâbir, sont une Balance ; par conséquent, la Balance
(contemplation des nombres-idées) est le genre supérieur
à la philosophie et à toute chose comprise dans la
philosophie. De même, chez les Frères de Basra, chaque
discipline et chaque technique ont leurs balances à
elles (*mawâzîn*), et la « Balance suprême » est celle
qui est mentionnée dans le Qorân (21/48, au jour de
la Résurrection). Le terme de *Balance* prend bien
alors sa résonance spécifiquement shî'ite et ismaélienne.
Il s'agit de la « Balance droite » (Qorân 17/37 et 26/182),
de cet équilibre et de cette justice que connote le terme
'*adl*, avec sa résonance philosophique et religieuse,
puisqu'elle sera l'œuvre de l'Imâm de la Résurrection
(à l'attente duquel se réfère la fidélité des *Ikhwân*).

3. Les Frères indiquent la constitution idéale de
leur Ordre. Elle comprend quatre grades en fonction
des aptitudes spirituelles se développant avec l'âge
(l'idée du pèlerinage à La Mekke se transmue en symbole du pèlerinage de la vie). 1) Les jeunes gens de
15 à 30 ans, formés selon la loi naturelle. 2) Les hommes
de 30 à 40 ans, instruits de la sagesse profane et de la
connaissance analogique des choses. 3) A partir de
40 ans seulement, l'adepte devient apte à être initié
à la réalité spirituelle cachée sous l'exotérique de la
sharî'at ; son mode de connaître est alors celui des
prophètes (cf. ci-dessus II A, 5). 4) Au-dessus de 50 ans,
il est à même de percevoir cette réalité spirituelle
ésotérique dans la totalité des choses ; son mode de
connaître est alors un mode angélique, dominant
aussi bien la lettre du *Liber mundi* que la lettre du
Livre révélé. L'organisation de cette hiérarchie est
uniquement fondée sur l'aptitude intérieure et le rang

spirituel, dans un contexte où sont exposés « le rituel et le calendrier des philosophes ». C'est une combinaison typique de conceptions sabéennes et de conceptions ismaéliennes. On y apprend que les Frères, comme leurs prédécesseurs, sont exposés aux vicissitudes et aux persécutions qui visent les hommes de Dieu pendant un « cycle d'occultation » (*dawr al-satr*).

4. Aussi bien n'y a-t-il plus aucun doute sur leurs attaches ismaéliennes, lorsqu'on lit le grand « Traité récapitulatif » (*al-Risâlat al-jâmi'a*) qui est le véritable 52e Traité de l'Encyclopédie. Ce traité dévoile le fond des questions traitées dans l'Encyclopédie ; il s'ouvre sur une histoire d'Adam (le sens ésotérique de sa sortie du Paradis) qui est exactement celle que l'on a résumée ci-dessus (p. 126 ss.). La tradition ismaélienne constante attribue ce traité au second des trois « Imâms secrets » (ou clandestins, *Imâm mastûr*), intermédiaires entre Mohammad ibn Isma'îl (fils de l'Imâm Isma'îl, éponyme des Ismaéliens) et 'Obaydallah, fondateur de la dynastie fâtimide (né en 260/874. Cf. *supra* p. 112 : c'est à partir du VIIe Imâm, on le sait, que se séparent les branches duodécimaine et ismaélienne du shî'isme. Ne pas confondre, on le rappelle, la « clandestinité » dans laquelle ont vécu les Imâms intermédiaires évoqués ici, avec la notion de la *ghaybat*, l'occultation du XIIe Imâm dans l'imâmisme). L'Imâm Ahmad (arrière-petit-fils de l'Imâm Isma'îl) dut atteindre la maturité aux confins des IIe/VIIIe et IIIe/IXe siècles. La tradition ismaélienne le considère également comme auteur (ou directeur) de l'Encyclopédie des *Ikhwân*. Pour résoudre la difficulté chronologique, on pourrait admettre avec W. Ivanow, qu'il exista, dès le temps de l'Imâm, le noyau de l'œuvre qui, par amplifications successives, devait devenir l'encyclopédie des *Rasâ'il Ikhwân al-Safâ*.

Quant à l'attitude de l'orthodoxie sunnite à l'égard des Frères et de leur encyclopédie, il suffit de rappeler

7

que le Khalife Mostanjid, en 554/1150, ordonna que
l'on en brulât tous les exemplaires des bibliothèques
publiques et privées (avec les ouvrages d'Avicenne!).
L'œuvre survécut pourtant ; elle fut traduite en
persan et en turc. Elle eut une influence énorme sur
tous les penseurs et mystiques de l'Islam.

4. *Rhazès (Râzî), médecin et philosophe.*

1. Médecin réputé, philosophe très personnel, « forte
personnalité » iranienne, Mohammad ibn Zakarîyâ
Râzî est né vers 250/864 à Ray (à une douzaine de
kilomètres au sud de l'actuel Téhéran). Il voyagea
beaucoup ; on sait qu'il fut directeur de l'hôpital de
Ray et exerça les mêmes fonctions à Baghdâd. C'est
à Ray qu'il est mort en 313/925 ou 320/932. Autant
pour rappeler cette origine (Ray = Ragha de l'Avesta,
Raghès ou Rhagès des Grecs) que pour le distinguer
des nombreux autres « Râzî » (originaires de Ray),
on préfère le désigner ici sous le nom de *Rhazès* qu'il
doit aux traductions latines médiévales de ses ouvrages
médicaux, et sous lequel il fut célèbre dans tout l'Occident au Moyen Age. Son œuvre scientifique a été longtemps la seule connue ; elle concerne principalement
la médecine et l'alchimie. Quant à son œuvre philosophique (Rhazès passait pour pythagoricien), elle
fut considérée longtemps comme entièrement perdue.
En fait, c'est grâce à la connaissance progressive des
ouvrages ismaéliens que le labeur de Paul Kraus put
la reconstituer (11 extraits d'ouvrages réunis par lui
en un volume, Le Caire, 1939).

2. Il est en effet remarquable que les auteurs ismaéliens ont tous été en polémique avec lui, à commencer
par son contemporain et compatriote Abû Hâtim
Râzî. Il y eut ensuite les polémiques posthumes :

Moh. Sorkh de Nîshâpour (commentant la *qasîda* de
son maître Abû'l-Haytham Gorgânî), puis Hamîd
Kermânî, puis Nâsir-e Khosraw. C'est ce qui nous
a valu de longues et précieuses citations d'œuvres par
ailleurs perdues. On pourrait penser *a priori* que ces
Iraniens de haute culture avaient tout pour s'entendre,
car ils avaient en fait les mêmes adversaires, à savoir
les Scolastiques et les littéralistes de l'Islam « orthodoxe », et tous les piétistes ennemis de la recherche
philosophique. Leur cause ne s'identifie pas pour
autant. Il reste que les antagonistes sont dignes l'un
de l'autre. En affrontant les Ismaéliens, Rhazès n'affronte ni de pieux littéralistes ni de fanatiques adversaires de la philosophie ; loin de là, ce sont des hommes
revendiquant de leur côté (avec la fougue et la vigueur
de Nâsir-e Khosraw par exemple) les droits de la
pensée philosophique.

A chercher les raisons de cette opposition, on en
trouve un premier symptôme dans la conception que
Rhazès se fait de l'alchimie. Qu'il connût ou non Jâbir,
sa conception est différente. Si l'on a présente à l'esprit
la connexion de l'alchimie jâbirienne avec la gnose
ismaélienne, on pressent que chez Rhazès l'ignorance
de la « science de la Balance » doit impliquer la mécon-
naissance, sinon l'hostilité, à l'égard du principe
fondamental du *ta'wîl*, dont on a rappelé ci-dessus
que l'opération alchimique était une application
éminente. On s'explique alors la tendance générale
chez Rhazès à refuser les explications ésotériques et
symboliques des phénomènes de la Nature. Ce sont
deux types de perception du monde qui s'affrontent.
Mais tant il est vrai qu'un auteur n'épuise jamais la
signification de sa propre œuvre, les efforts n'ont pas
manqué (chez le pseudo-Majrîtî, par exemple, dans
son livre *Rotbat al-hakîm*) pour faire se rejoindre l'alchimie de Jâbir et celle de Rhazès.

3. On peut retenir comme principaux thèmes à propos desquels les Ismaéliens attaquent les positions de Rhazès : le temps, la Nature, l'Ame, la prophétie. L'attaque vise d'abord la thèse la plus caractéristique de la philosophie de Rhazès, à savoir l'affirmation des cinq Principes éternels : le Démiurge, l'Ame universelle, la *Materia prima*, l'Espace et le Temps. Abû Hâtim Râzî nous a laissé dans un de ses livres le protocole d'une discussion destinée à éclaircir un premier point : n'y a-t-il pas contradiction à faire du Temps un principe éternel ? Le grand intérêt de la discussion est de nous faire entendre, chez Rhazès, la distinction entre un *temps mesuré* par le mouvement du Ciel et un *temps non mesuré*, indépendant du ciel et même de l'Ame, puisqu'il se rapporte à un plan d'univers supérieur à l'Ame (Nâsir-e Khosraw dit lui aussi : le temps est de l'éternité mesurée par les mouvements du Ciel ; l'éternité, c'est du temps non mesuré, donc sans commencement ni fin).

La discussion n'aboutit pas, les deux interlocuteurs ne parlant pas du même temps. La distinction posée par Rhazès entre temps *absolu* et temps *limité* correspond, dans la terminologie du néoplatonicien Proclus, à la distinction du temps *séparé* et du temps *non séparé*, et elle évoque la différenciation faite dans la cosmologie zervânite de l'ancien Iran, entre le « temps sans rive » et le « temps à longue domination ». Sur ce point Bîrûnî nous apprend que Rhazès était tributaire d'un ancien philosophe iranien du iiie/ixe siècle, Iranshahrî, dont l'œuvre ne nous est connue hélas ! que par quelques citations. « Forte personnalité » lui aussi, puisque, selon Bîrûnî, Iranshahrî aurait rejeté toutes les religions existantes, pour s'en créer une personnelle. Et Nâsir-e Khosraw fait de lui le plus vif éloge.

4. En philosophie de la Nature, plus exactement quant à cette science traditionnellement désignée

comme « science des propriétés naturelles des choses »,
dans l'exorde du livre qu'il y consacre, Rhazès déclare
que les philosophes physiciens ont dit des choses excel-
lentes : « Toutefois ils n'ont rien dit concernant la
propriété naturelle elle-même ; ils ont simplement
constaté qu'elle existe. Personne n'a traité de l'agent
causal, ni mis en évidence les raisons, le pourquoi.
C'est que la cause n'est point objet connaissable. »
C'est cet aveu d'impuissance que relève avec fougue
le théosophe ismaélien Moham. Sorkh de Nîshâpour :
« On peut, écrit-il, faire confiance à Rhazès quant à
la médecine ; pour le reste, il est impossible de le suivre. »
La conception qu'il lui oppose rejoint celle de Nâsir-e
Khosraw, et c'est toute la théosophie ismaélienne de
la Nature. La Nature naît dans la Matière par une
contemplation que l'Ame projette en celle-ci, de même
que l'Ame procède à l'être par une contemplation de
l'Intelligence dirigée sur soi-même. L'Ame est en ce sens
l'enfant de l'Intelligence ; en ce même sens, la Nature est
l'enfant de l'Ame, elle est son élève et son disciple. C'est
pourquoi elle peut agir, produire des actes qui seront à
l'imitation de l'agir de l'Ame, et par conséquent elle peut
être principe de mouvement (ce que niait Rhazès).
La Nature est le *speculum Animae*. D'où la beauté
naturelle est elle-même une beauté spirituelle, et la
science des propriétés naturelles des choses sera à
pratiquer comme une science de l'Ame. On rejoint
ainsi le concept de la science jâbirienne, et Rhazès
est laissé très loin.

5. Ce qu'il y a donc au fond ici, ce sont deux conceptions différentes de l'Ame et de l'histoire gnostique de
l'Ame. Le pessimisme de Rhazès est autre que le
pessimisme ismaélien. Le drame de l'Ame, Rhazès
l'a configuré dans une histoire symbolique qui a consacré
sa réputation d'être un crypto-manichéen, et qui
présente indéniablement une réminiscence gnostique

précise. L'Ame eut l'ardent désir de compénétrer ce
monde, sans prévoir qu'elle ébranlerait la Matière en
mouvements tumultueux et désordonnés, et serait
frustrée de son but. Ainsi l'Ame du monde devient la
misérable captive de ce monde. Alors, de la substance
de sa propre divinité, le Créateur envoie l'Intelligence
('*Aql*, le *Noûs*) pour réveiller l'âme en léthargie et lui
montrer que ce n'est pas ici sa patrie. D'où la mission
des philosophes et la délivrance des âmes par la philosophie, puisque c'est par celle-ci que l'Ame apprend à
connaître le monde qui est le sien.

Pour comprendre la réponse des Ismaéliens, souvent
véhémente, à cette gnose de Rhazès, il faut avoir en
la pensée leur propre gnose (*supra* II, B), celle qui
« raconte » le triomphe remporté sur lui-même par le
troisième Ange du Plérôme, l'Ange de l'humanité,
devenu le Dixième par son erreur, et démiurge de ce
monde physique pour aider les siens à se délivrer. De
même, Nâsir-e Khosraw répond à Rhazès que la
deuxième hypostase du Plérôme, l'Ame, n'est pas
« tombée » dans la Nature pour produire en celle-ci
les Formes ; elle n'a eu qu'à projeter sa contemplation
dans cette Nature, et la *physis* active s'y est manifestée.
Ce sont les âmes partielles individuelles qui ont été la
proie de cette chute, les *membres* de son Plérôme,
certes, mais dont elle est distincte. Aussi bien n'est-ce
pas à elle qu'Aristote, en finale de son *Liber de Pomo*,
remet son âme « comme au seigneur des âmes des
philosophes » ? Comment l'*Anima mundi* se réduirait-
elle à la collectivité des âmes partielles ? La Nature,
pour l'Ismaélien, est le *speculum Animae*. L'Ame a
besoin de la Nature comme de son organe propre, pour
se connaître soi-même et atteindre à soi-même. Un
être en situation de se connaître soi-même, d'atteindre
à soi-même, postule une dualité dans son être. Mais
cette dualité n'est pas le Mal. La Nature n'est pas le

Mal ; elle est l'instrument qui permet de réduire un
Mal advenu antérieurement à elle, dans la prééternité
(la différence entre la gnose ismaélienne et celle de
Rhazès est très précise). Cette loi de l'être, c'est elle
qui commande le rythme des cycles et périodes du
monde ; elle est le secret de l'eschatologie, et partant
le secret des périodes de la prophétie.

6. Nous atteignons là-même le fond de l'antagonisme
en question : l'anti-prophétisme de Rhazès. Il en appelle
à la mission des philosophes, pour réveiller les âmes
plongées dans la léthargie. L'Ismaélien répond que
réveiller ces âmes-là est au-dessus du pouvoir des
philosophes. Il y faut la parole des prophètes. Est-ce
que la troupe des philosophes n'a pas été le plus souvent
ignorée de la masse, bafouée par les pouvoirs ? Pour
Rhazès les âmes non rédimées par la philosophie
errent, après la mort, de par le monde ; ce sont elles
les démons qui séduisent les hommes par l'orgueil et
en font occasionnellement des prophètes. Rhazès s'est
exprimé avec une violence inouïe sur l'imposture « démoniaque » des prophètes (influençant peut-être le fameux
pamphlet « Des Trois Imposteurs », si goûté des rationalistes en Occident depuis Frédéric II de Hohenstauffen). Mais alors, demande l'Ismaélien, pourquoi chacun
des Prophètes fut-il harcelé, tourmenté, persécuté
par l'engeance d'Iblîs, les démons à face humaine
contre lesquels tous les prophètes combattirent ?

Rhazès proclame avec fougue un « égalitarisme »
irréductible. Tous les humains sont égaux ; il est
impensable que Dieu en ait distingué quelques-uns
pour leur confier la mission prophétique. Celle-ci ne
peut donc avoir que des conséquences désastreuses :
les guerres et les tueries déchaînées au nom des dogmes
et des vaines croyances. L'Ismaélien répond que précisément il s'agit de conduire les hommes au-delà de la
lettre des dogmes. Si les hommes étaient capables

d'accepter et de comprendre l'exégèse spirituelle
ésotérique (*ta'wîl*), ils verraient que les religions se
dressent chacune à son rang, sans antagonisme. Et
puis, Rhazès, si égalitaire soit-il, ne prétend-il pas
lui-même être un maître et un guide ? N'affirme-t-il
pas avoir découvert ce que ses prédécesseurs ignoraient ?
Et les philosophes, eux aussi, ne sont-ils pas en désaccord
entre eux ? N'ont-ils commis ni mensonge ni erreur ?
Rhazès a cette superbe réplique : « Il ne s'agit ni de
mensonge ni d'erreur. Chacun d'eux a fait des efforts,
et du fait de ses efforts, il s'est mis sur le chemin de
la vérité. » (La recherche de la vérité est plus précieuse
que la vérité, dira plus tard Lessing.)

L'extrême intérêt de cette *disputation*, c'est que
l'opposition en jeu n'est pas une banale opposition
entre rationalisme, philosophie et théologie au sens
courant ou confessionnel du mot. C'est une opposition
bien plus radicale entre un esprit religieux ésotérique,
initiatique, et une volonté hostile à tout ce que cet
esprit implique. La fureur égalitaire de Rhazès est
d'autant plus tenace qu'elle se retourne contre lui-même,
car il a parfaitement conscience de sa supériorité. En
face de lui, il a comme antagonistes non pas des théologiens ou des docteurs de la Loi, pas même de pieux
philosophes ayant fait leur paix avec ceux-ci, mais
des hommes au sentiment initiatique, ayant conscience
que la vérité spirituelle ne peut être comprise et assumée
intégralement que par une élite qui en a seule la force.
L'émissaire ismaélien (le *dâ'î*) ne prêche pas sur la
place publique ; il choisit et appelle individu par individu.
Il y a des vérités spirituelles qui donnent à une élite
l'élan vers ses *résurrections* (*qiyâmât*). La majorité des
humains, pour des raisons dépassant leur condition
dans le présent monde, n'en pourraient saisir que
l'énoncé verbal, et y trouveraient prétexte à des *insurrections* génératrices de tyrannies bien pires que

celles de toutes les *sharî'at* de tous les Prophètes.

Du même coup, c'est aussi tout le sens de cet Islam que l'on appelle « Islam ésotérique », qui apparaît sous le jour où il est placé en tête de la présente étude, avec cette « philosophie prophétique » qu'il était seul en mesure d'élaborer par le shî'isme. L'antagonisme entre Rhazès et les Ismaéliens est un des grands moments de la pensée en Islam.

5. *La philosophie du langage.*

1. Il y a maintenant, dans l'ensemble de la pensée islamique, un domaine aussi original qu'attachant, où nous retrouvons à l'œuvre les lignes de force étudiées jusqu'ici. Dès avant l'ère de l'Hégire, Syriens et Perses avaient étudié l'herméneutique (*peri hermeneias*) d'Aristote, revue par les Stoïciens et les Néoplatoniciens. L'amitié d'Ibn al-Moqaffa', le célèbre converti du mazdéisme, pour le grammairien Khalîl (ob. 791) avait rendu accessible à celui-ci tout ce qui existait en pehlevi (moyen iranien) concernant la grammaire et la logique. Cependant la structure propre des langues sémitiques offrait à la méditation philosophique des thèmes nouveaux et inépuisables. La tradition arabe fait remonter la science grammaticale au Ier Imâm du shî'isme, 'Alî ibn Abî Tâlib. En fait l'œuvre de Sîbûyeh (les Arabes vocalisent Sibawaih), qui était un élève de Khalîl, nous présente un système grammatical complet et achevé, que l'on a pu comparer au Canon d'Avicenne pour la médecine. Il est remarquable que ce soit un Iranien qui ait mené à bien cet édifice de la grammaire arabe (Sibûyeh, ob. 169/786, a son mémorial à Shîrâz, dans le Fârs, c'est-à-dire la Perside).

Les premiers développements restent pour nous

dans l'obscurité. Ce qui importe pour l'histoire de la philosophie, c'est de savoir comment sur cette base va se développer, pendant tout le iiie/ixe siècle, le travail des écoles de Basra et de Koufa. Dans leur antagonisme, ce sont vraiment deux philosophies, deux perceptions de l'univers, qui s'affrontent en profondeur.

2. Pour l'école de Basra, le langage est un miroir qui réfléchit fidèlement les phénomènes, les objets et les concepts. On doit donc y observer les mêmes lois que dans la pensée, dans la nature et dans la vie. D'où il importe que chaque son, chaque mot, chaque phrase, soient rigoureusement fondés quant à la variété de leurs formes et des positions qu'ils occupent. Montrer la relation réciproque du langage et de l'intellect fut la tâche principale, la plus difficile aussi, de l'école des grammairiens de Basra. Il lui fallut faire rentrer tout le langage dans les catégories rationnelles et logiques, en montrer les lois, et démontrer que les dérogations et les écarts n'étaient qu'apparents, ayant leur motivation rationnelle. Sans séparer la morphologie de la syntaxe, les grammairiens arabes soumirent tout le langage, au même titre que la nature, la logique et la société, à des lois d'une validité universelle ; partout les mêmes lois sont à l'œuvre.

Bien entendu, la langue vivante parlée, avec sa diversité foisonnante, résiste à cette téléologie universelle et commet des dissonances. C'est pourquoi la reconstruction d'un schéma grammatical était une tâche très complexe ; il fallait rendre compte de l'irrégularité des choses. L'observation s'attachait avant tout à dégager les formes fondamentales (le paradigme, le schéma, *asl*). Les grammairiens de Basra se considéraient en droit de s'en tenir à ces formes, et de repousser toutes celles qui ne pouvaient se justifier par une explication rationnelle. Même si, à titre singulier, certaines sont reconnues, on n'a pas le droit de

former par analogie d'autres formes sur ce type de
formes isolées et aberrantes.

3. En opposition caractérisée avec cette superbe
rigueur, l'école de Koufa va développer un type de
science du langage conforme à ce type de science
shî'ite analysé plus haut (*supra* IV, 1), manifestant un
goût prononcé pour les séries « anomalistiques ». Aussi
bien Koufa était-elle alors, par excellence, le lieu où
fermentait le levain shî'ite. Pour l'école de Koufa,
la tradition, avec toute sa richesse et sa diversité
foisonnante, vaut comme la première et la principale
source de la grammaire. L'école admet aussi la loi
d'analogie, mais à condition qu'elle n'exige pas le
sacrifice de formes attestées dans la tradition. C'est
pourquoi l'on a pu dire que, comparé au système
rigoureux de l'école de Basra, celui des grammairiens
de Koufa n'en était pas un. C'est plutôt une somme
de décisions particulières, prononcées devant chaque
cas, parce que chaque cas devient un cas d'espèce. Il y
a simultanément l'horreur des lois générales, des moti-
vations uniformes, et le goût de la diversité justifiant
l'individuel, l'exceptionnel, la forme unique. Parce
qu'ils avaient, eux aussi, le souci d'établir les para-
digmes, les schémas primitifs, ils multiplièrent indéfiniment ces derniers. Les grammairiens de Basra
rejetaient toute forme dont l'anomalie ne pouvait
être motivée rationnellement. Ceux de Koufa n'avaient
pas à faire ce choix dans la tradition qu'ils accueillaient
comme source de la grammaire. Toute forme rencontrée
dans la vieille langue arabe préislamique et dans la
littérature, du simple fait qu'elle attestait son existence,
pouvait être reconnue comme fondée et ayant valeur
normative. Chaque exception devient un *asl*, ou plutôt
la notion d'exception perd son sens.

Gotthold Weil (dont on vient de résumer les pertinentes analyses) proposait de comparer l'opposition

entre les écoles de Basra et de Koufa avec l'opposition
entre l'école d'Alexandrie et celle de Pergame, la lutte
entre les « analogistes » et les « anomalistes ». La mise
en parallèle ne vise, il est vrai, que les attitudes d'esprit,
car le matériel linguistique diffère foncièrement de
part et d'autre. En outre, la lutte entre les grammairiens grecs était une affaire se passant entre savants.
En Islam, l'enjeu de la lutte était grave ; non seulement
elle affectait les décisions du droit, de la science canonique,
mais en pouvait dépendre l'interprétation d'un passage
du Qorân, d'une tradition religieuse. On vient de
marquer le lien entre l'esprit de l'école de Koufa et un
certain type de science shî'ite ; soulignons encore, comme
nous l'avons déjà fait, l'affinité avec un type de science
stoïcienne comme « herméneutique de l'individuel ».
Que l'esprit de l'école de Basra ait finalement prévalu,
c'est le symptôme de quelque chose qui dépasse de
beaucoup le simple domaine de la philosophie du langage.

4. Il serait d'ailleurs incomplet de ne considérer celle-ci,
en Islam et à l'époque, que dans les deux écoles en
question. La « Balance des lettres » chez Jâbir, dont
on a signalé ci-dessus (IV, 2) le principe, représente
sous un autre aspect, et par l'influence qu'elle a eue,
un élément essentiel de cette philosophie du langage.
Cet autre aspect, c'est celui par lequel la théorie jâbirienne montre son affiliation à la tradition gnostique
de l'Islam, elle-même tributaire à la fois de la gnose
antique et de la tradition néopythagoricienne. On a
déjà signalé combien la théorie du shî'ite gnostique
Moghîra est proche de celle de Marcos le gnostique
(le corps de l'*Aletheia* se composant des lettres de
l'alphabet). Dans le vieux traité persan *Omm al-Kitâb*
(ci-dessus p. 111 ss.), les figures et l'ordre des lettres sont
un indice de la hiérarchie des êtres célestes et des
Imâms du shî'isme (un même sens était attaché aux
lettres énigmatiques mises en armature à la clef de

certaines sourates du Qorân). Aussi bien toute la tradition regarde-t-elle l'Imâm Ja'far comme initiateur
de la science des lettres, le *jafr*. Beaucoup plus tard,
Bûnî (ob. 622/1225) émettait ces considérations :
« Sache que les secrets de Dieu et les objets de sa
science, les réalités subtiles et les réalités denses, les
choses d'en haut et les choses d'en bas, sont de deux
catégories : il y a les nombres et il y a les lettres. Les
secrets des lettres sont dans les nombres, et les épiphanies
des nombres sont dans les lettres. Les nombres sont
les réalités d'en-haut, appartenant aux entités spirituelles. Les lettres appartiennent au cercle des réalités
matérielles et du devenir. »

Or, la science des lettres, le *jafr*, repose essentiellement sur la *permutation*. Précisément, la permutation
des racines arabes était pratiquée dans les premiers
cercles shî'ites gnostiques, et c'est leur enseignement
que prolonge la doctrine de la Balance. On en a vu
ci-dessus (IV, 2) un exemple de mise en œuvre dans
le « Livre du Glorieux » de Jâbir. La validité du travail
opéré ainsi sur les racines, repose toujours sur le principe jâbirien énoncé ci-dessus et qui est ismaélien en
général : en s'unissant à la Nature (laquelle est pour
Nâsir-e Khosraw le *speculum Animae*), l'âme du
monde communique à cette Nature l'harmonie qui
lui est propre ; elle crée des corps soumis au nombre
et à la quantité (ce thème est aussi clairement exposé
chez Abû Ya'qûb Sejestânî). C'est de la même façon
que l'Ame exprime son harmonie à elle, à la fois dans le
langage et dans la *musique*. Cela postule qu'un rapport
étroit existe entre la structure des corps et la structure
du langage (de même, la musique est la concordance
du son harmonieux et de la touche ou frappe de la
corde). C'est pourquoi Jâbir repousse l'idée que le
langage puisse résulter d'une institution ou d'une
convention ; le langage n'est pas un accident. Ce n'est

pas une institution qui l'explique ; il dérive d'une
intention de l'Ame du monde.

5. C'est pourquoi sous son aspect gnostique même,
la Balance jâbirienne des lettres comme philosophie
du langage reconduit aux préoccupations des grammairiens philosophes évoqués ci-dessus. C'est ce qu'a
encore admirablement montré le regretté Paul Kraus,
dans les considérations que l'on résume ici. Ce que nous
connaissons de la transmission de la philosophie grecque
aux penseurs de l'Islam, nous permet de rattacher
directement sur ce point les spéculations de Jâbir à
celles de Platon. Paul Kraus a montré ce qu'il y avait
de commun entre la Balance jâbirienne d'une part,
comportant l'analyse des mots du langage, et d'autre
part le *Cratyle* (où la philosophie du langage que Platon
fait exposer par Socrate, repose sur des principes
semblables à ceux de Jâbir) et le *Timée* (comparant
les éléments physiques aux syllabes des lettres). Même
tendance de part et d'autre à restituer le mot primitif
(*asl*, l'archétype, le *Urwort*), dont la structure repro-
duirait exactement celle de la chose désignée. Le propos
de Jâbir, tout en empruntant presque tous ses matériaux aux grammairiens arabes, dépasse le cadre
restreint de la grammaire (il en va également ainsi
pour l'antagonisme de Basra et de Koufa). C'est ce
propos qui fixa l'attention de Jâbir sur les permutations des consonnes composant les racines (bilittères,
trilittères, quadrilittères, quinquilittères).

Il faut tenir compte qu'étant donné l'état des « racines
rigides et abstraites » en sémitique, la dissection des
mots s'y opère plus facilement qu'en grec (l'écriture
arabe ne notant que les consonnes, la syllabe n'y a
plus le rôle intermédiaire entre la lettre et le mot, à
la façon de la syllabe grecque étroitement liée à la
notation de la voyelle). Il en résulte que la plupart
des racines obtenues par permutation existent réellement,

et c'est ainsi que les spéculations de Jâbir rejoignent celles-là mêmes des grammairiens arabes qui tentèrent « d'élever le principe de la permutation des lettres au rang d'une nouvelle discipline linguistique, seule apte à élucider la parenté étymologique des mots ». C'est cet effort qui aboutit à ce que l'on appelle l' « étymologie supérieure » (*ishtiqâq akbar*), c'est-à-dire « la théorie qui réunit en une seule et même signification toutes les permutations possibles d'une racine unique ». Elle fut l'œuvre d'Ibn Jinnî (ob. 392/1001), philologue en même temps que théologien et philosophe, qui a profondément transformé l'édifice de la langue arabe.

6. Ces spéculations, facilitées par la structure des langues sémitiques, ont eu une telle importance dans la pensée théosophique et mystique des siècles qui suivirent, qu'il importait de marquer ici quand et comment les bases en ont été jetées. Aussi bien, les problèmes relatifs à l'écriture et au langage ont-ils retenu l'attention d'éminents philosophes. Ahmad ibn Tayyib Sarakhshî, le disciple d'al-Kindî déjà nommé ici, inventa un alphabet phonétique de 40 lettres pour servir à la transcription des langues étrangères (persan, syriaque, grec). Fârâbî (*infra* V, 2), qui étudia la grammaire avec le philologue Ibn al-Sarrâj, auquel il enseigna en échange la logique et la théorie musicale, met en lumière les lois auxquelles obéissent « les langues de toutes les nations », et établit le lien entre la linguistique (*'ilm al-lisân*) et la logique. On voit apparaître, chez Abû Hamza Ispahânî, le terme de « philosophes grammairiens » (*falâsifat al-nahwîyîn*) servant à désigner ces philosophes pour qui la logique devient une sorte de grammaire internationale. Tous ces efforts, suscités par la complexité linguistique de la civilisation musulmane, sont un aspect original et essentiel, trop peu observé, de la philosophie en Islam.

6. *Bîrûnî.*

1. Au cours des ɪvᵉ/xᵉ et vᵉ/xɪᵉ siècles, qui furent
un âge d'or pour les mathématiques et les sciences
naturelles en Islam, une des figures les plus saillantes
est celle de Abû Rayhân Mohammad ibn Ahmâd
Bîrûnî (ou Bêrûnî, selon la vocalisation ancienne).
Ses ouvrages inestimables, aussi bien en histoire qu'en
religion comparée, chronologie, mathématiques et
astronomie, furent réputés en Orient et en Occident.
Il appartenait à ce que l'on a appelé l'« Iran extérieur »,
étant né en 362/973, près de la ville de Khwârezm
(Khorasmia) où il passa la première partie de sa vie à
étudier les différentes sciences, spécialement les mathématiques, pour lesquelles il eut comme maître Abû
Nasr al-Mansûr. Plus tard, ses voyages le conduisirent
à Gorgan et en d'autres cités de l'Iran. Après la conquête de Khwârezm par Mahmûd de Ghazna, Bîrûnî,
ayant été attaché à la personne de celui-ci, l'accompagna
dans sa conquête de l'Inde. Abû Rayhân retourna plus
tard à Ghazna où il passa le reste de sa vie vouée à
l'étude, et mourut en 421/1030.

2. L'équipée sanglante de Mahmûd dans l'Inde eut
du moins, si l'on peut dire, cette contrepartie que le
savant entraîné à sa suite, y accumula les matériaux
d'un chef-d'œuvre. Le grand livre de Bîrûnî sur l'Inde
est sans pareil en Islam à l'époque. Ouvrage de première
main, il est resté la source de ce qui fut écrit ensuite
sur les religions et philosophies de l'Inde (l'auteur y
met en relief l'harmonie qu'il constate entre la philosophie platonico-pythagoricienne, la sagesse indienne
et certaines conceptions du soufisme en Islam).

Comme œuvres d'une importance capitale, il nous
faut encore citer ici la « Chronologie des anciens
peuples », qui reste une œuvre unique ; l'énorme

traité de mathématiques, astronomie et astrologie, rédigé par lui en arabe et en persan à la fin de sa vie (*Kitâb al-Tafhîm*, éd. Homâyî, Téhéran, 1940), ouvrage qui, pendant plusieurs siècles, fut le *text-book* en ces matières. Son *Kitâb al-jamâhir* est le plus ancien traité de minéralogie rédigé en arabe ; là encore, Bîrûnî fait preuve d'une documentation extraordinaire, englobant la littérature minéralogique de la Grèce et de l'Inde, aussi bien que celle de l'Iran et de l'Islam. Le *Kitâb al-Tahdîd* sur la géographie est à mentionner avec le monumental *Qânûn al-Mas'ûdî*, qui est pour la cosmographie et la chronologie le pendant de ce que le *Qânûn* d'Avicenne est pour la médecine, et auquel il n'a manqué que d'être traduit en latin pour atteindre la même célébrité que ce dernier. Il faut mentionner encore un traité de pharmacologie (*Kitâb al-Saydalâ*), quelques traités de moindre étendue, ainsi qu'un échange de questions et de réponses avec Avicenne sur les principes de la philosophie naturelle des Péripatéticiens. Plusieurs autres de ses œuvres, parmi lesquelles des traités philosophiques, sont malheureusement perdues.

3. La correspondance échangée avec Avicenne atteste que Bîrûnî ne fut pas seulement le fondateur de la géodésie, un mathématicien et astronome accompli, un géographe et un linguiste, mais également un philosophe. Sa tendance profonde l'inclinait plutôt en philosophie naturelle à l'observation et à l'induction, et à prendre parti contre plusieurs thèses de la philosophie aristotélicienne, pour adopter quelques-unes des vues de Rhazès ; il s'appliqua même à rédiger un catalogue des œuvres de celui-ci, dont il admirait la doctrine en philosophie naturelle, tout en restant opposé à ses conceptions religieuses (*supra* IV, 4).

Il faut également relever chez Bîrûnî une « philosophie de l'histoire » qui apparaît à l'arrière-fond de plusieurs de ses œuvres. Ayant compris la nature de certains fossiles et la nature sédimentaire des terrains rocheux qu'il avait observés, il s'était convaincu que de grands cataclysmes s'étaient produits à des périodes antérieures, laissant des mers et des lacs à la place de la terre ferme. Transposant cette observation au plan de l'histoire humaine, il en arriva à la conception de périodes analogues à ce que sont les *Yugas* dans la conception indienne. Sa conviction était qu'au cours de chaque période l'humanité se laisse entraîner à une corruption et à un matérialisme allant toujours en s'aggravant, jusqu'à ce qu'un grand désastre détruise la civilisation et que Dieu envoie un nouveau prophète, pour inaugurer une nouvelle période de l'histoire. Il y a entre cette conception et celle professée à la même époque par la gnose ismaélienne, une relation évidente qu'il reste à approfondir.

7. *Khwârezmî.*

Il nous faut au moins mentionner ici un compatriote et contemporain de Bîrûnî, à savoir Mohammad ibn Yûsof Kâtib Khwârezmî (ob. 387/997), célèbre par une vaste encyclopédie intitulée *Mafâtih al-'olûm* (les « Clefs des sciences », éd. van Vloten, Leiden, 1895). Elle est divisée en deux grandes parties : la première traite des sciences islamiques (le droit canonique, le *Kalâm* ou dialectique, la grammaire, l'écriture, la prosodie, les traditions). La seconde traite successivement de la logique, de la philosophie, de la médecine, de l'arithmétique, de la géométrie, de l'astronomie, de la musique et de la chimie.

8. *Ibn al-Haytham.*

1. **Au début du v**e/xie **siècle** nous rencontrons l'un des plus considérables mathématiciens et physiciens de tout le Moyen Age : Abû 'Alî Mohammad ibn al-Hasan ibn al-Haytham (l'*Alhazen* des Scolastiques latins) surnommé *Ptolemæus secundus*. Il était né à Basra, passa la plus grande partie de sa vie au Caire, et mourut en 430/1038, à l'âge de 76 ans. Trop confiant dans l'application pratique de ses connaissances mathématiques, il avait présumé qu'il pourrait régulariser les inondations provoquées par les crues du Nil. Mandé par le VIe khalife fâtimide, al-Hâkim (386/996-411/1021) pour réussir l'opération, il s'aperçut rapidement de l'inanité de ses efforts. Tombé en disgrâce, il se voua dans la retraite à son œuvre scientifique jusqu'à sa mort.

Son rôle fut considérable en physique céleste et en astronomie, en optique et en science de la perspective. Ses présuppositions philosophiques seraient à dégager systématiquement ; aussi bien avait-il également une grande culture philosophique, ayant lu attentivement Aristote et Galien (son œuvre philosophique est malheureusement perdue, ou bien inédite comme le *Kitâb thamarat al-hikma*, « le fruit de la philosophie »).

2. Son innovation dans la théorie astronomique peut être marquée de la façon suivante. Pendant longtemps les astronomes orientaux ne s'étaient souciés, pas plus que le Ptolémée de l'*Almageste*, de définir le concept des Sphères célestes. Ainsi en fut-il pour Abû'l-'Abbâs Fergânî (*Alfraganus* des Latins au Moyen Age), astronome iranien de Transoxiane (ixe s., cf. *supra* I, 2) et pour Abû 'Abdillah Moham. al-Battânî (*Albategnius*), lequel était originaire de Harran et dont la famille avait professé la religion des Sabéens. On se bornait à considérer les Sphères sous leur aspect mathé-

matique de cercles idéaux représentant le mouvement
des corps célestes.

Cependant le savant astronome sabéen Thâbit ibn
Qorra composa un traité dans lequel il attribuait aux
cieux une constitution physique qui pût s'accorder avec
le système de Ptolémée. Ensuite, Ibn al-Haytham
fut le premier à introduire dans les considérations astronomiques pures le concept aristotélicien de Sphères
célestes. L'extrême intérêt de la situation, c'est que
d'une part le problème se posait à Ibn al-Haytham
en termes de physique céleste (comme physique essentiellement qualitative), à la suite du Ptolémée des
Hypotheses Planetarum, lequel, lui aussi, recourait
à une physique céleste déduite de la nature de la substance qui forme le ciel, et ne faisait que substituer sa
propre physique à celle du *De Cælo* d'Aristote. Mais
d'autre part, une physique céleste ptoléméenne satisfaisant à la théorie des épicycles et des concentriques,
ruinait purement et simplement la physique céleste
d'Aristote. Celle-ci postule en effet un système de Sphères
homocentriques ayant pour centre commun le centre
de la Terre.

Là où en Islam on prétendit s'en tenir à la physique
péripatéticienne, ou bien prôner la restauration du péripatétisme pur, il ne put y avoir qu'une lutte très vive
contre les doctrines ptoléméennes. Ce fut le cas en Andalousie, où cette lutte produisit le système d'al-Bitrôgî
(*Alpetragius* des Latins) exauçant les vœux d'Averroës,
et qui jusqu'au xvi⁰ siècle tentera de se substituer au
système de Ptolémée (cf. encore *infra* VIII, 3). En son
fond le problème est essentiellement philosophique (c'est
un problème de philosophie des *Weltanschauungen*),
car il s'agit avant tout de deux perceptions du monde,
deux sentiments différents de l'univers et du *situs* dans
l'univers. Comme de part et d'autre l'on fixait le nombre des Intelligences angéliques motrices des Cieux,

en fonction du nombre de Sphères dans le mouvement desquelles il fallait décomposer le mouvement total de chaque planète, la « décentralisation » opérée par le système de Ptolémée avait également ses répercussions sur l'angélologie. Même répercussion était entraînée par le fait d'admettre une IXe Sphère, comme le fait Ibn al-Haytham, à la suite des Alexandrins et du néo-platonicien Simplicius. L'existence de cette IXe sphère s'imposait, dès lors que l'on reconnaissait la précession des équinoxes ; c'est la Sphère des Sphères (*falak al-aflâk*), la Sphère enveloppante, dépourvue d'astres, mue du mouvement diurne d'est en ouest qu'elle communique à l'ensemble de notre univers.

Les Péripatéticiens aussi bien que les stricts orthodoxes de l'Islam en Andalousie, réservèrent, pour des raisons différentes, un accueil pareillement hostile à cette physique céleste. Un disciple de Maïmonide, assistant en 1192 à l'incinération de la bibliothèque d'un médecin passant pour athée, vit jeter dans les flammes, par les mains d'un pieux *faqîh*, un exemplaire de l'astronomie d'Ibn al-Haytham. En revanche, les *Ishrâqîyûn* de l'Iran (*infra* VII) ne purent se contenter d'une Sphère unique (la huitième) pour la multitude des astres fixes. Cependant, loin que, chez eux, l'angélologie freinât leur astronomie, ce sont les « dimensions » mêmes de leur angélologie qui leur firent pressentir les espaces illimités d'une astronomie qui, faisant éclater les schémas traditionnels, ne dépeuple pas pour autant les espaces infinis de leurs « présences » spirituelles.

3. Cette même connexion avec la théorie des êtres spirituels se laisse percevoir dans le rôle joué par le traité d'Optique d'Ibn al-Haytham, que tout le Moyen Age latin a lu sous le nom de « *Perspective* d'Alhazen » (*Opticæ Thesaurus* en sept livres, plus le traité *De crepusculis*, sur les réfractions atmosphériques, 1re éd. 1542). Ibn al-Haytham est regardé comme étant l'auteur de

la solution du problème consistant à trouver le point
de réflexion sur un miroir sphérique, le lieu de l'objet
et celui de l'œil étant donnés. En tout cas, sa théorie
de la perception optique impliquant un processus qui
ne peut être attribué simplement à l'activité des facultés de perception sensible, eut une influence considérable. On a pu dire qu'en Occident les hiérarchies de Denis
l'Aréopagite et l'optique d'Ibn al-Haytham, la théorie
des illuminations hiérarchiques et la métaphysique de
la lumière, avaient partie liée (E. Gilson). On peut faire
la même observation à propos de la « théosophie orientale » de Sohrawardî (*infra* VII), articulée essentiellement sur une métaphysique de la lumière et un système
des hiérarchies angéliques provenant à la fois du néoplatonisme tardif et de la théosophie mazdéenne de
l'ancienne Perse. Il y a quelque chose de commun dans
le concept de lumière chez un Sohrawardî et chez un
Robert Grosseteste. Quelque chose de commun est également discernable, lorsque Roger Bacon, qui ici doit
tout à Alhazen, fait de la *Perspective* la science fondamentale parmi les sciences de la Nature, et en appli-
quant à la lumière les exemples géométriques, fait de
ceux-ci autant de symboles. De part et d'autre on peut
parler d'une méthode ésotérique d'interprétation spirituelle des lois de l'optique et de la perspective, interprétation fondée sur une même cosmogonie de la lumière.
On peut alors admettre la validité de ces diagrammes
qui indiquent quelque chose comme une topographie
des univers spirituels.

9. *Shâhmardân Râzî.*

Aux confins des ve/xie et vi^e/xiie siècles, Shâhmar-
dân ibn Abî'l-Khayr Râzî (c'est-à-dire originaire de
Ray) fut un des grands astronomes et physiciens de

l'Iran. Il vécut principalement dans le nord-est, à Gorgan et Astarâbâd. On signale de lui deux ouvrages : le « Jardin des astronomes » (*Rawdat al-monajjimîn*) et une intéressante encyclopédie de sciences naturelles en langue persane (*Nozhat-nâmeh 'Alâ'î*) où l'on trouve, entre autres, une longue biographie de Jâbir ibn Hayyân.

V. *Les philosophes hellénisants*

Préambule.

Il s'agit du groupe des *falâsifa* (pluriel de *faylasûf*, transcription arabe du grec *philosophos*), auxquels il est arrivé que l'on voulût limiter le rôle de la philosophie en Islam. Qu'une telle limitation soit parfaitement abusive et procède d'une idée préconçue, ce qui précède nous dispense d'y insister. Il est difficile de tracer les limites exactes entre l'emploi du terme *falsafa* (philosophie) et celui du terme *hikmat ilâhîya* (*theo-sophia*). Mais il semble que depuis Sohrawardî on préfère de plus en plus ce dernier terme pour désigner la doctrine du sage complet, à la fois philosophe et mystique.

Quant aux *falâsifa*, on se rappellera qu'ils disposaient en arabe d'un ensemble d'œuvres d'Aristote et de ses commentateurs, de textes de Platon et de Galien. Cependant, avec des ouvrages comme la « Théologie » dite d'Aristote ou le « Livre du Bien Pur » (cf. *supra* I, 2), nos penseurs se trouvaient en présence d'un Aristote en fait néoplatonicien. Bien que le terme de *Mashshâ'ûn* (équivalent littéral du mot « péripatéticiens ») soit d'un usage courant en arabe, où il forme contraste avec *Ishrâqîyûn* (les « platoniciens », *infra* VII), ceux qu'ils désignent n'en sont pas moins, à un degré ou à un autre, des « néoplatoniciens de l'Islam ». Il y aura, certes, une réaction « péripatéticienne » en Andalousie, sous la conduite d'Averroës ; elle avait à faire front à la fois

contre le néoplatonisme avicennien et contre la critique
théologique de Ghazâlî. Mais son péripatétisme n'était
pas lui-même absolument pur. En tout cas, c'est en
Occident que fructifia l'averroïsme, tandis qu'en Orient,
nommément en Iran, l'inspiration néoplatonicienne
resta fondamentale. Elle aida Sohrawardî à réaliser son
projet de restauration de la théosophie de l'ancienne
Perse préislamique ; elle s'allia spontanément à la
gnose d'Ibn 'Arabî et à la métaphysique du soufisme,
comme à l'enseignement traditionnel des Imâms du
shî'isme (avec Haydar Amolî, Ibn Abî Jomhûr aux
xive et xve siècles). Tout cet ensemble s'épanouit dans
l'école d'Ispahan, lors de la Renaissance safavide
(xvie s.), dans les œuvres monumentales de Mîr Dâmâd,
de Mollâ Sadrâ, de Qâzî Sa'îd Qommî (xvie s.), chez les
élèves de leurs élèves, jusque dans l'école shaykhie.
Une pensée directrice préside à l'instauration d'une
structure très ferme. Rien n'autorise à prononcer le
mot facile de « syncrétisme », comme on se hâte trop
souvent de le faire, soit pour discréditer une doctrine,
soit pour dissimuler l'embarras d'un dogmatisme ina-
voué.

1. *Al-Kindî et ses élèves.*

1. Abû Yûsof ibn Ishaq al-Kindî est le premier de ce
groupe de philosophes dont les œuvres aient survécu au
moins en partie. Il était né à Kûfa vers 185/796, d'une
famille aristocratique arabe de la tribu de Kindah,
en Arabie du sud, ce qui lui valut son surnom honorifique
de « philosophe des Arabes ». Son père était gouverneur
de Basra où il passa lui-même toute son enfance et reçut
sa première éducation. Il vint ensuite à Baghdâd où
il jouit du patronage des khalifes abbassides al-Ma'mûn
et al-Mo'tasim (218/833-227/842). Le fils de ce dernier,
le prince Ahmad, fut l'ami et le mécène d'al-Kindî qui

lui dédia plusieurs de ses traités. Mais pendant le khalifat d'al-Motawakkil (232/847-247/861), al-Kindî tomba
en disgrâce comme ses amis mo'tazilites. Il mourut
solitaire à Baghdâd vers 260/873 (l'année de la naissance d'al-Ash'arî, celle où commence l' « occultation
mineure » du XIIe Imâm pour le shî'isme).

Notre philosophe se trouva mêlé à Baghdâd au mouvement scientifique favorisé par les traductions des
textes grecs en arabe. Lui-même ne saurait être considéré comme un traducteur des textes antiques, mais
aristocrate fortuné, il fit travailler pour lui de nombreux collaborateurs et traducteurs chrétiens ; souvent
il « retouchait » les traductions pour les termes arabes
qui avaient embarrassé ces derniers. C'est ainsi que fut
traduite pour lui la célèbre *Théologie* dite d'Aristote,
par 'Abdol-Masîh al-Himsî (c'est-à-dire d'Emèse, cf.
supra I, 2) ; ce livre eut une profonde influence sur sa
pensée. Furent en outre traduites pour lui la *Géographie*
de Ptolémée et une partie de la *Métaphysique* d'Aristote, par Eustathios. Plus de 260 titres d'ouvrages
sont portés sous le nom d'al-Kindî dans le Catalogue
(Fihrist) d'Ibn al-Nadîm ; la plupart hélas! ont été
perdus.

2. On connaissait principalement de lui en Occident
quelques traités traduits en latin au Moyen Age :
*Tractatus de erroribus philosophorum, De Quinque
Essentiis* (Matière, Forme, mouvement, espace, temps),
De Somno et visione, De intellectu. Par chance, il y a
quelques années à Istanbul, fut retrouvée une trentaine de ses traités dont une partie depuis lors a été
éditée, notamment le traité « Sur la philosophie première », le traité « Sur la classification des livres d'Aristote », et l'original arabe du traité « Sur l'intellect »
qui eut une importance particulière pour la gnoséologie
de ses successeurs.

Les œuvres existantes d'al-Kindî, nous montrent

donc en lui, contrairement à ce que certains biographes ont écrit sur lui en Islam, Shahrazûrî par exemple, non seulement un mathématicien et un géomètre, mais un philosophe au sens plénier que ce mot avait alors. Al-Kindî s'est intéressé à la métaphysique aussi bien qu'à l'astronomie et à l'astrologie, à la musique, à l'arithmétique et à la géométrie. On connaît de lui un traité relatif aux « cinq corps platoniciens » intitulé « Sur la raison pour laquelle les Anciens ont mis en rapport les cinq figures avec les Éléments ». Il s'est intéressé aux différentes branches des sciences naturelles, la pharmacologie par exemple. Son traité « Sur la connaissance des forces des médicaments composés » est en affinité avec les idées de Jâbir sur les degrés d'intensité des Natures (*supra* IV, 2). Bref, il illustre bien ce type de philosophe à l'esprit universel, qui devait être celui de Fârâbî, d'Avicenne, de Nasîr Tûsî et de tant d'autres.

3. Tout en entretenant des relations étroites avec les Mo'tazilites (*supra* III, 1) qui, avant le règne de Mota-wakkil, avaient les faveurs de la cour abbasside, al-Kindî ne faisait pas partie de leur groupe ; son propos était tout autre que celui des dialecticiens du *Kalâm*. Il était guidé par le sentiment d'un accord fondamental entre la recherche philosophique et la révélation prophétique. Son propos s'accorde avec celui de cette philosophie prophétique esquissée ci-dessus (chap. II), et dont on a dit qu'elle est l'expression philosophique authentique d'une religion prophétique telle que l'Islam. Al-Kindî est persuadé que des doctrines telles que la création du monde *ex nihilo*, la résurrection corporelle et la prophétie, n'ont point pour source ni pour garante la dialectique rationnelle. C'est pourquoi sa gnoséologie distingue entre une science humaine (*'ilm insânî*) comprenant la logique, le *quadrivium* et la philosophie, et une science divine (*'ilm ilâhî*) qui n'est révélée qu'aux

prophètes. Cependant il s'agit là toujours de deux formes
ou degrés de connaissance qui sont non point en opposition, mais en harmonie parfaite. Aussi bien dans son
traité sur la durée de l'empire arabe, notre philosophe
est conduit à prévoir pour cet empire une durée de
693 ans, par des calculs empruntés aussi bien aux sciences
grecques, nommément à l'astrologie, qu'à l'interprétation du texte du Qorân.

En acceptant l'idée de création *ex nihilo*, al-Kindî
considère l'instauration (*ibdâ'*) du monde comme un
acte de Dieu plutôt que comme une émanation ; c'est
seulement après avoir établi que la Ire Intelligence
dépend de l'Acte de la volonté divine, qu'il accepte
l'idée de l'émanation des Intelligences hiérarchiques
à la façon des néoplatoniciens (ce schéma correspond
parfaitement à celui de la cosmogonie ismaélienne).
De même il distingue entre le monde de l'activité divine
et le monde de l'activité de la Nature, qui est celui du
devenir et du changement.

4. Sous certains aspects les doctrines philosophiques
d'al-Kindî remontent à Jean Philopon, comme sous
certains autres à l'école des néoplatoniciens d'Athènes.
La distinction que fait al-Kindî entre substances premières et substances secondes, sa foi dans la validité
de l'astrologie, son intérêt pour les sciences occultes, la
distinction qu'il établit entre une vérité philosophique
rationnelle et une vérité révélée qu'il entend un peu à
la façon de l'*ars hieratica* des derniers néoplatoniciens,
ce sont là autant de traits communs entre le « philosophe
des Arabes » et les néoplatoniciens tels que Proclus ;
ils offrent également quelques ressemblances avec les
Sabéens de Harran.

S'il fut influencé par la *Théologie* dite d'Aristote,
al-Kindî le fut aussi par Alexandre d'Aphrodise, dont
le commentaire sur le livre *De Anima* lui inspira, dans
son propre traité *De intellectu* (*Fî'l-'aql*), la quadruple

division de l'intellect qui devait avoir ensuite une
influence considérable, poser bien des problèmes et
recevoir des solutions diverses chez les philosophes
musulmans comme chez les philosophes chrétiens. Il
fut aussi dans une certaine mesure sous l'influence
néopythagoricienne, quant à l'importance qu'il attacha
aux mathématiques. Le *Fihrist* cite de lui un traité
sur la nécessité d'étudier les mathématiques pour do-
miner la philosophie. Ces influences s'intègrent à la
perspective générale de l'Islam, dont al-Kindî considère
les vérités comme autant de lampes illuminant la voie
du philosophe. Il est à juste titre considéré comme un
pionnier, le premier des « péripatéticiens » au sens
particulier, nous l'avons dit, que prend ce mot dans la
philosophie en Islam. Si l'Occident latin le connut comme
philosophe par les quelques traités cités ci-dessus,
on le connaissait aussi comme mathématicien et maître
en astrologie. Jérôme Cardan, dans son livre *de Subti-
litate* (lib. XVI), dit de lui qu'il fut l'une des douze figures
intellectuelles de l'histoire humaine qui eurent le plus
d'influence.

5. Il eut des collaborateurs (on les a évoqués ci-dessus)
et il eut des disciples. Deux Bactriens : Abû Mash'ar
Balkhî, l'astrologue bien connu, et Abû Zayd Balkhî,
philosophe libre penseur, qui ne craignit pas le scandale
en soutenant que les Noms divins que l'on rencontre
dans le Qorân, sont empruntés au syriaque !

Le plus célèbre de ses élèves philosophes fut Ahmad
ibn Tayyib Sarakhshî (c'est-à-dire originaire de Sarakhsh, dans le Khorassan, à l'actuelle frontière entre
l'Iran et le Turkestan russe). Né vers 218/833, mort
en 286/899, Sarakhshî est une figure attachante ; ses
œuvres, aujourd'hui perdues, sont connues par les
nombreuses citations qui en sont faites ici et là (cf.
supra IV, 1). On a signalé ci-dessus (IV, 5) son inven-
tion d'un alphabet phonétique, longuement rapportée

par Abû Hamza Ispahânî. On lui doit sur les appellations qui servent à désigner les Stoïciens en arabe une information d'autant plus précieuse, que le souvenir des Stoïciens est un peu flou dans la tradition islamique. Cela n'empêche pas, nous l'avons rappelé à plusieurs reprises, qu'un bon nombre d'idées de provenance stoïcienne aient été introduites de bonne heure et aient joué un rôle très important dans tous les courants antipéripatéticiens. Les Stoïciens sont désignés tantôt comme *ashâb al-riwâq* ou *riwâqîyûn* (le mot *riwâq* veut dire galerie, péristyle) ; tantôt comme *ashâb al-ostowân* (le mot *ostowân* signifie portique, *stoa*) ; tantôt comme *ashâb al-mazâll* (pluriel de *mazalla*, tente, ce qui a donné dans les traductions latines médiévales *philosophi tabernaculorum!*). Sarakhshî diversifie ces trois désignations, en faisant état d'une tradition selon laquelle les trois termes réfèrent à trois écoles : les premiers enseignaient à Alexandrie ; les seconds à Baalbek ; les troisièmes à Antioche. Toute une monographie serait nécessaire. La théorie des Éléments chez Jâbir présuppose une interprétation stoïcisante des données péripatéticiennes. Sohrawardî est regardé parfois comme un *riwâqî*. Enfin l'on a vu ci-dessus (I, 1) que Ja'far Kashfî homologuait la position stoïcienne à celle des exégètes spirituels du Qorân.

2. *Al-Fârâbî.*

1. Abû Nasr Mohammad ibn Moham. ibn Tarkhân ibn Uzalagh al-Fârâbî naquit à Wâsij, près de Fârâb en Transoxiane, en 259/872, un an donc environ avant le décès d'al-Kindî à Baghdâd. D'une famille de notables, son père avait exercé un commandement militaire à la cour des Samanides. Mais, comme celle de son prédécesseur al-Kindî dont il suivit les exemples, sa biographie est peu connue dans le détail. Jeune encore, il

vint à Baghdâd où il eut comme premier précepteur
un chrétien, Yohanna ibn Haylam. Puis il y étudia la
logique, la grammaire, la philosophie, la musique, les
mathématiques et les sciences. Qu'il comprît le turc
et le persan, cela ressort de ses œuvres (la légende veut
qu'en plus de l'arabe il ait été à même de comprendre
70 langues!). Progressivement il acquit cette maîtrise
qui lui valut le surnom de *Magister secundus* (Aristote
étant le *Magister primus*), et le fait regarder comme le
premier grand philosophe musulman. Et tout indique,
conformément à une opinion courante en Iran, que ce
grand philosophe était shî'ite. En effet, on le voit, en
330/941, quitter Baghdâd pour Alep où il jouit de la
protection de la dynastie shî'ite des Hamdânides, Say-
foddawleh Hamdânî ayant pour lui une extrême véné-
ration. Cette protection shî'ite spéciale n'est pas un
hasard. Elle prend tout son sens, si l'on relève dans la
« philosophie prophétique » de Fârâbî ce qu'elle a de
commun avec celle qui, fondée sur l'enseignement des
Imâms du shî'isme, a été exposée ci-dessus (chap. II).
Après son séjour à Alep, Fârâbî fit encore quelques
voyages, alla jusqu'au Caire, et mourut à Damas en
339/950, à l'âge de 80 ans.

Ce grand philosophe était un esprit profondément
religieux et un mystique. Il vivait dans la plus grande
simplicité et portait même le vêtement des soufis. Nature
essentiellement contemplative, il se tenait à l'écart des
mondanités. En revanche, il aimait participer aux
séances de musique, étant lui-même un exécutant remarquable. Il a laissé un grand livre « sur la musique » qui
atteste ses connaissances mathématiques, et qui est sans
doute l'exposé le plus important de la théorie musicale
au Moyen Age. Et ce n'est pas par un optimisme super-
ficiel que le philosophe musicien cherchait et percevait
l'*accord* entre Platon et Aristote (celui de la « Théologie »),
comme il le percevait entre la philosophie et la religion

prophétique. Il semble que le sentiment profond du *Magister secundus* procéda de cette idée que la sagesse avait commencé par exister chez les Chaldéens en Mésopotamie ; de là s'était transférée en Égypte, puis en Grèce, où elle avait été mise à temps par écrit, — et que lui incombait, à lui, la tâche de ramener cette sagesse dans le pays qui avait été son foyer.

2. Ses œuvres très nombreuses comprennent (ou comprenaient) des commentaires sur le *corpus* aristotélicien : l'Organon, la Physique, la Météorologie, la Métaphysique, l'Ethique à Nicomaque, maintenant perdus. On ne peut citer ici que quelques-unes de ses principales œuvres (cf. bibliographie) : le grand traité sur l' « Accord entre les doctrines des deux Sages, Platon et Aristote » ; le traité sur « l'objet des différents livres de la Métaphysique d'Aristote » ; l'analyse des Dialogues de Platon ; le traité « de ce que l'on doit savoir avant d'apprendre la philosophie », introduction à la philosophie d'Aristote ; le traité *De scientiis* (*Ihsâ' al-'olûm*) qui eut une très grande influence sur la théorie de la classification des sciences dans la Scolastique occidentale ; le traité *De intellectu et intellecto* signalé ci-dessous ; les « Gemmes de la sagesse » (*Fosûs al-hikam*), qui a été le plus longuement étudié en Orient. Enfin le groupe des traités concernant ce qu'il est convenu d'appeler la « philosophie politique » de Fârâbî, avant tout le « Traité sur les opinions des membres de la Cité parfaite (ou de la Cité idéale) » ; le « Livre du gouvernement de la Cité » ; le « Livre de l'atteinte à la félicité » ; un commentaire sur les *Lois* de Platon.

On vient de citer les *Gemmes de la sagesse*. Il n'y a aucune raison sérieuse de mettre en doute l'authenticité de ce Traité. La bévue d'un recueil publié jadis au Caire mettant sous le nom d'Avicenne et sous un autre titre une partie de ce traité, n'a aucune portée

critique. Paul Kraus estimait que l'attitude de Fârâbî
était au fond anti-mystique, que ni le style ni le contenu
des *Gemmes* ne s'accordaient avec le reste de l'œuvre,
et que sa théorie de la prophétie était exclusivement
« politique ».

Or, l'on peut constater que la terminologie du
soufisme est répandue un peu partout dans l'œuvre
de Fârâbî ; qu'il y a, ailleurs que dans les *Gemmes*,
un texte qui fait écho au fameux récit de l'extase
plotinienne dans le livre de la « Théologie » (« Souvent,
m'étant éveillé à moi-même... ») ; que la théorie illuminative de Fârâbî recèle un élément mystique indé-
niable, à condition d'admettre que la mystique ne
postule pas nécessairement l'*ittihâd* (la fusion unitive)
entre l'intellect humain et l'Intelligence agente, car
l'*ittisâl* (atteinte, conjonction sans identification) est,
elle aussi, une expérience mystique. Aussi bien Avicenne
et Sohrawardî sont-ils d'accord avec Fârâbî pour
refuser l'*ittihâd*, parce qu'elle entraîne des conséquences
contradictoires. On peut encore constater qu'il n'est
pas difficile de saisir le lien entre le « mysticisme » de
Fârâbî et l'ensemble de sa doctrine ; il n'y a ni hiatus
ni dissonance. Si l'on remarque dans les *Gemmes*
l'emploi de quelques termes de provenance ismaélienne
(communs d'ailleurs à toute la gnose ou *'irfân*), cela,
bien loin d'en infirmer l'authenticité, ne fait justement
que nous attester une de ses sources d'inspiration, celle-là
même qui met sa philosophie du prophétisme en consonance avec la prophétologie du shî'isme. Enfin, il
est abusif de « politiser », au sens moderne du mot,
sa doctrine de la Cité idéale ; elle n'a rien de ce que nous
appelons un « programme politique ». On se rallie sur
ce point à l'excellent exposé d'ensemble que M. Ibrahim
Madkour a donné jadis de la doctrine philosophique
d'al-Fârâbî.

3. On ne peut ici que faire ressortir trois points de

cette doctrine philosophique. En premier lieu, on lui doit la thèse qui pose une distinction non seulement logique mais métaphysique entre l'essence et l'existence chez les êtres créés. L'existence n'est pas un caractère constitutif de l'essence ; elle est un prédicat, un accident de celle-ci. On a pu dire que cette thèse faisait date dans l'histoire de la métaphysique. Avicenne, Sohrawardî, tant d'autres, professeront à leur tour une métaphysique des essences. Il faudra attendre jusqu'à Mollâ Sadrâ Shîrâzî, au XVIe siècle, pour que se produise un retournement décisif de la situation. Mollâ Sadrâ affirmera la préséance de l'*exister* et donnera une version « existentielle » de la métaphysique de l'*Ishrâq*. A cette prise de position concernant l'être, s'origine la distinction entre l'Être nécessairement être et l'être possible qui ne peut exister par soi-même, parce que son existence et sa non-existence sont indifférentes, mais qui se transforme en être nécessaire du fait que son existence est posée par un autre, précisément par l'Être Nécessaire. Cette thèse qui aura une si grande importance chez Avicenne, fut exposée tout d'abord, mais de façon plus concise, par Fârâbî.

4. Même observation est à faire pour une seconde doctrine caractéristique qui est la théorie de l'Intelligence et de la procession des Intelligences, commandée chez Fârâbî par le principe : *Ex Uno non fit nisi unum* (ce principe sera mis en question par Nasîr Tûsî s'inspirant, sans le dire, du schéma de la procession des Lumières pures chez Sohrawardî). L'émanation de la Ire Intelligence à partir du premier Être, ses trois actes de contemplation qui se répètent tour à tour chez chacune des Intelligences hiérarchiques, engendrant chaque fois la triade d'une nouvelle Intelligence, d'une nouvelle Ame et d'un nouveau Ciel, jusqu'à la Xe Intelligence, — ce même processus cosmogonique sera décrit et amplifié par Avicenne. Les premières Essences

divines, les astres-dieux chez Aristote, deviennent
chez Fârâbî des « Intelligences séparées ». Est-ce Avicenne
le premier qui leur donnera le nom d' « Anges », éveillant
la suspicion d'un Ghazâlî qui n'y retrouve pas exactement l'image de l'ange qorânique ? Ces formes
archangéliques créatrices ruinent-elles le monothéisme ?
Sans doute, s'il s'agit de la version *exotérique* du
monothéisme et de la dogmatique qui la soutient. En
revanche, les penseurs ésotériques et mystiques ont
inlassablement montré que, sous sa forme exotérique,
le monothéisme tombe précisément dans l'idolâtrie
métaphysique qu'il prétend fuir. Fârâbî est le contemporain des premiers grands penseurs ismaéliens. Sa
théorie des Dix Intelligences, si on la compare avec
celle de l'ésotérisme ismaélien, se montre sous un jour
nouveau. En analysant brièvement (*supra* II B, 1, 2)
la structure du plérôme des Dix chez les Ismaéliens de
la tradition fâtimide, nous avons marqué qu'elle se
distingue du schéma de nos philosophes émanatistes,
en ce qu'elle pose le Principe comme Super-être,
au-delà de l'être et du non-être, l'Émanation ne commençant qu'à partir de la Ire Intelligence. En outre,
la cosmogonie ismaélienne comporte un élément
dramatique qui manque dans le schéma de Fârâbî
et d'Avicenne.

Néanmoins, la figure du Xe Ange (l'Adam céleste)
de l'Ismaélisme correspond parfaitement à la Xe Intelligence qui ici, chez nos philosophes, s'appelle l'Intelligence agente ('*Aql fa''âl*). Cette correspondance
nous fait mieux comprendre finalement le rôle de
celle-ci dans la prophétologie de Fârâbî, parce que aussi
bien dans toute sa théorie de l'Intelligence comme
dans celle du Sage-prophète, Fârâbî est quelque chose
de plus qu'un « philosophe hellénisant ». Une comparaison proposée par lui a fait fortune ; tout le monde
l'a répétée ensuite : « L'Intelligence agente est pour

l'intellect possible de l'homme ce que le soleil est
pour l'œil, lequel reste vision en puissance, tant qu'il
est dans les ténèbres. » Cette Intelligence, celle qui dans
la hiérarchie des êtres est l'être spirituel le plus proche
au-dessus de l'homme et du monde de l'homme, est
toujours en acte. Elle est appelée le « Donateur des
Formes » (*Wâhib al-sowar, Dator formarum*), parce
qu'elle irradie sur les matières leurs formes, et sur
l'intellect humain en puissance la connaissance de ces
formes.

Cet intellect humain se subdivise en intellect théorique ou contemplatif et en intellect pratique. L'intellect
théorique passe par trois états : il est intellect possible
ou en puissance à l'égard de la connaissance ; il est
intellect en acte, pendant qu'il l'acquiert ; il est intellect acquis, quand il l'a acquise. Là même apparaît
quelque chose de nouveau dans la gnoséologie fârâ-
bîenne. Malgré l'appellation, l'intellect acquis (*'aql
mostafâd, intellectus adeptus*) ne peut être confondu
avec le *Noûs epiktetos* d'Alexandre d'Aphrodise, chez
qui il s'agit d'un état intermédiaire entre l'intellect
en puissance et l'intellect en acte. Pour Fârâbî, c'est
l'état supérieur de l'intellect humain, état dans lequel
il peut recevoir par intuition et illumination les Formes
qu'irradie en lui l'Intelligence agente, sans passer
par l'intermédiaire des sens. Bref, la notion de l'Intelligence agente aussi bien que celle de l'intellect acquis
annoncent chez Fârâbî quelque chose d'autre que
l'aristotélisme pur, à savoir l'influence du Livre de la
« Théologie », avec laquelle pénètrent tous les éléments
néoplatoniciens.

5. Et tel nous apparaît encore ce philosophe hellénisant sur un troisième point : sa théorie du prophétisme qui est le couronnement de son œuvre. Sa théorie
de la « Cité parfaite » porte une empreinte grecque
par son inspiration platonicienne, mais elle répond

aux aspirations philosophiques et mystiques d'un philosophe de l'Islam. On en parle souvent comme de la « politique » de Fârâbî. En fait, Fârâbî n'était nulle- ment ce que nous appelons aujourd'hui un « homme d'action » ; il ne connut jamais de près les affaires publiques. Sa « politique » repose sur l'ensemble de sa cosmologie et de sa psychologie ; elle en est insépa- rable. D'où sa notion de la « Cité parfaite » embrasse toute la terre habitée par les hommes, l'*oikoumèné*. Elle n'est pas un programme politique « actuel ». Sa philosophie dite politique peut encore mieux être désignée comme une philosophie prophétique.

Si la figure qui la domine, celle du chef de la Cité idéale, le prophète, l'*Imâm*, révèle, de même que le dénouement de la théorie dans l'outre-monde, l'inspi- ration mystique de Fârâbî, on peut encore dire plus. Sa prophétologie présente certains traits essentiels qui lui sont communs avec la philosophie prophétique du shî'isme (*supra* II). La constatation et ses consé- quences ne peuvent malheureusement pas être dévelop- pées ici. Les arguments par lesquels il fonde la nécessité de l'existence des prophètes, les traits qui définissent l'être intérieur du prophète, le-guide, l'Imâm, corres- pondent à ceux que la prophétologie shî'ite, nous l'avons vu, a fondés sur l'enseignement des saints Imâms. Le prophète-législateur est en même temps, de son vivant, l'Imâm. Après le prophète s'ouvre le cycle de l'Imâmat (ou cycle de la *walâyat*, nom que porte en période islamique la *nobowwat* ou prophétie simple, ne légiférant pas de *sharî'at*). Or, si le sage- prophète, chez Fârâbî, établit des « lois » (*nawâmîs*), cela précisément ne veut pas dire une *sharî'at* au sens théologique strict du mot. La rejonction des deux prophétologies fait alors apparaître sous un jour nouveau l'idée qui, du sage platonicien, gouverneur- philosophe de la Cité idéale, fait un *Imâm*.

6. D'autre part, l'on a vu la prophétologie shî'ite culminer dans une gnoséologie discriminant le mode de connaissance chez le Prophète et chez l'Imâm. Semblablement, chez Fârâbî, l'Imâm-prophète, le chef de la Cité parfaite, doit avoir atteint au degré suprême de la félicité humaine consistant à s'unir avec l'Intelligence agente. De cette union découlent en effet toute révélation prophétique et toute inspiration. Comme on l'a déjà signalé, il ne s'agit pas là d'une fusion unitive ou d'une identification (*ittihâd*), mais d'une atteinte et d'une rejonction (*ittisâl*). Il importe alors de bien marquer ceci : à l'inverse du Sage de Platon qui doit redescendre de la contemplation des intelligibles pour s'occuper des affaires publiques, le Sage de Fârâbî doit s'unir aux êtres spirituels ; sa fonction principale est même d'entraîner les citoyens vers ce but, parce que de cette union dépend la félicité absolue. La Cité idéale entrevue par Fârâbî est plutôt celle des « saints des derniers jours » ; elle correspond à un état de choses qui, selon l'eschatologie shî'ite, sera réalisé sur terre lors de la parousie de l'Imâm caché, préparant la Résurrection. Peut-on alors donner à la « politique » de Fârâbî le sens que nous donnons aujourd'hui à ce mot ?

En revanche, il est exact de dire à propos du « prince » auquel Fârâbî confère toutes les vertus humaines et philosophiques, qu'il est un « Platon revêtu du manteau de prophète de Mohammad ». Ou plus exactement, il faut dire avec Fârâbî que l'union avec l'Intelligence agente peut s'opérer par l'intellect ; c'est le cas du philosophe, parce que cette union est la source de toutes les connaissances philosophiques. Cette union peut également s'opérer par l'imagination, et elle est alors la source des révélations, inspirations et songes prophétiques. On a signalé justement plus haut comment la philosophie prophétique du shî'isme avait provoqué toute une théorie de l'Imagination, validant la connaissance imaginative et le monde perçu en propre par elle. Il est significatif que chez Fârâbî la théorie de l'Imagination tienne également une place essentielle. Si l'on se réfère à l'œuvre de Mollâ Sadrâ Shîrâzî commentant l'enseignement des Imâms, on n'a plus le droit de dire que la théorie fârâbienne du prophétisme n'ait été prise au sérieux que dans la scolastique juive (Maïmonide), car elle fructifie abondamment dans la philosophie prophétique du shî'isme.

7. La gnoséologie produite par cette dernière (*supra* II A, 5) s'établit essentiellement en fonction des degrés de la vision ou de l'audition de l'Ange, en songe, à l'état de veille ou dans l'état intermédiaire. Pour Fârâbî, le Sage s'unit avec l'Intelligence agente par la méditation spéculative ; le prophète s'unit à elle par l'Imagination, et elle est la source du prophétisme et des révélations prophétiques. Cette conception n'est possible que parce que l'archange mohammadien, Gabriel, l'Esprit-Saint, est identifié avec l'Intelligence agente. Comme on l'a déjà remarqué ici, ce n'est nullement là une rationalisation de l'Esprit-Saint, mais plutôt l'inverse. L'identification de l'Ange de la Connaissance et de l'Ange de la Révélation est l'exigence même d'une philosophie prophétique ; toute la doctrine de Fârâbî est orientée en ce sens. C'est pourquoi il serait insuffisant de dire qu'il a donné une base philosophique à la Révélation, comme il serait inexact de dire qu'il a placé le philosophe au-dessus du prophète. Ce sont là manières de parler qui méconnaissent le fait de la philosophie prophétique. Philosophe et prophète s'unissent avec la même Intelligence-Esprit-Saint. Le cas de Fârâbî définit au mieux la situation déjà reconnue ici. Il y a peut-être entre l'Islam légalitaire et la philosophie un rapport d'opposition insoluble. Le rapport fondamental est entre l'Islam ésotérique

(au sens large du grec *ta esô*) et la religion exotérique
et littéraliste. Selon que l'on professe ou que l'on rejette
le premier, on décide du sort et du rôle de la philosophie
en Islam.

Ceci dit, on observera que, si parfaite soit-elle, la
Cité idéale n'est point pour Fârâbî sa propre fin à elle-
même. Elle est un moyen d'acheminer les hommes
vers une félicité supraterrestre. Lorsqu'elles franchissent
les portes de la mort, les cohortes des *vivants* vont rejoindre les cohortes de ceux qui les ont devancées au-delà,
« et elles s'unissent intelligiblement à elles, chacun se
réunissant à son semblable ». Par cette union d'âme à
âme, la douceur et les délices de ceux qui partirent les
premiers, sont sans cesse indéfiniment accrues et mul-
tipliées. Semblable vision, ici encore, est très proche
des anticipations de l'eschatologie ismaélienne, lorsque
celle-ci nous décrit la réunion des Formes de lumière
constituant le Temple de Lumière de l'Imâmat.

8. On ne connaît qu'un petit nombre d'élèves d'al-
Fârâbî. On cite principalement le nom d'Abû Zakarîyâ Yahyâ ibn 'Adî (ob. 374/974), philosophe chrétien
jacobite déjà nommé ici parmi les traducteurs d'œuvres
d'Aristote. Il existe une correspondance philosophique
intéressante entre Yahyâ ibn 'Adî et un philosophe
juif de Mossoul, Ibn Abî Sa'îd al-Mawsilî. Un élève de
Yahyâ ibn 'Adî, Abû Solaymân Mohammad Sejestânî
(ob. 371/981, ne pas le confondre avec l'Ismaélien
Abû Ya'qûb Sejestânî) réunit à Baghdâd, dans la
seconde moitié du xᵉ siècle, un cercle d'hommes
cultivés tenant entre eux de brillantes séances « cul-
turelles ». On en connaît l'essentiel par un livre de Abû
Hayyân Tawhîdî (ob. 399/1009), élève d'Abû Solaymân, livre unique qui abonde en renseignements
intéressants (*K. al-moqâbasât*). Néanmoins il ne s'agit
pas là d'un cercle de philosophes proprement dits.
Les discussions sur la logique de Fârâbî semblent y

avoir dégénéré en une philosophie purement verbale.
Et il s'y disait beaucoup de choses qui ne sont pas à
prendre très au sérieux (par exemple, on l'a vu, le propos
d'Abû Solaymân se vantant de connaître le véritable
auteur des écrits attribués à Jâbir ibn Hayyân). En fait,
Fârâbî a trouvé sa véritable postérité spirituelle en
Avicenne qui le reconnaît comme son maître. Il eut
de l'influence en Andalousie (surtout sur Ibn Bâjja,
infra VIII, 3) comme il en eut sur Sohrawardî. Cette
influence est également sensible, on l'a déjà dit, chez
Mollâ Sadrâ Shîrâzî.

3. *Abû'l-Hasan al-'Amirî.*

1. Abû'l-Hasan Moham. ibn Yûsof al-'Amirî est
resté peu connu jusqu'ici en Occident. Cet Iranien du
Khorassan fut pourtant, dans la lignée des philosophes
étudiés au cours de ce chapitre, une importante figure
entre Fârâbî et Avicenne. Il était né à Nîshâpour. Il
eut pour maître un autre grand khorassanien, Abû
Yazîd Ahmad ibn Sahl Balkhî. Il reçut une formation
complète en philosophie et métaphysique, commenta
quelques textes d'Aristote et échangea toute une
correspondance philosophique avec Avicenne (formant
le « Livre des quatorze questions », avec les réponses
d'Avicenne). Il fit deux voyages à Baghdâd (avant
360/970 et en 364/974) où il fut, paraît-il, consterné
par les mœurs des Baghdâdiens. Il revint en Iran,
passa cinq années à Ray, protégé par le vizir Ibn al-
'Amîd et tout occupé par sa tâche d'enseignement.
Puis il regagna son Khorassan natal, où il mourut en
381/991.

Il eut beaucoup de disciples et d'amis, par exemple
Abû'l-Qâsim Kâtib, qui était très lié avec Ibn Hindû ;
Ibn Maskûyeh (*infra* V, 5) qui le cite dans *Jâwidân*

Kharad, et tout particulièrement Abû Hayyân Tawhîdî
(*supra* V, 2) qui le cite à maintes reprises. Avicenne
le cite également dans son *Kitâb al-Najât*, mais avec
une certaine réserve sur ses capacités philosophiques.
Pourtant, celles de ses œuvres qui ont survécu, aussi
bien que ses appréciations des autres philosophes, le
montrent comme non dépourvu d'originalité : traité
sur la félicité (*sa'âda*), chapitres (*fosûl*) sur des questions
métaphysiques (*ma'âlim ilâhîya*), traités sur la perception optique (*ibsâr*), sur la notion d'éternité (*abad*),
sur les excellences de l'Islam, sur la prédestination et
le libre arbitre (*jabr* et *qadar*), un ouvrage en persan
(*Farrokh-Nâmeh*). Dans les *Fosûl* il traite de l'union
de l'intellect, de l'intellection et de l'intelligé en termes
qui, semble-t-il, inspireront Afzâl Kâshânî (viie/
xiiie siècle), disciple de Nasîroddîn Tûsî.

2. Tawhîdî nous fait connaître un certain nombre
d'entretiens et de débats auxquels prit part notre Abû'l-
Hasan. On relève ici un entretien avec Mânî le mazdéen
(*Mânî al-Mâjûsî*, à ne pas confondre, bien entendu, avec
le prophète du manichéisme) au cours duquel notre
philosophe se montre un bon platonicien (« Toute chose
sensible est une ombre de l'intelligible... l'Intelligence
est le khalife de Dieu en ce monde »). Mollâ Sadrâ
Shîrâzî (ob. 1050/1640) réfère à ses doctrines dans sa
grande Somme de philosophie (*Kitâb al-asfâr al-arba'a*).
De même une des leçons du même auteur sur la « Théosophie orientale » de Sohrawardî (§ 134, cf. *infra* VII)
contient, dans un *excursus*, une indication intéressante.
Il réfère au livre « sur la notion d'éternité » (*al-amad
'alâ'l-abad*) où Abû'l-Hasan 'Amirî attribue à Empédocle la doctrine qui veut que, si l'on dit du Créateur
sans attribut qu'il *est* la générosité, la force, la puissance,
cela ne veut pas dire qu'existent réellement en lui les
facultés ou puissances désignées par ces Noms.

Nous retrouverons les thèses du néo-Empédocle chez

Ibn Masarra en Andalousie (*infra* VIII, 1). Elles eurent
leur influence sur Sohrawardî (la polarité de *qahr* et
mahabba, domination et amour) ; il est précieux de
recueillir ici cette autre attestation de leur influence en
Iran. Il semble enfin qu'en philosophie « politique »,
Abû'l-Hasan 'Amirî soit particulièrement influencé
par les œuvres iraniennes traduites du pehlevi par
Ibn Moqaffa', et professe une doctrine moins influencée
par l'hellénisme platonicien que celle de Fârâbî.

3. On doit encore signaler ici un philosophe qui n'est
connu que par un opuscule sur l'âme, Bakr Ibn al-Qâsim
al-Mawsilî (c'est-à-dire de Mossoul). Vivant à l'époque
effervescente où les chrétiens commentent Aristote à
Baghdâd, où Fârâbî élabore une doctrine aux durables
conséquences, tandis que Rhazès fait scandale avec la
sienne, Bakr semble échapper à tous ces courants. Il
cite uniquement parmi les auteurs de la période islamique
le philosophe sabéen Thâbit ibn Qorra ; ce choix exclusif
atteste l'influence considérable exercée par le philosophe
sabéen de Harran (*supra* IV, 1).

4. *Avicenne et l'avicennisme.*

1. Abû 'Alî Hosayn ibn 'Abdillah Ibn Sînâ est né à
Afshana, dans le voisinage de Boukhara, au mois de
safar 370/août 980 (lorsque certaines de ses œuvres
furent traduites en latin au XIIe siècle, la prononciation
espagnole de son nom, « Aben » ou « Aven Sînâ », a
conduit à la forme *Avicenne*, sous laquelle il est univer-
sellement connu en Occident). Son père était un haut
fonctionnaire du gouvernement samanide. Grâce à son
autobiographie, complétée par son *famulus* et fidèle
disciple Jûzjânî, nous connaissons les détails les plus
importants de sa vie.

Ce fut un enfant extraordinairement précoce. Son

éducation fut encyclopédique, englobant la grammaire et la géométrie, la physique et la médecine, la jurisprudence et la théologie. Sa réputation était telle qu'à l'âge de 17 ans il fut appelé par le prince samanide Nûh ibn Mansûr, et réussit à le guérir. La *Métaphysique* d'Aristote lui opposait cependant un obstacle insurmontable ; quarante fois il la relut sans la comprendre. C'est grâce à un traité de Fârâbî, rencontré par hasard, que « les écailles lui tombèrent des yeux ». On enregistre avec plaisir l'aveu de cette reconnaissance. A 18 ans, il avait à peu près fait le tour de toutes les connaissances ; il ne lui restait qu'à les approfondir. Après la mort de son père, il se met à voyager à travers le Khorassan, mais jamais cet Iranien de Transoxiane ne franchira les limites du monde iranien. Il réside d'abord à Gorgan (au sud-est de la Mer Caspienne) où l'amitié du prince, Abû Mohammad Shîrâzî, lui permet d'ouvrir un cours public, et il commence à rédiger son grand *Canon* (*Qânûn*) de médecine qui en Orient jusqu'à nos jours, et en Occident pendant plusieurs siècles, resta la base des études médicales.

Après un séjour à Ray (la ville fréquemment nommée ici, à quelques kilomètres au sud de l'actuel Téhéran) où le philosophe s'était attaché au service de la reine régente Sayyeda et de son jeune fils Majdoddawleh, Avicenne passe à Qazwin, puis à Hamadan (dans l'ouest de l'Iran). Une première fois, le prince de Hamadan, Shamsoddawleh (*Sol regni*, dans la traduction latine), le charge du vizirat, mais le philosophe rencontre les pires difficultés avec les militaires et se démet de sa charge. Une seconde fois il accepte de la reprendre, sur la prière du prince qu'il avait traité et guéri. Son disciple Jûzjânî choisit juste ce moment pour lui demander de composer un commentaire des œuvres d'Aristote. Alors on inaugure à Hamadan un écrasant programme de travail. La journée étant occupée par la politique, on

consacre la nuit aux affaires sérieuses. Jûzjânî relit les
feuillets de la physique du *Shifâ* (le « Livre de la Guérison », grande somme de philosophie) ; un autre disciple
relit ceux du *Qânûn* (médecine). On prolonge fort tard
dans la nuit, puis on prend un peu de détente : on con-
verse librement, on boit un peu de vin, on fait un peu
de musique...

A la mort du prince, Avicenne correspond secrètement avec le prince d'Ispahan, 'Alaoddawleh ; cette
imprudence lui valut un emprisonnement pendant
lequel il composa le premier de ses récits mystiques, le
Récit de Hayy ibn Yaqzân. Il réussit à s'échapper, gagne
Ispahan, devient un familier du prince, et de nouveau
son « équipe » suit le même programme épuisant qu'à
Hamadan. En 421/1030 (sept ans avant la mort d'Avicenne), Mas'ûd, fils de Mahmûd de Ghazna, s'empare
d'Ispahan. Les bagages du shaykh sont pillés. Ainsi
disparaît l'énorme encyclopédie qu'il avait intitulée
Kitâb al-Insâf (le « Livre du jugement impartial »,
vingt-huit mille questions en vingt volumes), où il
confrontait les difficultés surgies à la lecture des philosophes, avec sa propre philosophie personnelle désignée
comme « philosophie orientale » (*hikmat mashriqîya*).
De celle-ci n'ont subsisté que quelques fragments
(soit échappés au pillage, soit reconstitués par l'auteur),
entre autres : une partie du commentaire du *Livre de
la Théologie* dite d'Aristote, le commentaire du livre
lambda de la *Métaphysique*, les Notes en marge du *De
Anima*, et peut-être les « cahiers » connus sous le titre
de « Logique des Orientaux ». Ayant accompagné son
prince dans une expédition contre Hamadan, Avicenne
est pris de malaise, se soigne trop énergiquement, et
succombe en pleine force à l'âge de 57 ans, en 428/1037,
à proximité de Hamadan. Il mourut de façon très édi-
fiante, en pieux musulman. Lors de la commémoration
solennelle du millénaire de sa naissance (en avril 1954,

à Téhéran, avec un léger retard : l'an 1370 de l'hégire
correspondant en fait à 1950 A. D.), fut inauguré le
beau mausolée élevé sur sa tombe à Hamadan, par les
soins de la « Société des monuments nationaux de
l'Iran ».

2. Si l'on pense combien la vie d'Avicenne fut chargée
d'événements et encombrée de charges publiques, on
admirera l'étendue de son œuvre. La bibliographie
établie par M. Yahya Mahdavi compte 242 titres. Son
œuvre qui marqua d'une si profonde empreinte l'Occident médiéval et l'Orient jusqu'à nos jours, couvre tout
le champ de la philosophie et des sciences cultivées à
l'époque. Avicenne réalisa par excellence le type médiéval de l'homme universel. On lui doit un traité sur la
Prière et un commentaire de plusieurs sourates du Qorân
(*supra* I, 1). C'est cette œuvre qui, ayant pris son point
de départ dans l'œuvre de Fârâbî, finit par éclipser
quelque peu cette dernière par son ampleur (il en alla
un peu comme pour l'œuvre de Sadrâ Shîrâzî par rapport
à celle de son maître, Mîr Dâmâd, *Magister tertius*, aux
xviᵉ et xviiᵉ siècles).

On ne doit pas oublier que cette œuvre est contemporaine des grandes œuvres de l'ésotérisme ismaélien
(*supra* II B, 1) auxquelles restent attachés quelques
grands noms d'Iraniens (Abû Ya'qûb Sejestânî,
vers 360/972 ; Hamîd Kermânî, 408/1017 ; Mo'ayyad
Shîrâzî, 470/1077, etc.) et qui, on l'espère, prendront
peu à peu le rang qui leur revient dans nos histoires
de la philosophie. Aussi bien le père et le frère d'Avicenne appartenaient-ils à l'Ismaélisme ; lui-même, en
son autobiographie, fait allusion à leurs efforts pour
entraîner son adhésion à la *Da'wat* ismaélienne. Il y a,
certes, une analogie de structure (comme dans le cas de
Fârâbî) entre l'univers avicennien et la cosmologie ismaélienne ; cependant le philosophe refusa de se lier à la
sodalité. En revanche, s'il se déroba devant le shî'isme

ismaélien, l'accueil qu'il reçut auprès des princes shi'ites de Hamadan et d'Ispahan, permet au moins d'inférer qu'il ait appartenu au shi'isme duodécimain.

Ce synchronisme élargit déjà l'horizon sur lequel se profile sa physionomie spirituelle. D'ailleurs, l'ensemble de l'œuvre nous fait pressentir la complexité d'une âme et d'une doctrine dont nos Scolastiques latins ne connurent qu'une partie. Celle-ci provient, certes, de son ouvrage monumental, le *Shifâ*, englobant la Logique, la physique et la métaphysique ; mais le dessein personnel du philosophe devait trouver son achèvement dans ce qu'il désignait, on l'a rappelé ci-dessus, comme devant être une « philosophie orientale ».

3. Obligé de nous limiter ici à un très bref aperçu, nous prendrons comme centre de perspective la théorie avicennienne de la connaissance, parce que sous son aspect issu d'une théorie générale des Intelligences hiérarchiques, elle se présente comme une angélologie, et parce que cette dernière fonde aussi bien la cosmologie qu'elle situe l'anthropologie. On a signalé précédemment (V, 2) que la métaphysique de l'essence était instaurée dès l'œuvre de Fârâbî, et avec elle la division de l'être en être nécessairement être par soi-même, et être nécessaire par un autre. A son tour, l'univers avicennien ne comporte pas ce que l'on appelle la contingence du possible. Tant que le possible reste en puissance, c'est qu'il ne peut pas être. Si quelque possible est actualisé dans l'être, c'est que son existence est rendue nécessaire par sa cause. Dès lors il ne peut pas ne pas être. A son tour, sa cause est nécessitée par sa propre cause, ainsi de suite.

Il s'ensuit que l'idée « orthodoxe » de Création est dans la nécessité, elle aussi, de subir une altération radicale. Il ne peut s'agir d'un coup d'état volontaire dans la prééternité ; il ne peut s'agir que d'une nécessité divine. La Création consiste dans l'acte même de

la pensée divine se pensant soi-même, et cette connaissance que l'Être divin a éternellement de soi-même,
n'est autre que la Première Émanation, le Premier *Noûs*
ou Première Intelligence. Ce premier effet unique de
l'énergie créatrice, identique à la pensée divine, assure
la transition de l'Un au Multiple, en satisfaisant au
principe : De l'Un ne peut procéder que l'Un.

A partir de cette Première Intelligence, la pluralité
de l'être va procéder, exactement comme dans le système
de Fârâbî, d'une série d'actes de contemplation qui
font en quelque sorte de la cosmologie une phénoménologie de la conscience angélique. La Première Intelligence contemple son Principe ; elle contemple son Principe qui la nécessite dans l'être ; elle contemple le pur
possible de son propre être en soi, considéré fictivement
comme en dehors de son Principe. De sa première contemplation procède la Deuxième Intelligence ; de la
seconde, l'Ame motrice du premier Ciel (la Sphère des
Sphères) ; de la troisième, le corps éthérique, supra-
élémentaire, de ce premier Ciel, lequel procède ainsi de
la dimension inférieure (dimension d'*ombre*, de non-être)
de la Première Intelligence. Cette triple contemplation
instauratrice de l'être se répète d'Intelligence en Intelligence, jusqu'à ce que soit complète la double hiérarchie : celle des Dix Intelligences chérubiniques (*Karû-
bîyûn*, *Angeli intellectuales*) et celle des Ames célestes
(*Angeli cælestes*), lesquelles n'ont point de facultés
sensibles, mais possèdent l'Imagination à l'état pur,
c'est-à-dire libérée des sens, et dont le désir aspirant à
l'Intelligence dont elles procèdent, communique à
chacun des Cieux leur mouvement propre. Les révolu-
tions cosmiques auxquelles s'origine tout mouvement,
sont donc l'effet d'une aspiration d'amour toujours
inassouvie. C'est cette théorie des Ames célestes, et
conséquemment celle d'une imagination indépendante
des sens corporels, qu'Averroës (*infra* VIII, 6) rejeta

avec véhémence. En revanche, elle fructifia chez les
avicenniens iraniens ; on a indiqué ci-dessus (II, 5)
comment et pourquoi la gnoséologie prophétique avait
postulé l'idée d'une Imagination purement spirituelle.

4. La Dixième Intelligence n'a plus la force de produire à son tour une autre Intelligence unique et une
autre Ame unique. A partir d'elle, l'Émanation explose,
pour ainsi dire, dans la multitude des âmes humaines,
tandis que de sa dimension d'ombre procède la matière
sublunaire. C'est elle qui est désignée comme l'Intelligence agente ou active (*'Aql fa''âl*), celle dont émanent nos
âmes, et dont l'illumination (*ishrâq*) projette les idées
ou formes de la connaissance sur celles des âmes qui
ont acquis l'aptitude à se tourner vers elle. L'intellect
humain n'a ni le rôle ni le pouvoir d'abstraire l'intelligible du sensible. Toute connaissance et toute rémi-
nis-
cence sont une émanation et une illumination provenant
de l'Ange. Aussi bien l'intellect humain a-t-il la nature
de l'ange en puissance. De structure duelle, intellect pratique et intellect contemplatif, ses deux « faces » sont
désignées comme « anges terrestres ». Là même est le
secret de la destinée des âmes. Des quatre états de
l'intellect contemplatif, celui qui correspond à l'intimité
avec l'Ange qui est l'Intelligence active ou agente, est
désigné comme « intellect saint » (*'aql qodsî*). A son
sommet, il est le cas privilégié de l'esprit de prophétie.

Tout cela permet déjà d'entrevoir que sur la question
du *Noûs poietikos* (*Intelligentia agens*) qui a départagé dès
l'origine les interprètes d'Aristote, Avicenne, à la suite de
Fârâbî (et l'on doit également penser ici à la Xe Intelligence de la cosmogonie ismaélienne), a opté (contrairement à Themistius et à saint Thomas d'Aquin)
pour une Intelligence séparée et extrinsèque à l'intellect
humain, sans l'identifier pour autant au concept de
Dieu (comme Alexandre d'Aphrodise ou à la façon des
augustiniens). Fârâbî et Avicenne ont fait de cette

Intelligence un être du Plérôme, auquel l'être humain se trouve ainsi directement rattaché par elle, et c'est là l'originalité gnostique de nos philosophes. D'autre part ils ne pouvaient se satisfaire de l'idée péripatéticienne de l'âme comme forme (entéléchie) d'un corps organique ; cette « information » n'est que l'une de ses fonctions, pas même la principale. Leur anthropologie est néoplatonicienne.

5. Sur ces bases, on comprend comment le projet de « philosophie orientale » s'articule à l'ensemble du système préalablement fondé. Malheureusement il ne reste de cette « philosophie orientale » que les esquisses et allusions signalées ci-dessus. (Nous n'entrons pas ici dans le détail de certaines controverses ; le mémoire de S. Pinès, cité *in fine* dans notre bibliographie, a montré de façon décisive que le mot « Orientaux », dans l'usage qu'en fait Avicenne, a toujours le même sens). L'idée la plus précise que l'on puisse s'en faire est à demander, d'une part, aux *Notes* écrites en marge de la *Théologie* dite d'Aristote. Sur six références d'Avicenne à sa « philosophie orientale », cinq se rapportent à l'existence *post mortem*. C'est la doctrine de la survie qui aurait caractérisé au premier chef, quant à son fond, la « philosophie orientale ».

D'autre part, il y a la trilogie des *Récits mystiques* auxquels Avicenne a confié le secret de son expérience personnelle, offrant ainsi le cas assez rare d'un philosophe prenant parfaitement conscience de lui-même, et parvenant (comme Sohrawardî ensuite) à configurer ses propres symboles. Les trois Récits ont pour thème le voyage vers un *Orient* mystique, introuvable sur nos cartes, mais dont l'idée émerge déjà dans la Gnose. Le « Récit de Hayy ibn Yaqzân » (*Vivens filius Vigilantis*, Veilleur, cf. les *Egregoroï* des livres d'Hénoch) expose l'invite au voyage en compagnie de l'Ange illuminateur. Le « Récit de l'Oiseau » effectue ce voyage, et inaugure un cycle qui trouvera son couronnement dans l'admirable épopée mystique persane de Farîd 'Attâr (aux XIIᵉ et XIIIᵉ siècles). Enfin « Salamân et Absâl » sont les deux héros du Récit évoqué dans la partie finale du *Livre des Directives* (*Ishârât*). Ce ne sont point là des allégories, mais des récits symboliques, et il importe de ne point confondre (cf. *supra* I, 1). Ce ne sont pas des affabulations de vérités théoriques pouvant toujours être énoncées autrement ; ce sont des figures typifiant le drame intime personnel, l'apprentissage de toute une vie. Le symbole est chiffre et silence ; il dit et ne dit pas. On ne l'explique jamais une fois pour toutes ; il s'épanouit au fur et à mesure que chaque conscience est appelée par lui à éclore, c'est-à-dire à en faire le chiffre de sa propre transmutation.

6. La figure et le rôle de l'Ange qui est l'« Intelligence agente » permettent de comprendre les destinées ultérieures de l'avicennisme. C'est à cause de cette Intelligence que fut mis en échec ce que l'on a appelé l' « avicennisme latin ». Elle alarma le monothéisme orthodoxe, lequel pressentit fort bien que, loin d'être immobilisé et ordonné sous la conduite de cet Ange à une fin métaphysiquement inférieure, le philosophe serait entraîné par elle vers d'imprévisibles au-delà, en tout cas par-delà les dogmes établis, puisque le rapport immédiat et personnel avec un être spirituel du Plérôme, ne prédisposait pas particulièrement le philosophe à s'incliner devant le Magistère d'ici-bas. L'avicennisme ne fructifia qu'au prix d'une altération radicale qui en changea le sens et la structure (dans cet « augustinisme avicennisant » si bien dénommé et analysé par Et. Gilson). C'est dans la direction d'Albert le Grand (celle de son disciple Ulrich de Strasbourg, celle des précurseurs des mystiques rhénans) qu'il resterait à suivre les effets de l'avicennisme.

Mais, tandis que la crue de l'averroïsme devait sub-

merger les effets de l'avicennisme en chrétienté, tout
autres en furent les dessinées en Orient. Ni l'averroïsme
n'y fut connu, ni la critique de Ghâzâlî reconnue comme
ayant la signification fatale que souvent lui ont donnée
nos historiens de la philosophie. Avicenne eut d'excel-
lents disciples directs. Tout d'abord le fidèle Jûzjânî
qui donna une version et un commentaire en persan
du « Récit de Hayy ibn Yaqzân » ; Hosayn ibn Zayla
d'Ispahan (ob. 440/1048) qui en donna un commentaire en arabe ; un bon zoroastrien au nom typiquement
iranien, Bahmanyâr ibn Marzbân (dont l'œuvre importante est encore inédite). Mais on peut dire, sans paradoxe, que le successeur d'Avicenne, ce fut Sohrawardî,
non pas en ce sens qu'il incorpora à ses propres livres
certains éléments de la métaphysique avicennienne,
mais en ce sens qu'il assuma à son tour le projet de
« philosophie orientale », projet que, selon lui, Avicenne
ne pouvait, de toutes façons, mener à bonne fin, car il
ignorait les vraies « sources orientales ». Ce projet,
Sohrawardî le réalisera en ressuscitant la philosophie
ou la théosophie de la Lumière de l'ancienne Perse
(*infra* VII).

C'est cet avicennisme sohrawardien qui connut un
magnifique essor dans l'École d'Ispahan à partir du
XVIe siècle, et dont les effets sont restés vivants en Iran
shî'ite jusqu'à nos jours. Nous avons encore rappelé,
en tête de ce chapitre, quelques-uns des grands noms
qui sont malheureusement restés absents jusqu'ici
de nos histoires de la philosophie. Ajoutons que Sayyed
Ahmad 'Alawî, élève et gendre de Mîr Dâmâd (ob. 1040/
1631) écrivit un commentaire sur le *Shifâ*, s'amplifiant
aux proportions d'une œuvre personnelle aussi volumineuse que le *Shifâ* lui-même. Il l'intitule « La clef du
Shifâ », et s'y réfère expressément à la « philosophie orientale » mentionnée par Avicenne en tête de son livre.

Tandis que la pensée philosophique, partout ailleurs

dans le monde de l'Islam, est tombée en sommeil, ces maîtres de l'avicennisme iranien conduisent l'Islam shî'ite à sa plus haute conscience philosophique. Contrastant avec le sort de l'avicennisme latin, l'identification de l'Ange de la Révélation qui est l'Esprit-Saint, avec l'Intelligence agente qui est l'Ange de la Connaissance, stimule une philosophie de l'Esprit profondément différente de ce que l'on a appelé ainsi en Occident. Pour la signification de ce contraste, il faut remonter jusqu'aux options précédemment signalées ici. Les toutes dernières pages du *Shifâ* où, avec une densité allusive voulue, Avicenne s'exprime quant à l'idée du Prophète et de l'Imâm, retenaient, certes, l'attention de nos penseurs. Car ils pouvaient y constater que la gnoséologie avicennienne, la doctrine de l'Intelligence, recélait les prémisses de leur propre philosophie prophétique.

5. *Ibn Maskûyeh. Ibn Fâtik. Ibn Hindû.*

1. Contemporain de Bîrûnî et d'Avicenne, Ahmad ibn Moham. ibn Ya'qûb Maskûyeh naquit à Ray et mourut à Ispahan (421/1030). Il semble (d'après Mîr Dâmâd et Nûrollâh Shoshtarî) que la conversion de sa famille à l'Islam ne remontait pas au-delà de son grand-père Maskûyeh (la finale de ce nom, comme ceux d'Ibn Bâbûyeh, de Sibûyeh, représente la forme persane des noms moyen-iraniens en -*oê* ; les Arabes vocalisent Miskawaih). Il illustre ce type de philosophe iranien d'ascendance mazdéenne, ayant un goût particulier pour l'étude des mœurs et des civilisations, les sentences et les maximes de sagesse (genre littéraire si bien représenté en pehlevi). Ahmad-e Maskûyeh (comme on le désigne couramment en persan) fut un certain temps, dans sa jeunesse, bibliothécaire d'Ibn al-'Amîd, le vizir déjà nommé ici (*supra* V, 3), puis le *famulus* et trésorier du

souverain daylamide 'Alâoddawleh (pour qui il composa
un de ses traités en persan). Tout indique qu'il était
shî'ite : son admission dans l'intimité des daylamides,
l'éloge que fait de lui Nasîr Tûsî, enfin certains passages
de ses livres.

De la vingtaine d'ouvrages qu'il a laissés, on ne cite
ici que les plus célèbres. Il y a son traité de philosophie
morale, « De la réforme des mœurs » (*tahdhîb al-akhlâq*),
qui a été plusieurs fois réédité au Caire et à Téhéran ;
c'est le livre dont Nasîr Tûsî fait l'éloge dans l'introduction de son propre ouvrage de philosophie morale
en persan (*Akhlâq-e Nasîrî*). Et il y a l'ouvrage qui
porte l'intitulation persane caractéristique de *Jâvidân
Kharad* (la sagesse éternelle). Une tradition légendaire
s'y rattache. Un traité de ce nom aurait été composé
par le roi Hûshang, un des rois légendaires de l'arché-
histoire iranienne, ou par quelque sage de son temps.
C'est cet ouvrage qui, redécouvert à l'époque du
khalife abbasside al-Ma'mûn, aurait été traduit partiellement en arabe par Hasan ibn Sahl Nawbakhtî. A
son tour, Maskûyeh remanie et amplifie l'ouvrage
arabe, et en donne d'autre part une version en persan.
Quoi qu'il en puisse être, c'est son texte arabe que,
sous le titre de « la sagesse éternelle » (*al-hikmat al-
khâlida*, éd. 'A. Badawî, Le Caire), Maskûyeh donne
comme introduction à un grand ouvrage sur l'expérience
des nations, englobant la civilisation des Arabes, des
Perses et des Indiens.

2. Ce livre de « la sagesse éternelle », qui rapporte
de nombreux propos de philosophes, est en rapport
avec toute une littérature contemporaine que l'on
peut tout juste évoquer ici. Un disciple d'Ibn al-
Haytham (*supra* IV, 8) Ibn Fâtik (v[e]/xie siècle),
Arabe originaire de Damas et établi en Égypte, a
laissé un très important florilège (*Mokhtâr al-hikam*)
de « paroles de sagesse » attribuées à des sages de l'anti-

quité dont il rapporte les biographies plus ou moins
légendaires. Il pourrait, selon son récent éditeur ('A.
Badawî) avoir disposé d'une source dérivée des *Vies
des philosophes* de Diogène Laërce (l'ouvrage d'Ibn
Fâtik fut traduit en espagnol, en latin, en français
par Guillaume de Thignonville ob. 1414, qui travailla
sur la version latine ; il y eut une traduction partielle
en provençal et deux versions anglaises). En tout cas,
il fut largement utilisé par Shahrastânî d'abord (ob.
547/1153), dans sa grande histoire des religions et
des doctrines, pour la partie consacrée aux anciens
philosophes ; puis par Shahrazûrî (ob. vers 680/1281),
le disciple et commentateur de Sohrawardî (*infra* VII,
5), qui en reproduit de larges passages. On peut suivre
ainsi la tradition des doxographes grecs en Islam
jusqu'à Qotboddîn Ashkevarî, disciple de Mîr Dâmâd
(dans son *Mahbûb al-Qolûb*).

3. Il faut également mentionner ici 'Alî ibn Hindû
(de Ray lui aussi, ob. 420/1029), autre contemporain
et compatriote de Maskûyeh. Ibn Hindû a laissé
également un florilège de sentences spirituelles des
Sages grecs. A ce propos, l'on ne fait que citer ici, et
par anticipation, la grande « histoire des philosophes »
de Jamâloddîn Ibn al-Qiftî (ob. 646/1248).

6. *Abû'l-Barakât al-Baghdâdî.*

1. Originale et attachante personnalité dont l'œuvre
a été particulièrement étudiée par S. Pinès, Hibat
Allah 'Alî ibn Malkâ Abû'l-Barakât al-Baghdâdî
vécut jusqu'à un âge très avancé (80 ou 90 ans) et
mourut peu après 560/1164. D'origine juive, il se
convertit tardivement à l'Islam pour des raisons assez
complexes, puisque les biographes musulmans donnent
quatre versions différentes de cette conversion (il est

d'ailleurs cité dans un texte hébreu sous le nom de
Nathanaël qui est étymologiquement l'équivalent exact
de Hibat Allâh, *Adeodatus*, Dieudonné). Son surnom
de *Awhad al-zamân* (l'unique en son temps) atteste
suffisamment sa réputation. Ce qu'il illustre par excellence, c'est le type de philosophe personnel (il a plus
d'un trait commun avec Ibn Bâjja, *infra* VIII, 3),
pour qui l'idée de se mêler de « politique », des affaires
« sociales », contredit l'idée même du philosophe. Les
conflits officiels, entre religion et philosophie par
exemple, tels qu'ils sont officiellement posés, ne l'intéressent pas. Car s'il s'en mêlait, comment le philosophe
pourrait-il être un « révolutionnaire » ?

Il ne s'agit donc pas d'une position occasionnelle,
d'un repli motivé, par exemple, par les malheurs
des temps, mais d'une attitude foncière qui se révèle
assez bien dans l'idée qu'Abû'l-Barakât se fait de
l'histoire de la philosophie. Il professe que les anciens
sages philosophes n'ont donné qu'un enseignement
oral, par crainte que leurs doctrines n'atteignent les
personnes incapables de les comprendre. Elles ne
furent mises par écrit que plus tard, mais en langage
chiffré, symbolique (il y a une idée de ce genre chez
Sohrawardî). L'histoire de la philosophie se réduit
donc à un processus de corruption et de mésinterpré-
tation de la tradition ancienne, et la dégradation est
allée en s'aggravant jusqu'à l'époque d'Abû'l-Barakât.
Lorsqu'il affirme (avec un peu d'exagération) ne
devoir que peu de choses à ses lectures des philosophes,
et ne devoir l'essentiel qu'à ses méditations personnelles,
son intention n'est donc pas de déprécier la tradition,
mais vise au contraire à en restaurer la pureté. C'est
pourquoi, dit-il, s'il a lu les livres des philosophes, il
a lu aussi le grand « livre de l'être », et ce sont les
doctrines suggérées par celui-ci qu'il lui est arrivé de
préférer à celles des philosophes traditionnels.

Notre philosophe a donc parfaitement conscience
de produire des doctrines indépendantes de la tradition
des philosophes, parce qu'elles sont le fruit de ses
propres recherches. C'est pourquoi S. Pinès a proposé
pour le titre de son principal ouvrage philosophique
Kitâb al-mo'tabar, cette traduction très heureuse :
« Le livre de ce qui est établi par réflexion personnelle. »
Ce grand ouvrage est né de notes personnelles accu-
mulées au cours d'une longue existence ; le philosophe
se refusait d'en faire un livre, toujours dans la crainte
de l'incompréhension de lecteurs non qualifiés. Finalement, il en résulta une véritable somme de connaissances scientifiques, en trois volumes comprenant
la Logique, la Métaphysique et la Physique (éd. Haydarabad 1357-1358 h.). Il n'est pas douteux que les
idées nouvelles, parfois révolutionnaires, qu'il contient,
sont le fruit de ses méditations. Il arrive cependant à
l'auteur d'en admettre d'autres, certaines pages du
Shifâ d'Avicenne par exemple, sans doute parce qu'il
les a trouvées conformes à ce qu'il avait lu dans le
« livre de l'être ».

2. Précisément, parce que nous avons insisté ci-
dessus sur la doctrine de l'Intelligence agente chez
Avicenne, nous insisterons ici sur la position assumée
par Abû'l-Barakât quant à cette doctrine, parce
qu'elle reflète son « personnalisme » sans compromis,
et libère une fois pour toutes la philosophie des difficultés qui résultent aussi bien lorsque l'on pose une
Intelligence unique pour le genre humain, que lorsque
l'on substitue un Magistère collectif, sacré ou profane,
à la relation directe de chaque homme avec cette
Intelligence transcendante mais unique. Les données
du problème se ramènent pour lui à la question de
savoir si les âmes humaines ne forment toutes ensemble
qu'une seule et même espèce, ou bien si chaque âme
diffère essentiellement d'une autre en espèce, ou bien

si les âmes ne sont pas groupées par familles spirituelles
constituant autant d'espèces différentes par rapport
à un genre commun. A l'encontre des philosophes
soutenant la première hypothèse, et à défaut d'une
option clairement attestée en faveur de la seconde,
c'est la troisième hypothèse qui a les faveurs d'Abû'l-
Barakât. Mais alors comment admettre qu'une seule
Intelligence agente soit la cause existentiatrice unique
de la multitude des âmes ? Puisqu'il y a *plusieurs espèces*
d'âmes humaines, l'éclosion de cette pluralité postule
le concours de toutes les hiérarchies célestes.

Plus encore. Il faut distinguer une cause *existentiatrice* et une cause *perfectrice* différentes l'une de
l'autre, comme le précepteur spirituel (*mo'allim*) est
différent du père selon la chair. En raison de la diversité
spécifique des âmes, la pédagogie spirituelle (*ta'lîm*)
qu'elles requièrent ne peut être limitée à une forme
unique ni à une Intelligence agente unique. C'est
pourquoi les anciens Sages professaient que pour
chaque âme individuelle, ou peut-être pour plusieurs
ensemble ayant même nature et affinité, il y a un être
du monde spirituel qui, tout au long de leur existence,
assume envers cette âme ou ce groupe d'âmes une
sollicitude et tendresse spéciales. C'est lui qui les
initie à la connaissance, les guide et les réconforte.
Cet ami et guide, ils l'appelaient la « Nature Parfaite »
(*al-tibâ' al-tâmm*) ; en langage religieux, on l'appelle
l' « Ange ».

3. L'intervention de cette figure de l'hermétisme
est ici d'un extrême intérêt. Nous avons signalé ci-
dessus (IV, 1) le rôle de la Nature Parfaite comme
Ange personnel et *Alter ego* de lumière, principalement
dans les textes sabéens, chez Sohrawardî et les *Ishrâqîyûn*, méditant tour à tour l'expérience extatique au
cours de laquelle Hermès eut la vision de sa « Nature
Parfaite ». Nous constatons ici que par elle Abû'l-

Barakât donne aux problèmes posés par la doctrine avicennienne de l'Intelligence agente une solution qui, sans doute, fait date dans l'histoire de la philosophie, car en philosophe « personnaliste » il relève ainsi expressément le processus d'*individuation* impliqué dans la théorie avicennienne elle-même. On en peut mesurer l'audace novatrice au fait que, dans l'Occident médiéval, l'opposition à l' « avicennisme latin » ait été particulièrement suscitée par la crainte des conséquences « individualistes » de son angélologie. Avec Abû'l-Barakât il y aura bien un intellect agent pour chaque individu (comme chez saint Thomas d'Aquin), mais cet intellect est « séparé », c'est-à-dire transcendant, ce n'est pas simplement une faculté immanente à l'individualité terrestre. Il donne donc à l'individu comme tel une « dimension » transcendante, supérieure à toutes les normes et autorités collectives au niveau de ce monde. Et c'est pourquoi l'on peut dire qu'Abû'l-Barakât est « révolutionnaire ».

On notera qu'il écrit encore longtemps après que Ghazâlî ait quitté ce monde ; cela suffirait déjà à indiquer qu'il serait plus qu'exagéré de croire que la critique de Ghazâlî ait ruiné le destin de la philosophie en Islam.

7. *Abû Hâmid Ghazâlî et la critique de la philosophie.*

1. Tout en se gardant de certaines hyperboles, on admettra volontiers que ce Khorassanien ait été une des plus fortes personnalités, une des têtes les mieux organisées qui aient paru en Islam, comme l'atteste aussi bien le surnom honorifique qu'il partage avec quelques autres, de *Hojjat al-Islam* (la preuve, le garant de l'Islam). Abû Hâmid Mohammad Ghazâlî naquit en 450/1059 à Ghazâleh, bourgade des environs de

Tûs (patrie du poète Ferdawsî), dans le Khorassan.
Lui-même et son frère Ahmad, dont il sera question
plus loin comme soufi (VI, 4), étaient encore de jeunes
enfants lorsqu'ils perdirent leur père. Mais avant de
mourir, celui-ci les avait confiés à la tutelle d'un ami,
un sage soufi, dont ils reçurent leur première éducation.
Ensuite le jeune Abû Hâmid se rendit à Nîshâpour
qui était alors, dans le Khorassan, un des centres
intellectuels les plus importants du monde islamique.
C'est là qu'il fit la connaissance du maître de l'école
ash'arite de son temps, Imâm al-Haramayn, dont il
devint le disciple (cf. *supra* III, 3).

À la mort de celui-ci (478/1085), il entre en relation
avec le célèbre vizir seljoukide Nizâm al-Molk, fondateur
de l'université de Baghdâd (*Madrasa Nizâmîya*);
Ghazâlî y sera nommé professeur en 484/1091. Cette
période marque une étape décisive dans sa vie; il y
trouva le milieu favorable à l'épanouissement et au
rayonnement de sa personnalité, et approfondit ses
connaissances philosophiques. Deux ouvrages appartiennent à cette époque de sa vie. Il y a tout d'abord
le livre sur « Les intentions des philosophes » (*Maqâsid
al-falâsifa*), qui eut un sort si curieux en Occident.
Traduit en latin (en 1145, à Tolède, par Dominicus
Gundissalinus) sous le titre de *Logica et philosophia
Algazelis Arabis*, mais privé de son exorde et de la
conclusion dans lesquelles Ghazâlî déclarait son propos
(exposer les doctrines des philosophes pour les réfuter
ensuite), l'ouvrage fit passer Ghazâlî auprès de nos
Scolastiques latins, pour un philosophe collègue de
Fârâbî et d'Avicenne, et le fit englober dans la polémique contre les philosophes « arabes ».

L'autre ouvrage datant de la même période est la
célèbre et violente attaque contre les philosophes
dont on dira quelques mots ci-dessous, mais, maintenant que nous connaissons un peu mieux la conti-

nuité de la pensée philosophique et spirituelle en
Islam, il apparaîtrait ridicule de dire de cette critique,
comme il le fut dit au siècle dernier, qu'elle porta à
la philosophie un coup dont elle ne put se relever en
Orient. On provoque une grande surprise, lorsque de
nos jours on explique à certains shaykhs iraniens,
par exemple, l'importance que les historiens occidentaux ont accordée à la critique de la philosophie
par Ghazâlî. On aurait provoqué la même surprise
chez un Sohrawardî, un Haydar Amolî, un Mîr Dâmâd,
etc.

La 36ᵉ année de sa vie marque pour Ghazâlî un
tournant décisif. C'est à ce moment-là que le problème
de la certitude intellectuelle se posa à sa conscience
avec une telle acuïté qu'il entraîna une crise intérieure
très grave, bouleversant son activité professionnelle
et sa vie familiale. En 488/1095 il abandonne l'université et sa famille, sacrifiant tout à la recherche de
la certitude intérieure, garante de la Vérité. On imagine
à quel point cette décision de Ghazâlî, alors recteur de
l'université *Nizâmîya*, porte-parole de la doctrine
ash'arite qui s'identifiait alors avec l'orthodoxie même
de l'Islam sunnite, dut frapper les esprits; elle révèle
chez Ghazâlî la force d'une personnalité exceptionnelle.

Il quitte Baghdâd, s'engage dans la voie étroite
conduisant à la certitude. Pendant dix ans, revêtu
de l'habit des soufis, il pèlerinera, solitaire, à travers
le monde musulman. Ses voyages le conduisirent à
Damas et à Jérusalem (avant qu'elle ne fût prise par
les Croisés), à Alexandrie et au Caire, à La Mekke et à
Médine ; il consacre tout son temps à la méditation
et aux pratiques spirituelles des soufis. La crise sur-
montée et les doutes abolis, il revient dans son pays
natal, enseigne encore quelques années à Nîshâpour
et meurt à Tûs en 501/1111 (le 19 décembre), à 52 ans,
plus jeune encore qu'Avicenne.

2. Ghazâlî a donc affronté dans toute son ampleur le problème de la connaissance et de la certitude personnelle. Mais fut-il seul, entre tous les penseurs musulmans, à la recherche d'une certitude expérimentale dans la connaissance intérieure ? C'est un thème essentiel chez Sohrawardî (qui semble à peu près tout ignorer de Ghazâlî), et déjà Avicenne et Abû'l-Barakât avaient affronté le problème de la conscience de soi et de ses implications. Quant à la connaissance du *cœur*, nous savons maintenant qu'elle est déjà admirablement formulée chez les Imâms du shî'isme.

Mais ce qui rend pathétique cette recherche chez Ghazâlî, c'est le drame dans lequel elle jeta sa vie. Lorsqu'il s'exprime sur la vraie connaissance, cela sonne avec toute l'authenticité du témoignage personnel. Dans son *Monqidh* (« Le préservatif de l'erreur ») il déclare : « La connaissance vraie est celle par laquelle la chose connue se découvre complètement (devant l'esprit), de sorte qu'aucun doute ne subsiste à son égard, et qu'aucune erreur ne puisse la ternir. C'est le degré où le *cœur* ne saurait admettre ni même supposer le doute. Tout savoir qui ne comporte pas ce degré de certitude est un savoir incomplet, passible d'erreur. » Ailleurs (*Risâlat al-ladonîya*) il explique ce dévoilement comme « la saisie directe par l'âme pensante de la réalité essentielle des choses, dépouillées de leur forme matérielle... Quant à l'objet connu, c'est l'essence même des choses se réfléchissant dans le miroir de l'âme... L'âme pensante est le foyer des irradiations de l'Ame universelle. De celle-ci elle reçoit les formes intelligibles. Elle contient en puissance toutes les connaissances, comme la semence contient toutes les possibilités de la plante et sa condition d'être. »

C'est là une excellente philosophie positive, et tout philosophe, notamment un *Ishrâqî*, serait très à l'aise pour en reconnaître le mérite et la validité. La réciproque n'est malheureusement pas vraie. L'attitude négative de Ghazâlî à l'égard des philosophes atteint à une véhémence qui surprend chez une âme aussi haute. Sans doute est-ce son tourment intérieur qui se révèle dans l'aspect polémique de son œuvre. Cette polémique n'absorbe pas moins de quatre ouvrages, dans lesquels il se tourne successivement contre les Ismaéliens, contre les Chrétiens, contre les soi-disant libertins, enfin contre les philosophes. Et ce qui surprend plus encore, c'est la confiance mise dans la logique et la dialectique rationnelle pour arriver au but de sa polémique, chez un homme par ailleurs si totalement convaincu de leur incapacité d'atteindre la vérité!

3. L'idée qui inspire le livre de polémique contre les Ismaéliens (les « Bâtiniens », c'est-à-dire les ésotéristes) semble mêlée d'un peu trop près aux préoccupations du pouvoir, on veut dire les préoccupations du khalife abbâsside al-Mostazhir, soucieux de faire valoir sa légitimité contre toute prétention fâtimide (d'où le titre : *Kitâb al-Mostazhirî*). L'ouvrage a été partiellement édité et analysé par I. Goldziher (1916). Comme à l'époque aucun des grands textes ismaéliens, arabes ou persans, n'était encore connu, l'éditeur se trouvait très à l'aise pour abonder dans le sens de Ghazâlî. La situation est différente aujourd'hui.

On est frappé de voir Ghazâlî déployer une *dialectique* acharnée contre une pensée qui est essentiellement *herméneutique*. Le processus du *ta'wîl* ismaélien (l'exégèse ésotérique) lui échappe, aussi bien que l'idée d'une science qui est transmise (*tradita*) comme un héritage spirituel (*'ilm irthî*) à ses héritiers. Il ne veut voir qu'une « religion d'autorité » là où il y a *initiation* à une doctrine (*ta'lîm*), à un sens caché qui ne se construit ni ne se démontre à coup de syllogismes, et qui requiert un Guide inspiré, l'Imâm (*supra* II). C'est le sens même de l'Imâmat shî'ite qui lui échappe et, avec son fondement métaphysique, ce qui conditionne la « naissance spirituelle » (*wilâdat rûhânîya*). On rappelait encore ci-dessus les textes des Imâms du shî'isme sur la science du *cœur*, qui eussent dû satisfaire Ghazâlî, s'il les avait connus. Le livre ne fait qu'illustrer l'idée qu'un théologien sunnite orthodoxe peut se faire de l'ésotérisme. Aussi bien toute la question est-elle à reprendre, car nous connaissons maintenant l'existence d'une réponse ismaélienne massive aux attaques de Ghazâlî. Elle fut l'œuvre du Ve *Dâ'î* yéménite, Sayyid-nâ 'Alî ibn Mohammad ibn al-Walîd (ob. 612/ 1215), et porte pour titre *Dâmigh al-bâtil* (« Le livre qui anéantit le mensonge ») ; elle comprend deux volumes manuscrits de mille cinq cents pages. Nous pouvons garantir que l'étude comparée des deux textes sera d'un intérêt majeur.

Le livre de polémique contre les chrétiens veut être une « réfutation courtoise (*radd jamîl*) de la divinité de Jésus », pour laquelle l'auteur prend appui sur les déclarations expresses des Évangiles. Chose curieuse, Ghazâlî met moins l'accent sur l'exigence unitarienne (*tawhîd*) et le danger d'anthropomorphisme (*tashbîh*), que sur l'affirmation de sa méthode, consistant, ici encore paradoxalement, à ne prendre pour guide que la science et la raison pour interpréter les textes évangéliques. Sans doute est-ce une protestation « évangélique » contre les dogmes de l'Église, mais il y aurait à en comparer les résultats avec le tout autre effet que produit la christologie qui s'insère, en dehors de toute polémique, dans d'autres courants spirituels de l'Islam : dans l'Ismaélisme, chez Sohrawardî, chez Ibn 'Arabî, chez Semnânî etc. On a fait allusion déjà ici à cette christologie s'enchâssant dans la gnose islamique et qui, reliée à la gnose tout court, diffère pour autant des dogmes officiels que précisément attaque Ghazâlî. Bref, une christologie qui s'insère dans la

« philosophie prophétique », en prolongeant, nous l'avons vu, l'idée du *Verus Propheta* jusqu'au « Sceau des prophètes » et jusqu'au cycle de la *walâyat* qui lui succède.

Un autre livre de polémique (en persan cette fois), composé sans doute après le retour de Ghazâlî à Nîshâpour, s'en prend aux « libertins » (*Ibâhîya*), catégorie très large dans laquelle rentrent les soufis anomiens, les philosophes errants, les « hérétiques » de toute sorte. On pourrait dire que les personnes visées correspondent à ceux que l'on désignait dans l'Allemagne des xvie et xviie siècles comme des *Schwärmer*, des « Enthousiastes ». Ici également l'accusation des pires turpitudes morales n'est pas épargnée à ceux dont la pensée n'est pas conforme.

4. En fait ces ouvrages n'eurent que peu d'écho. Ils ne peuvent se comparer en importance avec l'entreprise tentée par Ghazâlî dans son grand livre contre les philosophes, qu'il intitule *Tahâfot al-falâsifa*. Le sens du mot *tahâfot* comporte plusieurs nuances. On a traduit par effondrement, écroulement, destruction (*præcipitatio, ruina*), plus récemment par « incohérence », terme qui reste trop abstrait et statique. En fait l'état signifié par ce nom verbal (VIe forme en grammaire arabe, impliquant l'idée d'une réciprocité s'exerçant entre les différentes parties d'un tout) se pourrait traduire au mieux ici par « Autodestruction des philosophes ». Ici tout particulièrement éclate le paradoxe d'un Ghazâlî qui, si convaincu de l'inaptitude de la raison à atteindre la certitude, a du moins la certitude de détruire, à coup de dialectique rationnelle, les certitudes des philosophes. Averroës fut parfaitement conscient de cette autonégation : admise l'impuissance totale de la raison, cette impuissance s'étend à sa propre négation, celle qu'elle dirige contre elle-même. C'est pourquoi Averroës répliquera par la

négation de la négation et écrira une « Autodestruction
de l'autodestruction » (*Tahâfot al-tahâfot*).

Tout l'effort de Ghazâlî est de démontrer aux philosophes que la démonstration philosophique ne démontre
rien ; malheureusement, il est encore contraint de le
démontrer précisément par une démonstration philosophique. Avec une extrême véhémence il attaque
leur doctrine de l'éternité du monde ; il ne voit que
métaphore dans la procession des Intelligences, théorie
dont la rigueur et la beauté lui échappent ; il estime
que les philosophes sont incapables de démontrer la
nécessité du Démiurge, l'unité et l'incorporéité divines,
la connaissance que Dieu a des choses autres que lui-
même. Entraîné par son élan, il va jusqu'à réfuter les
arguments des philosophes montrant qu'il existe des
substances spirituelles incorruptibles, alors que lui-
même a besoin ailleurs de cette spiritualité de l'âme
immortelle. Pour les philosophes, un être spirituel est
un être qui se connaît soi-même et connaît qu'il connaît ;
les sens corporels organiques en sont incapables. Certes,
répond Ghazâlî, mais il pourrait y voir un miracle!

Là même est le fond de sa pensée ; le « fer de lance »
de sa critique est la négation ash'arite de la causalité,
et par là de l'idée avicennienne fondant l'existence
des possibles inaptes à être par eux-mêmes, sur la
nécessité du Principe qui compense leur non-être
(et cette idée avicennienne stimulera la piété d'un
philosophe comme Mîr Dâmâd, au XVIIe siècle, jusqu'à l'extase). Pour Ghazâlî, tous les processus naturels
représentent un ordre fixé par la volonté divine, que
celle-ci peut rompre à tout moment. Toute idée même
d'une norme intérieure à un être, d'une nécessité interne,
est exclue. Les philosophes, par exemple, affirment
que le principe qui incendie est le feu ; il le fait par
nature et ne peut pas ne pas le faire. Ghazâlî récuse
cette nécessité, et pose que l'action du feu doit être

ramenée à Dieu soit directement, soit par l'intermédiaire de l'Ange. Tout ce que l'observation expérimentale nous permet de dire, c'est que la combustion du coton, par exemple, se produit *lors* de son contact avec le feu ; elle ne nous prouve pas que ce soit *par* le contact entre le feu et le coton, ni qu'il n'y ait pas d'autre cause.

Enfin les philosophes se trompent, estime Ghazâlî, lorsqu'ils nient la résurrection corporelle, la réalité littérale du paradis et de l'enfer, et n'admettent un devenir posthume (un « retour » à l'outre-monde, *ma'âd*) que pour l'entité spirituelle qui est l'âme. Là même est énoncée une antinomie qui ne progressera vers sa solution philosophique qu'à travers l'œuvre de Sohrawardî et de ses successeurs : la promotion ontologique du « tiers monde » (le *mundus imaginalis*, *'âlam almithâl*), intermédiaire entre le monde des sens et le monde de l'intelligible pur. C'est par ce tiers monde, il y a déjà eu occasion de le montrer ici, qu'il est possible d'échapper au dilemme, en n'acceptant ni le spiritualisme abstrait des philosophes (ou la métaphore des Mo'tazilites), ni le littéralisme des théologiens, pour comprendre, en revanche, ce qu'est la « vérité spirituelle littérale » de l'eschatologie qorânique et des visions prophétiques. C'est pourquoi, sur ce thème essentiel, Mollâ Sadrâ Shîrâzî renverra dos à dos le philosophe Avicenne et le théologien Ghazâlî.

5. Et peut-être est-ce là l'issue qui n'a guère été aperçue jusqu'ici et qui ramène à leurs justes proportions les conséquences de la critique ghazâlienne. Il serait faux de dire que la philosophie, après Ghazâlî, dut se transporter à l'Occident de l'Islam, comme il serait faux de dire que la philosophie ne s'est pas relevée du coup qu'il lui aurait porté. Elle est bel et bien restée en Orient, et elle fut si peu ébranlée qu'il y eut des Avicenniens jusqu'à nos jours. Les grands ouvrages de l'école d'Ispahan montrent qu'il ne s'agit

ni d'une « philosophie de compromis », ni moins encore
de « travaux d'épitomistes ». Il s'agit précisément de
cette « philosophie prophétique » esquissée ici au
début, et dont le nouvel essor, dans l'Iran du XVIᵉ siècle,
nous fait comprendre, vu le bilan de la critique ghazâlienne, les raisons pour lesquelles le vrai destin de la
philosophie originale de l'Islam, celle qui ne pouvait éclore qu'en Islam, s'accomplissait en milieu
shî'ite.

Après Ghazâlî, Shahrastânî (547/1153) à son tour,
aussi bien dans son admirable histoire des religions
(*K. al-milal*) que dans un livre encore inédit contre
les philosophes (*Masâri' al-falâsifa*) et dans son traité
de dogmatique (*Nihâyat al-Iqdâm*), renouvellera en
bon *Motakallim* l'attaque contre les philosophes
hellénisants, nommément Avicenne. Il s'attirera une
monumentale réplique du grand philosophe shî'ite
Nasîroddîn Tûsî (ob. 672/1274), prenant la défense
d'Avicenne.

En fait, ce n'est pas le *Tahâfot* qui eut de l'influence,
mais plutôt le grand ouvrage de Ghazâlî « De la restauration (ou revivification) des sciences religieuses »
(*Ihyâ' 'olûm al-Dîn*), ouvrage riche en analyses d'une
profonde intelligence spirituelle, telles les pages sur
l'audition musicale (le *samâ'*). Certains auteurs shî'ites
n'hésitent pas à le citer. Mohsen Fayz, le plus célèbre
élève de Mollâ Sadrâ Shîrâzî, récrira même tout l'ouvrage
en le rendant conforme à l'esprit shî'ite (sous le titre
al-Mahajjat al-baydâ). En fait, ce qui va marquer la
vie spéculative et spirituelle des siècles suivants,
nommément en Iran, ce n'est pas la critique ghazâlienne
des philosophes, mais une autre revivification ou
restauration, celle entreprise par Sohrawardî. Il n'y
aura plus le dilemme : ou bien être un philosophe ou
bien être un soufi. On ne peut être parfaitement l'un
sans être l'autre. Et cela donne un type d'homme

spirituel à qui la philosophie pose une exigence qu'elle n'a peut-être posée nulle part ailleurs. Il nous faut dire quelques mots sur l'enseignement de quelques-uns des plus grands parmi les Soufis, et sur ce que fut la restauration spirituelle voulue par Sohrawardî.

VI. *Le soufisme*

1. *Remarques préliminaires.*

1. L'étymologie généralement retenue fait dériver
le mot *soufi* de l'arabe *sûf* qui veut dire « laine ». Ce
mot ferait allusion à la coutume des soufis de se distinguer en portant des vêtements et un manteau de
laine blanche (la *khirqa*). Le mot ne contiendrait donc
étymologiquement aucune référence à la doctrine
spirituelle qui distingue les soufis en Islam ; l'usage
n'en est pas moins séculaire. Le terme *soufis* désigne
l'ensemble des mystiques et des spirituels qui font
profession de *tasawwof*. Ce mot *tasawwof* est le nom
verbal de la Vᵉ forme dérivée de la racine *swf* ; il signifie
« faire profession de soufisme », et on l'emploie pour
parler du soufisme tout court (comparer les mots
tashayyo', faire profession de shî'isme ; *tasannon*, faire
profession de sunnisme, etc.). Une autre explication,
à première vue plus satisfaisante, considère le mot
comme une transcription du grec *sophos*, sage. Bien
qu'elle n'ait pas rencontré, en général, l'agrément des
Orientalistes, Bîrûnî, au ivᵉ/xᵉ siècle (*supra* IV, 6),
en faisait état (cf. le mot *faylasûf*, transcription du
grec *philosophos*, malgré l'alternance de la lettre *sâd*
et de la lettre *sîn* dans l'un et l'autre mot). Quoi qu'il
en puisse être, on doit tenir compte de l'extrême
habileté des grammairiens arabes en général à découvrir une étymologie sémitique pour un mot d'impor-
tation étrangère.

2. Le soufisme, comme témoin de la religion mystique en Islam, est un phénomène spirituel d'une importance inappréciable. C'est essentiellement la fructification du message spirituel du Prophète, l'effort pour en revivre personnellement les modalités, par une introspection du contenu de la Révélation qorânique. Le *mi'râj*, l' « assomption extatique » au cours de laquelle le Prophète fut initié aux secrets divins, reste le prototype de l'expérience que se sont efforcés d'atteindre, tour à tour, tous les soufis. Le soufisme est une protestation éclatante, un témoignage irrémissible de l'Islam spirituel contre toute tendance à réduire l'Islam à la religion légalitaire et littéraliste. Il a été amené à développer dans le détail la technique d'une ascèse spirituelle dont les degrés, les progrès et les atteintes sollicitent toute une métaphysique désignée sous le nom de *'irfân*. La polarité de la *sharî'at* et de la *haqîqat* est donc essentielle à sa vie et à sa doctrine ; plus complètement dit : la triade formée par la *sharî'at* (donnée littérale de la Révélation), la *tarîqat* (voie mystique), la *haqîqat* (la vérité spirituelle comme réalisation personnelle).

C'est dire, d'une part, toutes les difficultés qu'eut à affronter le soufisme, au cours des siècles, de la part de l'Islam officiel. Mais c'est, d'autre part, se poser la question de savoir si la polarité de la *sharî'at* et de la *haqîqat* à laquelle conduit la *tarîqat* est bien une innovation qui lui est propre, ou bien si elle n'est pas déjà essentielle à un Islam, qui sans porter le nom de soufisme, ne laisse pas moins d'être l'Islam spirituel. Or, les allusions qui seront faites ci-dessous à la doctrine de quelques-uns des grands maîtres du soufisme, nous remettent en présence des positions essentielles du shî'isme et de sa « philosophie prophétique ». Cette constatation fait naître une question d'importance majeure, qui ne peut être bien posée qu'à la condition

d'avoir une connaissance approfondie du monde
spirituel shî'ite, car le « phénomène du soufisme »
n'apparaît pas exactement de la même façon selon
qu'il est vécu en Iran shî'ite ou bien dans l'Islam
sunnite, lequel est de beaucoup le plus familier jusqu'ici
aux Orientalistes.

On ne peut malheureusement pas développer ici
le problème ni moins encore le résoudre, mais on peut
du moins faire certaines constatations pour délimiter
une situation extrêmement complexe. Des thèmes qui
ont été groupés ci-dessus (chap. II) sous l'indice de
la « philosophie prophétique », il pourrait sembler que
le soufisme fasse spontanément éclosion. L'affirmation
serait vraie en ce qui concerne le soufisme shî'ite (tout
l'effort de Haydar Amolî et son influence jusqu'à nos
jours vont en ce sens ; on a également insisté ci-dessus,
II B II 4, sur le phénomène de la *rejonction* de l'Ismaélisme et du soufisme). Mais en fait, et numériquement
à travers les siècles, la très grande majorité des soufis
se trouve dans le monde sunnite. Plus encore, dans le
monde shî'ite, on constate souvent à l'égard du soufisme
une réticence confinant à la réprobation, et cela non
pas seulement de la part des Mollas officiels, représentant la religion légalitaire, mais de la part des spirituels
qui dérivent leur doctrine de l'enseignement des
Imâms et qui, tout en usant du vocabulaire du soufisme
et professant la même métaphysique théosophique,
ne font nullement cependant profession de soufisme
et observent à son égard la plus grande réserve. C'est
ce type même de spiritualité shî'ite, si parfaitement
vivant jusqu'à nos jours, qui nous pose la question
impossible à éluder.

3. Une première précision instructive. Ce sont les
membres d'un groupe de spirituels shî'ites de Koufa,
aux confins des IIe et IIIe siècles de l'hégire, qui
auraient été les premiers à être désignés sous le nom

de soufis ; parmi eux un certain 'Abdak, comme nous
en informe un texte de 'Ayn al-Qozât Hamadânî
(ob. 525/1131) : « Les pèlerins sur la voie de Dieu, aux
époques précédentes et dans les premières générations,
n'étaient pas distingués sous le nom de soufisme (*tasawwof*). *Soufi* est un mot qui ne se répandit qu'au IIIe
(= IXe) siècle, et le premier qui fut désigné par ce
nom à Baghdâd fut 'Abdak le soufi (ob. 210/825. »
Ce fut un grand shaykh, nous est-il dit, antérieur à
Jonayd et à son maître Sarî al-Saqatî (*infra* VI, 2).
Cela n'empêche point que nous connaissions du
VIIIe Imâm, 'Alî Rezâ (ob. 203/810), dont 'Abdak fut
contemporain, des propos sévères à l'égard du soufisme,
et à partir de la fin du IIIe/IXe siècle, il semble que se
perde la trace du soufisme shî'ite jusqu'à l'apparition
de Sa'doddîn Hâmûyeh au VIIe/XIIIe siècle (ob. 650/
1252) et des autres maîtres du soufisme shî'ite (Haydar
Amolî, Shâh Ni'matollâh Walî, etc.) qui se succèdent
jusqu'à la Renaissance safavide.

4. Plusieurs observations doivent alors être proposées. En premier lieu, si l'on s'attache à la notion
de la *walâyat* qui est au cœur du shî'isme, et si l'on
constate l'altération qu'elle subit dans le soufisme
sunnite, par exemple dans l'œuvre d'un maître comme
Hâkim Tirmidhî (*infra* VI, 3), on constate qu'il y aurait
déjà là de quoi s'expliquer la réprobation des Imâms
et des shî'ites à l'égard au moins de groupes soufis
déterminés. La doctrine de la *walâyat*, chez ces derniers, marque en effet le passage au soufisme sunnite
par l'élimination de l'imâmologie, quitte à donner
une imâmologie sans Imâm (égale au paradoxe d'une
christologie sans Christ).

Que la réprobation des Imâms à l'égard de ces
groupes, ait entraîné la disparition pure et simple du
soufisme shî'ite, on ne peut l'affirmer. Car deux faits
subsistent : d'une part, l'existence au grand jour du

soufisme shî'ite, du xIIIe siècle jusqu'à nos jours ; d'autre part, le fait que l'arbre généalogique de la plupart des *tarîqât* ou congrégations soufies, a pour point de départ l'un des Imâms. Ceux qui ont contesté l'authenticité historique de ces généalogies, ne se sont pas aperçus que justement, moins elles sont « histo- riques », plus elles attestent la volonté consciente de se donner une ascendance spirituelle remontant à l'un des Imâms du shî'isme. Il doit bien y avoir une raison à cela. Enfin il y a un aspect qu'il ne faut pas négliger. La disparition momentanée de traces visibles du soufisme shî'ite s'expliquerait déjà suffisamment par l'avènement du pouvoir seljoukide à Baghdâd au début du IVe/Xe siècle (cf. *supra* III 3, A), obligeant chaque shî'ite à observer rigoureusement la *taqîyeh* (la « discipline de l'arcane ») prescrite par les Imâms eux-mêmes. C'est pourquoi nos conclusions doivent être toujours d'une extrême prudence.

5. En second lieu, on vient encore de se référer à ce type caractéristique de spirituel shî'ite (cf. *supra* II, prélim. § 6) qui sans appartenir au soufisme, use de son vocabulaire technique. Ni Sohrawardî, ni Haydar Amolî, ni des philosophes comme Mîr Dâmâd, Sadrâ Shîrâzî et une foule d'autres, n'ont appartenu à une *tarîqat* (on rappelle que ce mot signifie la « voie spi- rituelle » et sert aussi à désigner la matérialisation de cette voie dans une confrérie ou congrégation soufie). Il semble justement que ce soit en premier lieu l'orga- nisation *congrégationnelle* du soufisme qui soit visée par les critiques shî'ites : le *khânqâh* (couvent), le vêtement « monacal », le rôle du shaykh qui tend à se substituer à l'Imâm, nommément à l'Imâm caché, maître et guide intérieur, puisque invisible. Il faut tenir compte de ce que le rapport vécu avec la *sharî'at* dans le shî'isme (surtout lorsqu'il est minoritaire), n'est pas exactement le même que dans le sunnisme.

Le shî'isme est d'ores et déjà par lui-même la voie spirituelle, la *tarîqat*, c'est-à-dire initiation. Bien entendu, une société shî'ite n'est pas une société d'initiés (ce serait contradictoire avec la notion d'initiation). Mais le milieu shî'ite est « virtuellement » initiatique. Par la dévotion aux saints Imâms, le shî'ite est prédisposé à recevoir d'eux cette initiation qui le relie par un lien direct et personnel au monde spirituel dans la « dimension verticale », sans qu'il ait besoin d'entrer formellement dans une *tarîqat* organisée, comme dans le sunnisme.

Pour saisir l'ensemble du phénomène, il importe d'observer toutes les variantes. Il y a, parallèlement aux *tarîqât* ou confréries sunnites, des *tarîqât* soufis shî'ites pourvues d'une organisation extérieure (dans l'Iran actuel, celle des Shâh-Ni'matollahis aux multiples ramifications, celle des Zahabis, etc.). Mais il est également nécessaire de parler de multiples *tarîqât* n'ayant, dans le shî'isme, aucune organisation extérieure, ni même de dénomination. Leur existence est purement spirituelle, en ce sens qu'il s'agit d'une initiation personnelle conférée par un shaykh, dont le nom est parfois conservé, quand il s'agit de telle ou telle personnalité, mais le plus souvent il n'en reste aucune trace écrite. Il y a enfin le cas des *Owaysis*, dont la désignation dérive du nom du yéménite Oways al-Qaranî, un des tout premiers shî'ites, qui connut le Prophète et fut connu de lui, sans qu'ils se fussent jamais rencontrés. On nomme ainsi ceux qui n'ont pas eu de maître humain, extérieur et visible, mais ont tout reçu d'un guide spirituel personnel. C'est là précisément le sens de la dévotion aux Imâms et ce à quoi elle prédispose. Certains *Owaysis* sont connus nommément ; il y en eut dans le sunnisme ; ils sont innombrables dans le shî'isme.

6. Ces observations faites, on doit convenir qu'une

histoire du soufisme en Islam, dans son lien avec les autres manifestations spirituelles analysées dans la présente étude, offre une tâche d'une complexité redoutable. Il est possible, certes, de distinguer de grandes périodes. Les pieux ascètes de Mésopotamie qui prirent le nom de soufis nous conduisent à ce que l'on a appelé l'école de Baghdâd ; parallèlement il y a l'école du Khorassan. La doctrine des quelques maîtres évoqués ci-dessous annonce déjà ce qui pourra être désigné plus tard comme la « métaphysique du soufisme ». Mais précisément les grands thèmes qui seront signalés, ne feront que nous référer à ceux que nous avons appris à connaître dans le shî'isme : la polarité de la *sharî'at* et de la *haqîqat*, du *zâhir* et du *bâtin*, l'idée du cycle de la *walâyat* succédant, dans la hiérohistoire, au cycle de la prophétie. L'idée du *Qotb* (le *pôle* mystique) dans le soufisme sunnite n'est rien d'autre qu'un transfert de l'idée shî'ite de l'Imâm, et la hiérarchie mystique ésotérique dont le *pôle* est le sommet, continue en tout cas de présupposer l'idée de l'Imâm. Autant de faits qui rendront la question posée ici plus urgente encore, lorsque la 2e partie de cette étude abordera les périodes ultérieures du shî'isme, avant tout la doctrine et l'influence de l'école d'Ibn 'Arabî (ob. 1240).

Malheureusement la place strictement limitée ici ne nous permet pas de discuter les aspects envisagés par certaines explications générales du soufisme : influence du néoplatonisme, de la gnose, de la mystique indienne, etc. Nous ne pourrons même mentionner que quelques très grandes figures du soufisme. Il y aura donc beaucoup d'absents, c'est-à-dire beaucoup de maîtres du soufisme qui ne pourront être caractérisés ici, à commencer par Khwâjeh 'Abdollah Ansârî de Hérat (396/1006-481/1088) dont le 900e anniversaire de la mort était récemment célébré à Kaboul (été 1381/1962).

2. *Abû Yazîd Bastâmî.*

1. Abû Yazîd Tayfûr ibn 'Isâ ibn Sorûshân Bastâmî
avait une ascendance mazdéenne encore toute proche,
puisque son grand-père, Sorûshân, était un zoroastrien
converti à l'Islam. Abû Yazîd passera la plus grande
partie de sa vie dans sa ville natale, Bastâm (non Bistâm)
dans le nord-est de l'Iran, où il mourut aux environs
de 234 ou 261/874. Il est à juste titre considéré comme
l'un des plus grands mystiques que l'Islam ait produits
au long des siècles. Son enseignement, qui était l'expression directe de sa vie intérieure, lui valut les témoignages admiratifs des personnalités les plus diverses,
sans même qu'il ait assumé l'activité ni la responsabilité d'un directeur de conscience ou d'un prédicateur
en public. Il n'a même laissé aucun écrit. L'essentiel
de son expérience spirituelle nous a été transmis sous
forme de récits, de maximes et de paradoxes que recueillirent ses disciples directs ou quelques-uns de ses visiteurs ; leur ensemble est d'une portée métaphysique
et spirituelle inappréciable. Ces maximes sont connues
dans l'histoire spirituelle de l'Islam, sous le nom technique de *shatahât.* Ce dernier terme est difficile à traduire ; il implique l'idée d'un choc qui renverse ; nous
traduirons par « paradoxes », « outrances », « propos
extatiques ».

2. Parmi les disciples directs d'Abû Yazîd Bastâmî,
il faut mentionner principalement son neveu Abû
Mûsâ 'Isâ ibn Adam (fils de son frère aîné), par l'intermédiaire duquel Jonayd, le célèbre maître de Baghdâd,
prit connaissance des propos d'Abû Yazîd, les traduisit
en arabe en les accompagnant d'un commentaire qui
a été conservé en partie (dans le *Kitâb al-Loma'* de
Sarrâj). Parmi ses visiteurs, on peut citer Abû Mûsâ
Dabîlî (de Dabîl en Arménie), Abû Ishaq Ibn Harawî

(disciple d'Ibn Adham), le célèbre soufi iranien Ahmad
ibn Khezrâyeh, qui rendit visite à Abû Yazîd pendant
le pèlerinage de ce dernier à La Mekke. La source la plus
complète et la plus importante sur la vie et les propos
d'Abû Yazîd reste cependant le « Livre de la lumière
sur les propos d'Abû Yazîd Tayfûr » (*Kitâb al-Nûr
fî kalimât A. Y. T.*), œuvre de Moham. Sahlajî (ob.
476/1084 ; éd. A. Badawî, Le Caire, 1949). Il faut ajouter
le recueil de sentences insérées par Rûzbehân Baqlî
Shîrâzî et accompagnées d'un commentaire très personnel, dans la grande Somme qu'il consacre aux
shatahât des soufis en général (l'édition du texte persan
est en cours).

3. Un aspect essentiel de la doctrine de ce grand soufi
iranien, telle qu'elle apparaît dans ses récits et maximes,
c'est une conscience approfondie de la triple condition
de l'être sous la forme de Moi (*anâ'îya*), la forme de
Toi (*antîya*), la forme de Lui (*howîya*, l'ipséité, le Soi).
Dans cette gradation de la conscience de l'être, le divin
et l'humain s'unifient et se réciproquent dans un acte
transcendant d'adoration et d'amour. Il y a des traits
fulgurants dans la manière dont Abû Yazîd décrit les
étapes parcourues jusqu'au sommet de la réalisation
spirituelle. Nous ne pourrons citer ici qu'un seul texte
à titre d'exemple.

« Je contemplai mon Seigneur avec l'œil de la Certitude après qu'Il m'eut détourné de tout ce qui est autre
que Lui, et illuminé de Sa lumière. Il me fit alors
connaître les merveilles de son secret, me révélant son
ipséité (son Soi). Je contemplai mon moi par Sa propre
ipséité. Ma lumière pâlit sous Sa lumière, ma force
s'évanouit sous Sa force, ma puissance sous Sa puissance.
Ainsi je voyais mon moi à travers son Soi. La grandeur
que je m'attribuai était en réalité Sa grandeur ; ma progression était Sa progression.

» Je le contemplai dès lors avec l'œil du Vrai (*'ayn*

al-haqq) et je lui dis : Quel est-il ? Il me répondit : Ni
moi ni autre que moi... Quand enfin je contemplai le Vrai
par le Vrai, je vécus le Vrai par le Vrai et je subsistai
dans le Vrai par le Vrai en un présent éternel, sans
souffle, sans parole, sans ouïe, sans science, jusqu'à ce
que Dieu m'eût communiqué une science jaillie de Sa
science, un langage issu de Sa grâce, un regard modelé
sur Sa lumière. »

3. *Jonayd.*

1. D'origine iranienne, né à Nehâvand, Jonayd (Abû'l-
Qâsim ibn Moh. ibn al-Jonayd al-Khazzâz) résida toute
sa vie en Irâq, plus précisément à Baghdâd, où il mourut
en l'an 297/909. Dans cette ville il reçut l'enseignement
traditionnel de l'un des plus grands savants de l'époque,
Abû Thawr al-Kalbî, et fut initié à la mystique par
son oncle, Sarî al-Saqâtî, et par quelques autres maîtres
du soufisme, tels qu'al-Hârith al-Mohâsibî, Moh.
ibn 'Alî al-Qassâb, etc. De son vivant comme après sa
mort, son influence marqua profondément le soufisme.
Sa personnalité, ses prédications et ses écrits le mettent
au premier rang du soufisme que l'on désigne comme
« l'école de Baghdâd ». Aussi bien est-il désigné sous le
surnom de *Shaykh al-'Tâ'ifa* (le maître du groupe des
soufis).

Une quinzaine de traités de Jonayd ont survécu,
dont une partie est constituée par la correspondance
qu'il échangea avec quelques grands soufis parmi ses
contemporains. On y trouve des analyses et des préci-
sions portant sur certains thèmes de la vie spirituelle,
sur les notions de *sidq* (véracité), *ikhlâs* (sincérité),
'ibâda (l'adoration divine en vérité). Les traités proprement dits développent l'un ou l'autre des sujets
classiques en spiritualité islamique, par exemple le
« Traité de l'Unité divine » (*K. al-Tawhîd*), du double

point de vue de la théologie et de la mystique ; le
« Livre de l'absorption mystique » (*K. al-fanâ'*) où
l'auteur étudie les conditions qui mènent à l'état de
surexistence (*baqâ'*) ; les « Règles de conduite pour celui
qui ne peut se passer de Dieu » (*Adâb al-moftaqir ilâ
Allâh*) ; la « Médecine des esprits » (*Dawâ al-arwâh*),
etc.

2. Quant à l'enseignement de ce grand maître, deux
points sont à relever ici, à l'appui des observations proposées déjà ci-dessus (VI, 1). En premier lieu, nous
relevons que la spiritualité de Jonayd est conditionnée
par la polarité de la *sharî'at* (la lettre de la Loi divine,
changeant de prophète en prophète) et de la *haqîqat*
(la vérité spirituelle permanente). Or, nous savons par
ailleurs que c'est cela même qui, dès l'origine, a constitué le phénomène religieux du shî'isme et reste le
postulat de son imâmologie. Jonayd s'oppose à l'extré-
misme de certains soufis qui, de la suprématie ontologique de la *haqîqat* sur la *sharî'at*, concluent à l'inutilité
et à l'abrogation de celle-ci, dès que l'accès à la *haqîqat*
a permis de la dépasser. Or, nous savons par ailleurs
que c'est sur ce point même que se produit la divergence
entre le shî'isme duodécimain et l'Ismaélisme. Il y
aurait donc intérêt à « repenser » les données de la
situation spirituelle en les prenant dans leur totalité ;
la situation ne s'est pas posée uniquement *avec* le soufisme, et elle ne s'explique pas uniquement *par* le
soufisme.

Un second point essentiel de la doctrine de Jonayd se
révèle dans la doctrine du *tawhîd*, comme fondement
de l'expérience d'union mystique. Il n'est pas douteux
que Jonayd ait embrassé toute l'ampleur du problème
auquel il a consacré un ouvrage entier. Pour lui, le
tawhîd ne consiste pas seulement à démontrer l'Unité
de l'Être divin au moyen d'arguments rationnels comme
le font les théologiens du *Kalâm*, mais plutôt à vivre

l'Unité transcendante de Dieu lui-même. Si cette exigence caractérise bien une spiritualité authentique, elle nous rappelle aussi que déjà le VIe Imâm enseignait à ses familiers comment il méditait le texte du Qorân jusqu'à l'entendre tel que l'avait entendu, de celui qui le lui révélait, celui à qui il avait été révélé.

4. *Hâkim Tirmidhî.*

1. Hâkim Tirmidhî, ou *Termezî* selon la prononciation persane (Abû 'Abdillah Moh. ibn 'Alî al-Hasan ou al-Hosayn) vécut dans le courant du IIIe/IXe siècle. On ne connaît ni les dates exactes de sa naissance et de sa mort, ni même les grandes lignes de la biographie extérieure de cet Iranien de Bactriane. Tout ce que l'on sait de lui se réduit en gros au nom de certains de ses maîtres et au récit de son exil de Termez, sa ville natale. On sait aussi que c'est à Nîshâpour qu'il continua ses études. En revanche, Tirmidhî nous a laissé quelques informations précieuses concernant sa biographie intérieure et son évolution spirituelle (autobiographie découverte récemment par Hellmut Ritter). Il est, en outre, l'auteur de nombreux traités conservés en grande partie (cf. *in fine* bibliographie).

2. La doctrine spirituelle de Tirmidhî est fondée essentiellement sur la notion de ꞷalâyat (amitié divine, intimité avec Dieu, initiation spirituelle). C'est pourquoi les questions annoncées dans nos préliminaires (*supra* VI, 1), se font ici urgentes. Car, cette notion de la ꞷalâyat, nous savons déjà qu'elle est le fondement même du shî'isme (*supra* II, A), et que le mot, le concept et la chose se trouvent en premier lieu dans les textes rapportant l'enseignement des Imâms. Il semble donc que l'œuvre de Tirmidhî soit, par excellence, celle, ou l'une

de celles, où il reste à étudier par quel processus a été amené à éclore le paradoxe d'une *walâyat* privée de l'imâmologie qui en est le fondement. On se bornera ici à deux constatations.

La première, c'est que Tirmidhî distingue bien deux sortes de *walâyat* : une *walâyat* générale ou commune (*w. 'âmma*) et une *walâyat* particulière (*w. khâssa*). Il étend la notion de la première à l'ensemble des *Moslimîn* : l'énonciation de la *shahâdat* (la profession de foi islamique) suffit à créer le lien de la *walâyat* qui devient ainsi le lien avec Dieu, commun à tout fidèle acceptant le Message prophétique. Quant à la *walâyat* particulière, elle est le fait d'une élite spirituelle, des intimes de Dieu, qui s'entretiennent et communiquent avec Lui, parce qu'ils sont avec Lui en état d'union effective et transcendante. Or, l'on doit se rappeler que la notion de la double *walâyat* est en premier lieu postulée et établie par la doctrine shî'ite. Parce que l'on n'a malheureusement pas la place d'esquisser ici une comparaison, l'on doit référer au contexte originellement shî'ite de cette double notion (*supra* II A, 3 ss.). On ne peut alors que constater qu'il se produit dans le soufisme de Tirmidhî une altération radicale de la structure, quelque chose comme une « laïcisation » du concept de « *walâyat* générale ».

La seconde constatation porte sur les rapports de la *walâyat* et de la prophétie (*nobowwat*) dans la doctrine de Tirmidhî. La *walâyat* englobe, selon lui, avec la totalité des croyants indistinctement, l'ensemble des prophètes, parce que la *walâyat* est la source de leur inspiration et le fondement de leur mission prophétique. Il professe que la *walâyat* est en soi supérieure à la prophétie, parce qu'elle est permanente, non point liée à un moment du temps comme la mission prophétique. Tandis que le cycle de la prophétie s'achève historiquement avec la venue du dernier Prophète, le cycle de

la *walâyat* permane jusqu'à la fin des temps par la
présence des *Awliyâ*.

Or, ce schéma, si intéressant soit-il, n'apprend rien
de nouveau à quiconque est familier avec la prophétologie shî'ite, sinon qu'une structure peut se trouver
déséquilibrée sans que l'on s'en aperçoive, si l'on n'a
pas d'autre information. Nous avons vu (*supra* chap. II)
comment l'idée du cycle de la *walâyat* succédant au cycle
de la prophétie était le postulat même du shî'isme et
de sa philosophie prophétique, et comment elle présup-
posait un double aspect, une double « dimension » de
la « Réalité prophétique éternelle », ayant pour corollaire l'interdépendance de la prophétologie et de l'imâmologie. Les deux constatations faites ici sont solidaires,
puisque ce que l'on constate, sur un point comme sur
l'autre, c'est une opération aboutissant à garder l'idée
de la *walâyat*, tout en éliminant l'imâmologie qui en était
la source et le fondement. Un grave problème se trouve
posé, qui affecte l'histoire de la spiritualité islamique
dans son ensemble, problème qui d'ailleurs n'en est
pas un pour les auteurs shî'ites.

5. *Al-Hallâj*.

1. Hallâj est certainement l'une des plus éminentes
personnalités représentatives du soufisme. Son nom et
sa réputation ont franchi le cercle restreint de l'élite
spirituelle musulmane, si retentissante fut la tragédie
de son emprisonnement et de son procès à Baghdâd,
suivis de son martyre en témoin de l'Islam mystique.
La littérature le concernant, dans toutes les langues de
l'Islam, est considérable. Sa célébrité s'est maintenant
répandue en Occident, grâce aux travaux de L. Massignon
qui se fit son éditeur et son interprète. Nous référons
donc à ces travaux, pour nous limiter ici, et pour le

moment, à l'esquisse d'une biographie qui est déjà tout
un enseignement.

2. Abû 'Abdillah al-Hosayn ibn Mansûr al-Hallâj,
petit-fils, lui aussi, d'un zoroastrien, naquit à Tûr,
dans la province du Fârs (sud-ouest de l'Iran) à proximité du bourg de Beïza, en 244/857. Tout jeune encore,
il reçut l'enseignement du célèbre soufi Sahl al-Tostarî,
qu'il accompagna ensuite dans son exil à Basra. En
262/976, Hallâj part pour Baghdâd où il devient l'élève
de 'Amr ibn Othmân al-Makkî, l'un des grands maîtres
spirituels de l'époque. Il reste auprès de lui pendant
environ dix-huit mois, au cours desquels il épouse la
fille de l'un de ses disciples. En 264/977, Hallâj fait la
connaissance de Jonayd (*supra* VI, 3) et pratique sous
sa direction les exercices de la vie spirituelle. Jonayd
le revêtira de sa propre main de la *khirqa* (le manteau
de soufi). Mais en 282/896, au retour de son premier
pèlerinage à la Mekke, Hallâj rompt ses relations avec
Jonayd et la plupart des maîtres soufis de Baghdâd.
Puis il se rend à Tostar (sud-ouest de l'Iran) où il restera pendant quatre ans. Cette période est marquée
par un désaccord croissant avec les traditionnalistes
et les juristes.

Les rapports deviennent tellement tendus qu'environ quatre ans plus tard, Hallâj rejette le vêtement
de soufi pour se mêler au peuple et lui prêcher la vie
spirituelle. On dit qu'il entretenait de bons rapports
avec le célèbre médecin-philosophe Rhazès (Râzî,
supra IV, 4) ,avec le réformateur « socialiste » Abû Sa'îd
Jannâbi, voire avec certaines autorités officielles telles
que le prince Hasan ibn 'Ali al-Tawdî. Hallâj parcourt
les provinces iraniennes, du Khouzestan (sud-ouest)
au Khorassan (nord-est) ; il pratique la vie spirituelle
sans tenir compte des conventions établies, exhortant
sans cesse le peuple à mener une vie intérieure. Au bout
de cinq ans, en 291/905, Hallâj accomplit son deuxième

pèlerinage à La Mekke, puis se rend dans des régions lointaines : dans l'Inde, au Turkestan, voire aux frontières de la Chine. Il sut gagner la sympathie de tous. On le dénommait l' « intercesseur », et beaucoup se convertirent à l'Islam grâce à son rayonnement.

3. En 294/908, Hallâj va pour la troisième fois à la Mekke. Il y reste deux ans, puis revient s'installer définitivement à Baghdâd pour se consacrer à la prédication publique ; il choisit toujours des thèmes d'une grande portée spirituelle et métaphysique. Il expose sa doctrine. Il affirme que le but final, non seulement pour le soufi mais pour tous les êtres, est l'union avec Dieu, union qui se réalise par l'Amour, lequel exige une action divine transformante, portant un être à sa condition suprême. Ces sublimes pensées ne tardent pas à susciter autour de lui des oppositions diverses. Il y a l'opposition des docteurs de la Loi, il y a l'opposition des politiciens, il y a la réserve de certains soufis.

Les canonistes lui reprochent sa doctrine de l'union mystique qui, disent-ils, en confondant le divin et l'humain, aboutit à une sorte de panthéisme. Les politiciens l'accusent de semer le trouble dans les esprits et le traitent d'agitateur. Quant aux soufis, ils gardent la réserve sur son cas, parce qu'ils considèrent que Hallâj commet une imprudence en divulguant publiquement les secrets divins à des gens qui ne sont préparés ni à les recevoir ni à les comprendre. Tel est aussi le jugement des shî'ites, dès ésotéristes en général, à son égard : Hallâj a commis la faute de rompre publiquement la « discipline de l'arcane ». Finalement, juristes et politiciens intriguèrent pour obtenir contre lui une *fatwâ* (sentence) ; ils l'obtinrent du grand juriste de Baghdâd, Îbn Dâwûd Ispahânî, prononçant que la doctrine de Hallâj était fausse, mettait en péril le dogme de l'Islam et rendait légitime sa condamnation à mort.

4. Deux fois arrêté par la police abbasside, Hallâj

fut emprisonné en 301/915 et traduit devant le vizir
Ibn 'Isâ. Celui-ci, homme pieux et libéral, s'opposa à
son exécution. Ce ne fut qu'un répit. Hallâj fut gardé
en prison pendant huit ans et sept mois. Les choses se
précipitèrent avec l'arrivée au pouvoir d'un nouveau
vizir, Hâmid, adversaire acharné de Hallâj et de ses
disciples. Les ennemis de ceux-ci revinrent à la charge
et réclamèrent une nouvelle *fatwâ* de condamnation
du Qâdî Abû 'Omar ibn Yûsof qui accéda à leur demande.
Cette fois la sentence fut exécutée, et Hallâj fut mis à
mort le 24 Dhû'l-Qa'da 309/27 mars 922.

6. *Ahmad Ghazâlî et le « pur amour ».*

1. La première sentence rendue contre Hallâj a fait
apparaître ci-dessus le nom du juriste Ibn Dâwûd Ispahânî, et dans cette circonstance se montre la tragédie
profonde des âmes. Car Ibn Dâwûd Ispahânî, d'ascendance iranienne comme son nom l'indique (il est mort
en 297/909, à l'âge de 42 ans) est par ailleurs l'auteur
d'un livre qui est à la fois le chef-d'œuvre et la somme
de la théorie platonicienne de l'amour en langue arabe
(le *Kitâb al-Zohra*, le « Livre de Vénus », titre qu'on
lit aussi *Kitâb al-Zahra*, le « Livre de la Fleur »). C'est
une ample rhapsodie mêlée de vers et de prose qui célèbre l'idéal d'amour platonique typifié dans l'amour
'odhrite. En fait, le destin de son auteur fut conforme
au destin célébré par les poètes d'une tribu idéale de
l'Arabie du Sud, aux confins du Yémen, le peuple légendaire des Banû 'Odhra (les « virginalistes »), peuple
choisi et chaste par excellence, chez lequel « on mourait
quand on aimait ». Au cours de sa longue rhapsodie,
l'auteur résume le mythe platonicien du *Banquet*, pour
conclure : « L'on rapporte aussi de Platon qu'il a dit :
Je ne comprends pas ce qu'est l'amour, mais je sais que

c'est une folie divine (*jonûn ilâhî*) qui n'est ni à louer
ni à blâmer ».

Hallâj lui aussi prêchait la doctrine de l'amour. Pourtant Ibn Dâwûd l'a condamné. Pour comprendre la
tragédie, il faut méditer toute une situation d'ensemble
qui se précise chez les mystiques post-hallâjiens, nommément chez Ahmad Ghazâlî et chez Rûzbehân Baqlî
de Shîrâz (ob. 606/1209), lequel fut à la fois un « platonicien » et l'interprète, l'amplificateur plutôt, de Hallâj.
On peut alors parler d'une ambivalence ou d'une ambi-
guïté de ce platonisme en Islam, de sa double situation
possible à l'égard de la religion prophétique, parce qu'il
y a une double manière de le comprendre et de le vivre.
Ce que l'on peut appeler le « théophanisme » d'un Rûzbehân est une herméneutique du sens prophétique de
la Beauté, un *ta'wîl* opérant ici encore la conjonction
du *zâhîr* (l'apparent) et du *bâtin* (le sens caché). Pour
Ibn Dâwûd (qui est un *zâhirî*, un exotériste), ce sens
caché reste clos. Pour Rûzbehân, le sens caché de la
Forme humaine, c'est la théophanie primordiale : Dieu
se révélant à soi-même dans la Forme adamique, l'Anthropos céleste évoqué dans la prééternité, et qui *est*
sa propre Image. C'est pourquoi Rûzbehân goûtait
particulièrement les célèbres vers de Hallâj : « Gloire
à Celui qui manifesta son humanité comme mystère de
gloire de sa divinité radieuse », et fondait sur ce mystère
même le lien de l'amour humain et de l'amour divin.
Ibn Dâwûd ne pouvait l'admettre, et devait prendre
parti contre Hallâj.

On ne peut reproduire ici les dernières paroles d'Ibn
Dâwûd ni les lignes finales du « Jasmin des Fidèles
d'amour » de Rûzbehân (cf. la 2e partie de la présente
étude), mais on peut dire que les unes et les autres typi-
fient parfaitement l'attitude et le destin respectifs de
ces deux « platoniciens » de l'Islam, au cœur de la religion prophétique. Ce que redoutaient le platonicien

Ibn Dâwûd aussi bien que les théologiens (néo-hanbalites et autres), c'est le *tashbîh*, une assimilation de Dieu à l'homme qui compromette radicalement la transcendance du monothéisme abstrait, c'est-à-dire la conception purement exotérique du *Tawhîd*. Aussi bien, certains soufis ont-ils eux-mêmes refusé toute possibilité de rapporter l'*eros* à Dieu. D'autres ont considéré l'amant *'odhrite* comme un modèle proposé à l'amant mystique dont l'amour s'adresse à Dieu. Dans ce cas, il y a un transfert de l'amour : tout se passe comme si l'on passait d'un *objet* humain à un *objet* divin. Pour le « platonicien » Rûzbehân, ce pieux transfert est lui-même un piège. Il n'est possible de passer entre les deux gouffres du *tashbîh* et du *ta'tîl* (abstractionnisme) que par la voie de l'amour humain. L'amour divin n'est pas le transfert de l'amour à un *objet* divin ; mais métamorphose du *sujet* de l'amour humain. La perception théophanique a conduit Rûzbehân à une prophétologie de la Beauté.

Ce qu'il faudrait évoquer ici donc, c'est la lignée de ces « Fidèles d'amour » qui trouvent en Rûzbehân leur modèle accompli. La tri-unité amour-amant-aimé devient le secret du *Tawhîd* ésotérique. La tragédie d'un Ibn Dâwûd Ispahânî fut d'avoir été dans l'impossibilité de pressentir ce secret, et de vivre cette tri-union. Ahmad Ghazâlî et Farîd 'Attâr sauront que si l'amant se contemple dans l'Aimé, réciproquement l'Aimé ne peut se contempler soi-même et sa propre beauté que dans le regard de l'amant qui le contemple. Dans la doctrine du pur amour d'Ahmad Ghazâlî, l'amant et l'aimé se transsubstantient dans l'unité de la pure substance de l'amour.

2. Ahmad Ghazâlî (ob. 520/1126 à Qazwîn, Iran) était le frère du grand théologien Abû Hâmid Ghazâlî (ci-dessus V, 7) sur lequel il réussit peut-être à exercer quelque influence, mais « ne réussit pas à lui communiquer cette passion de l'amour pur, du désir sans conso-

lation qui brûle en ses ouvrages » (L. Massignon). Un
petit livre, véritable bréviaire d'amour rédigé en un
persan concis et difficile, qu'Ahmad Ghazâlî a intitulé
« Les Intuitions des Fidèles d'amour » (*Sawânih al-
'oshshâq*), a exercé une influence considérable. Composition rhapsodique, succession de brefs chapitres n'ayant
entre eux qu'un lien assez lâche, le livre met en œuvre
une psychologie extrêmement subtile. Comme l'a écrit
Hellmut Ritter, à qui l'on doit l'édition du précieux
texte, « on trouverait difficilement un ouvrage où l'analyse psychologique atteigne une telle intensité. » Nous
traduirons ici deux courts passages.

« Lorsque l'amour existe réellement, l'amant devient
la nourriture de l'Aimé ; ce n'est pas l'Aimé qui est
la nourriture de l'amant, car l'Aimé ne peut être contenu dans la capacité de l'amant (...) Le papillon qui
est devenu l'amant de la flamme, a pour nourriture,
tant qu'il est encore à distance, la lumière de cette
aurore. C'est le signe avant-coureur de l'illumination
matutinale qui l'appelle et qui l'accueille. Mais il lui
faut continuer de voler jusqu'à ce qu'il la rejoigne. Lorsqu'il y est arrivé, ce n'est plus à lui de progresser *vers*
la flamme, c'est la flamme qui progresse *en* lui. Ce n'est
pas la flamme qui lui est une nourriture, c'est lui qui
est la nourriture de la flamme. Et c'est là un grand mystère. Un instant fugitif il devient son propre Aimé
(puisqu'il *est* la flamme). Et sa perfection, c'est cela. »
(chap. 39).

« Haut est le dessein de l'amour, car il exige pour l'Aimé
une qualification sublime. Cela exclut que l'Aimé puisse
être capté dans le filet de l'union. C'est à cette occasion
sans doute que lorsqu'il fut dit à Iblîs (Satan) : Sur toi
ma malédiction ! (38/78), il répondit : J'en atteste ta
Gloire ! (38/83). Ce qui veut dire : ce que j'aime en Toi,
c'est cette majesté si haute que personne ne s'élève jusqu'à Toi, et que personne n'est digne de Toi. Car si

quelqu'un ou quelque chose pouvait être digne de Toi,
c'est qu'il y aurait une imperfection dans ta Gloire. »
(chap. 64). Ainsi prend naissance le célèbre thème
d' « Iblîs damné par amour ».

3. Du nom d'Ahmad Ghazâlî ne peut être séparé
celui de son disciple préféré, 'Ayn al-Qozât Hamadânî,
qui mourut exécuté à l'âge de trente-trois ans (525/1131);
son tragique destin est à l'exemple de celui de Hallâj,
et préfigure celui de Sohrawardî, shaykh al-Ishrâq
(*infra* VII). 'Ayn al-Qozât était à la fois juriste et mystique, philosophe et mathématicien. Un de ses traités
(*Tamhîdât*), particulièrement riche d'enseignements
sur le thème de l'amour mystique et développant la
doctrine d'Ahmad Ghazâlî, a été encore longuement
commenté par un soufi de l'Inde au XVe siècle, Sayyed
Mohammad Hosaynî Gîsûdarâz. « La souveraineté de
la Gloire divine a resplendi. Alors le calame a subsisté,
mais l'écrivain a disparu. » « Dieu est trop transcendant
pour que le connaissent les prophètes, *a fortiori* les autres.»

4. On ne peut omettre de mentionner ici Majdûd ibn
Adam Sanâ'î (ob. vers 545/1150), fondateur du poème
didactique soufi en persan. Son œuvre la plus intéressante, un long poème intitulé « La marche des hommes
vers leur Retour » (*Sayr al-'ibâd ilâ'l-Ma'âd*), décrit
sous la forme d'un récit à la première personne une péré-
grination à travers le cosmos des néoplatoniciens de
l'Islam. Ce voyage mystique s'effectue sous la conduite
de l'Intelligence en personne (celle que les *Fedeli d'amore*,
autour de Dante, appelleront *Madonna Intelligenza*).
Ce fut aussi le thème du « Récit de Hayy ibn Yaqzân »
d'Avicenne, des Récits mystiques en prose de Sohrawardî, et de toute la littérature développant le thème
du *Mi'râj*. Là même est déjà indiquée la structure qui
s'amplifiera dans les vastes épopées mystiques orches-
trées en persan par Farîdoddîn 'Attâr, 'Assâr de Ta-
brîz, Jâmî, et d'autres moins connus.

5. Ces notices très sommaires permettent d'entrevoir ce que l'on peut appeler la « métaphysique du soufisme ». Rûzbehân de Shîrâz nous achemine vers le sommet que représente son contemporain plus jeune, Mohyiddîn Ibn 'Arabî, dont la Somme de théosophie mystique reste un monument difficilement comparable. Nous avons laissé derrière nous les philosophes hellénisants. Leur route recroiserait-elle celle de la métaphysique du soufisme ? Ou bien les buts étaient-ils divergents au point de justifier certains sarcasmes des soufis visant l'impuissance des philosophes à « se mettre en route » ? On peut répondre que l'œuvre de Sohrawardî et, avec elle, la naissance de l'école *ishrâqî* répondirent à l'exigence profonde d'une culture où l'histoire de la philosophie reste inséparable de l'histoire de la spiritualité.

VII. *Sohrawardî*
et la philosophie de la lumière

1. *La restauration de la sagesse de l'ancienne Perse.*

1. Nos études récentes nous mettent à même d'apprécier maintenant à sa juste mesure l'importance de l'œuvre de Shihâboddîn Yahyâ Sohrawardî, désigné couramment comme *shaykh al-Ishrâq*. Elle se situe, dans une topographie idéale, à la croisée des chemins. Sohrawardî quitta ce monde sept ans tout juste avant Averroës. Au même moment donc, en Islam occidental d'une part, le « péripatétisme arabe » trouve son ultime expression dans l'œuvre d'Averroës, à tel point que par une fâcheuse confusion entre le péripatétisme d'Averroës et la philosophie tout court, les historiens occidentaux ont trop longtemps considéré qu'avec Averroës s'achevait le destin de la philosophie en Islam. Mais d'autre part en Orient, nommément en Iran, l'œuvre de Sohrawardî éclaire la route nouvelle sur laquelle tant de penseurs et de spirituels s'engageront jusqu'à nos jours. On a suggéré précédemment que les raisons qui amenèrent l'échec et la disparition de l' « avicennisme latin » sont celles-là mêmes qui en revanche, motivèrent la persistance de l'avicennisme en Iran, mais de l'horizon de cet avicennisme l'œuvre de Sohrawardî, à un titre ou à un autre, ne sera jamais absente.

2. La figure de Sohrawardî (qu'il ne faut pas confondre avec ses homonymes soufis, 'Omar et Abû'l-Najîb Sohrawardî) reste parée pour nous des séductions

de la jeunesse, puisque son tragique destin l'arracha à
la fleur de l'âge à ses vastes projets : il avait 36 ans
(38 années lunaires). Il était né en 549/1155 au nord-
ouest de l'Iran, dans l'ancienne Médie, à Sohraward,
ville encore florissante au moment de la tourmente mongole. Tout jeune il étudia d'abord à Merâgheh, en Azer-
baïdjan, puis il vint à Ispahan, au centre de l'Iran, où
il dut retrouver bien vivante la tradition avicennienne.
Il passa ensuite quelques années dans le sud-est de
l'Anatolie, où il reçut le meilleur accueil chez plusieurs
princes seljoukides de Roum. Finalement il se rendit
en Syrie, d'où il ne devait pas revenir. Les docteurs de
la Loi lui intentèrent un procès dont le sens apparaîtra
au terme de cette notice. Rien ne put le sauver de la
vindicte du fanatique personnage que fut Salâhaddîn,
le Saladin des Croisés, pas même l'amitié du fils de celui-
ci, al-Mâlik al-Zahîr, gouverneur d'Alep, qui devint
plus tard l'ami intime d'Ibn 'Arabî. Notre jeune shaykh
mourut de façon mystérieuse dans la citadelle d'Alep,
le 29 juillet 1191. Les biographes le désignent couramment comme le shaykh *maqtûl* (assassiné, mis à mort).
Ses disciples préfèrent dire *Shaykh shahîd*, le shaykh
martyr.

3. Pour saisir d'emblée l'intention de son œuvre, il
faut être attentif au leitmotiv énoncé dans l'intitulation de son livre principal : *Hikmat al-Ishrâq*, une
« théosophie orientale » qui sera poursuivie délibéré-
ment comme une résurrection de la sagesse de l'ancienne
Perse. Les grandes figures qui dominent la doctrine
sont celles d'Hermès, de Platon et de Zoroastre-Zara-
thoustra. D'une part donc, il y a la sagesse hermétiste
(déjà Ibn Wahshîya faisait état d'une tradition nom-
mant les *Ishrâqîyûn* comme une classe sacerdotale
s'originant à la sœur d'Hermès). D'autre part, la conjonction entre Platon et Zoroastre qui, en Occident,
s'établira, à l'aube de la Renaissance, chez le philo-

sophe byzantin Gémiste Pléthon, est ainsi déjà le fait
caractéristique de la philosophie iranienne au XIIe siècle.

Maintenant, ce sont les notions d' « Orient » et de
« théosophie orientale » dont il faut marquer la teneur
proprement sohrawardienne. On a évoqué précédemment le projet d'une « sagesse » ou d'une « philosophie
orientale » chez Avicenne. Sohrawardî est parfaitement
conscient de son rapport avec son devancier sur ce point.
Il a connu les « cahiers » passant pour conserver ce qui
aurait été la « Logique des Orientaux », et il a connu
les fragments du *Kitâb al-Insâf* qui avaient survécu
(cf. *supra* V, 4). Il y a plus. La notion de l'Orient, telle
qu'elle apparaît dans le Récit avicennien de Hayy
ibn Yaqzân, est aussi la sienne. Il le sait si bien qu'en
poursuivant, à l'exemple d'Avicenne, la rédaction de
récits symboliques d'initiation spirituelle, il fait l'éloge
du récit avicennien, mais pour marquer que son propre
« Récit de l'exil occidental » prend son point de départ
là même où le récit d'Avicenne s'arrête comme en faisant le geste d'une suprême indication. Ce qui le lais-
sait insatisfait dans le récit symbolique, correspond à
ce qui le laisse insatisfait dans les fragments didactiques.
Avicenne a, certes, formé le projet d'une « philosophie
orientale », mais, pour une raison décisive, son projet
était voué à l'échec. C'est donc à l'étude de son propre
livre que le « shaykh al-Ishrâq » invite quiconque veut
s'initier à la « sagesse orientale ». Pour des raisons que
l'on ne peut reproduire ici, l'opposition que l'on avait
voulu jadis instituer entre une philosophie « orientale »
d'Avicenne et une philosophie « illuminative » de Sohrawardî, ne reposait que sur une connaissance insuffi-
sante des textes (cf. *infra*).

Quant à la raison par laquelle Sohrawardî explique
qu'Avicenne ne pouvait réaliser le projet d'une « philosophie orientale », c'est qu'il ignorait le principe, la
« source orientale » elle-même (*asl mashriqî*), celle même

qui authentifie la qualification d'orientale. Avicenne
n'a pas connu cette source éclose chez les Sages de l'ancienne Perse (les Khosrowanides), et qui est la *theosophia*, la sagesse divine par excellence. « Il y avait
chez les anciens Perses, écrit notre shaykh, une communauté qui était dirigée par Dieu ; c'est par Lui que
furent conduits des Sages éminents, tout différents des
Maguséens (*Majûsî*). C'est leur haute doctrine de la
Lumière, doctrine dont témoigne par ailleurs l'expérience de Platon et de ses prédécesseurs, que j'ai res-
suscitée dans mon livre intitulé la *Théosophie orientale*
(*Hikmat al-Ishrâq*), et je n'ai pas eu de prédécesseur
pour un pareil projet. »

Ainsi en a jugé sa postérité spirituelle. Sadrâ Shîrâzî parle de Sohrawardî comme du « chef de l'école
des Orientaux » (*mashriqîyûn*), « résurrecteur des doctrines des Sages de la Perse concernant les principes
de la Lumière et des Ténèbres ». Ces Orientaux sont
en même temps caractérisés comme des Platoniciens.
Sharîf Jorjânî définit les *Ishrâqîyûn* ou *Mashriqîyûn*
comme les « philosophes dont le chef est Platon ».
Abû'l-Qâsim Kâzerûnî (ob. 1014/1606) déclare : « De
même que Fârâbî rénova la philosophie des Péripatéticiens, et pour cette raison mérita d'être appelé *Magister secundus*, de même Sohrawardî ressuscita et rénova
la philosophie des *Ishrâqîyûn* en de nombreux livres
et traités. » Très tôt, le contraste a été acquis entre
Orientaux (*Ishrâqîyûn*) et Péripatéticiens (*Mashshâ'ûn*).
Le terme de « Platoniciens de Perse » désignera donc
au mieux cette école dont une des caractéristiques sera
d'interpréter les archétypes platoniciens en termes d'angélologie zoroastrienne.

4. Cette pensée directrice, Sohrawardî la développe
en une œuvre assez vaste (49 titres), si l'on pense à la
brièveté de sa vie. Le noyau en est formé par une grande
trilogie dogmatique, trois traités en trois livres chacun,

comprenant la Logique, la Physique, la Métaphysique.
Toutes les questions du programme péripatéticien y
sont traitées, et cela pour deux raisons : d'abord à titre
de propédeutique, parce qu'une solide formation philosophique est nécessaire à quiconque veut s'engager
dans la Voie spirituelle. S'il est vrai que ceux qui re-
culent devant celle-ci pourront se satisfaire de l'enseignement des Péripatéticiens, il faut ensuite, pour les
autres justement, libérer la vraie théosophie de toutes
les discussions inutiles dont les Péripatéticiens aussi
bien que les *Motakallimûn*, les Scolastiques de l'Islam,
ont encombré la voie. S'il arrive qu'au cours de ces traités, éclate çà et là la pensée profonde de l'auteur, c'est
toujours en référence au livre auquel ceux-là introdui-
sent, le livre qui recèle son secret, *Kitâb Hikmat al-
Ishrâq*. Autour de la tétralogie formée par ce dernier
et les trois précédents, s'organise tout un ensemble d'*Opera minora*, œuvres didactiques de moindre étendue, en
arabe et en persan. Cet ensemble est complété par le
cycle caractéristique des récits symboliques auxquels
il a déjà été fait allusion ; ils sont pour la plupart rédigés
en persan et, conformément au plan de la pédagogie
spirituelle du shaykh, fournissent quelques-uns des
thèmes essentiels de méditation préparatoire. Le tout
est couronné par une sorte de « Livre d'heures », composé
de psaumes et d'invocations aux êtres de lumière.

L'ensemble de cette œuvre procède d'une expérience
personnelle que l'auteur atteste en faisant allusion à la
« conversion advenue dans sa jeunesse ». Il avait commencé par prendre la défense de la physique céleste
des Péripatéticiens, limitant les Intelligences, les êtres
de lumière, au nombre de dix (ou de cinquante-cinq).
C'est cet univers spirituel clos qu'il vit éclater au cours
d'une vision d'extase, où lui fut montrée la multitude
de ces « êtres de lumière que contemplèrent Hermès et
Platon, et ces irradiations célestes, sources de la *Lu-*

mière de *Gloire* et de la *Souveraineté de Lumière* (*Ray wa Khorreh*) dont Zarathoustra fut l'annonciateur, celles vers qui un ravissement spirituel enleva le roi très fidèle, le bienheureux Kay Khosraw ».

La confession extatique de Sohrawardî nous réfère ainsi à l'une des notions fondamentales du zoroastrisme : le *Xvarnah*, la Lumière de Gloire (en persan *Khorreh*). C'est à partir d'ici qu'il faut tenter de ressaisir brièvement la notion d'*Ishrâq*, la structure du monde qu'elle ordonne, la forme de spiritualité qu'elle détermine.

2. *L'Orient des Lumières* (*Ishrâq*).

1. En rassemblant les indications données par Sohrawardî et ses commentateurs immédiats, on constate que la notion d'*Ishrâq* (nom verbal signifiant la splendeur, l'illumination du soleil à son lever) se montre sous un triple aspect : 1) On peut entendre la sagesse, la théosophie, dont l'*Ishrâq* est la source comme étant à la fois l'illumination et la révélation (*zohûr*) de l'être, et l'acte de la conscience qui, en le dévoilant (*kashf*), l'amène à apparaître (en fait un *phainomenon*). De même donc que dans le monde sensible, le terme désigne la splendeur du matin, le premier éclat de l'astre, de même il désigne au Ciel intelligible de l'âme l'instant épiphanique de la connaissance. 2) En conséquence, on entendra par philosophie ou théosophie *orientale*, une doctrine fondée sur la Présence du philosophe à l'apparition matutinale des Lumières intelligibles, à l'effusion de leurs aurores sur les âmes en état d'esseulement de leur corps. Il s'agit donc d'une philosophie qui postule vision intérieure et expérience mystique, d'une connaissance qui, s'originant à l'Orient des pures Intelligences, est une connaissance *orientale*. 3) On peut encore entendre ce dernier terme comme désignant la

théosophie des *Orientaux* (*Ishrâqîyûn* = *Mashriqîyûn*),
ce qui veut dire celle des Sages de l'ancienne Perse,
non pas seulement en raison de leur localisation à la surface terrestre, mais parce que leur connaissance était
orientale en ce sens qu'elle était fondée sur la révélation
intérieure (*kashf*) et la vision mystique (*moshâhadat*).
Aussi bien telle était aussi, selon les *Ishrâqîyûn*, la
connaissance des anciens Sages grecs, à l'exception des
disciples d'Aristote qui s'appuyaient uniquement sur
le raisonnement discursif et l'argumentation logique.

2. Nos auteurs n'ont donc jamais envisagé l'opposition artificielle qu'avait voulu établir Nallino entre
l'idée d'une « philosophie illuminative » qui aurait été
celle de Sohrawardî, et l'idée d'une « philosophie orien-
rale » qui aurait été celle d'Avicenne. Les termes *ishrâqîyûn* et *mashriqîyûn* sont employés indifféremment. Il
faudrait un terme unique pour dire à la fois « orientale-
illuminative », en ce sens qu'il s'agit d'une connaissance qui est *orientale* parce qu'elle est elle-même l'*Orient*
de la connaissance (certains termes se présentent spontanément : *Aurora consurgens*, *Cognitio matutina*). Pour
la décrire, Sohrawardî réfère à une période de sa vie où
le problème de la connaissance le surmenait, sans qu'il
pût le résoudre. Certaine nuit, il eut en songe, ou dans
un état intermédiaire, l'apparition d'Aristote, avec qui
il engagea un dialogue très serré. Le récit en occupe plusieurs pages d'un de ses livres (*Talwîhât*).

Mais l'Aristote avec lequel s'entretient Sohrawardî
est un Aristote franchement platonicien, que personne
ne saurait rendre responsable des fureurs dialectiques
des Péripatéticiens. Sa première réponse au chercheur
qui l'interroge, est celle-ci : « Éveille-toi à toi-même. »
Commence alors une initiation progressive à la connaissance de soi comme à la connaissance qui n'est ni le
produit d'une abstraction, ni une re-présentation de
l'objet par l'intermédiaire d'une forme (*sûrat*), d'une

species, mais un Connaître qui est identique à l'âme même,
à la subjectivité personnelle, existentielle (*anâ'îyat*),
et qui est donc par essence vie, lumière, épiphanie,
conscience de soi (*hayât, nûr, zohûr, sho'ûr bi-dhâti-hi*).
Par opposition à la connaissance *représentative*, qui est
la connaissance de l'universel abstrait ou logique
(*'ilm sûrî*), il s'agit de la connaissance *présentielle*,
unitive, intuitive, d'une essence en sa singularité ontologique absolument vraie (*'ilm hodûrî, ittisâlî, shohûdî*),
une illumination présentielle (*ishrâq hodûrî*) que l'âme,
comme être de lumière, fait se lever sur son objet ; elle
se le rend présent en se rendant présente à elle-même.
Sa propre épiphanie à soi-même est la Présence de cette
présence, et c'est en cela que consiste la Présence épiphanique ou orientale (*hodûr ishrâqî*). La vérité de toute
connaissance objective est ainsi reconduite à la conscience que le sujet connaissant a de soi-même. Ainsi
en est-il pour tous les êtres de lumière des mondes
et intermondes : par l'acte même de leur conscience de
soi, ils se rendent présents les uns aux autres. Ainsi en
est-il pour l'âme humaine, dans la mesure où elle
s'arrache à la Ténèbre de son « exil occidental », c'est-à-
dire au monde de la matière sublunaire. Aux dernières
questions du chercheur, Aristote répond que les philosophes de l'Islam n'ont pas égalé Platon d'un degré
sur mille. Puis, voyant sa pensée occupée par les deux
grands soufis Abû Yazîd Bastâmî et Sahl Tostarî
(*supra* VI, 2 et 5), il lui déclare : « Oui, ce sont eux les
philosophes au sens vrai. » La « théosophie orientale »
opère ainsi la conjonction de la philosophie et du soufisme, désormais inséparables.

3. Ces « splendeurs aurorales » nous réfèrent au
Flamboiement primordial qui en est la Source, et dont
Sohrawardî atteste avoir eu la vision qui lui dévoila
l'authentique « Source orientale ». C'est la « Lumière de
Gloire » que l'Avesta désigne comme *Xvarnah* (persan

Khorreh, ou sous la forme parsie *Farr*, *Farreh*). Sa
fonction est primordiale dans la cosmologie et l'anthropologie du mazdéisme. Elle est la majesté flamboyante
des êtres de lumière ; elle est aussi l'énergie qui cohère
l'être de chaque être, son Feu vital, son « ange personnel »
et son destin (le mot a été traduit en grec à la fois par
Δόξα et par Τυχή). Elle se présente chez Sohrawardî
comme l'irradiation éternelle de la Lumière des Lumières
(*Nûr al-anwâr*) ; sa force souveraine, en illuminant la
totalité de l'être-lumière procédant d'elle, la lui rend
éternellement présente (*tasallot ishrâqî*). C'est précisément l'idée de cette force victorieuse, de cette « victorialité » (persan *pérôzîh*), qui explique le nom par lequel
Sohrawardî désigne les Lumières souveraines : *Anwâr
qâhira*, Lumières « victoriales », dominatrices, archangéliques (« michaëliennes », cf. Michaël comme *Angelus
victor*).

Par cette « victorialité » de la Lumière des Lumières,
procède d'elle l'être de lumière qui est le premier
Archange, et que notre shaykh désigne sous son nom
zoroastrien de *Bahman* (Vohu Manah, le premier des
Amahraspands ou Archanges zoroastriens). La relation
éternellement éclose entre la Lumière des Lumières et
le Premier Émané est la relation archétypique du
premier Aimé et du premier Amant. Cette relation
s'exemplifiera à tous les degrés de procession de l'être,
ordonnant par couples tous les êtres. Elle s'exprime
comme une polarité de domination et d'amour (*qahr* et
mahabbat, cf. le néo-Empédocle en Islam, *supra* V, 3
et *infra* VIII, 1), ou comme la polarité de l'illumination
et de la contemplation, de l'indépendance (*istighnâ'*)
et de l'indigence (*faqr*), etc. Ce sont là autant de « dimensions » intelligibles qui, entrant en composition les
unes avec les autres, débordent l'espace « bi-dimen-
sionnel » (du nécessaire et du possible) de la théorie
avicennienne des Intelligences hiérarchiques. S'engen-

drant les unes les autres de leurs irradiations et de leurs
réfléchissements, les hypostases de Lumière atteignent
à l'innombrable. Par-delà le ciel des Fixes de l'astronomie péripatéticienne ou ptoléméenne, sont pressentis
d'innombrables univers merveilleux. A l'inverse de
ce qui se passera en Occident où l'essor de l'astronomie
éliminera l'angélologie, c'est ici l'angélologie qui entraîne
l'astronomie au-delà du schéma classique qui la limitait.

3. *La hiérarchie des univers.*

1. Une triple hiérarchie ordonne le monde de ces
Pures Lumières. A partir de la relation initiale de la
Lumière des Lumières et de la première Lumière émanée,
par la multiplication des « dimensions » intelligibles
entrant en composition les unes avec les autres, procède
éternellement l'univers des Lumières Dominatrices
Primordiales ; parce qu'elles sont causes les unes des
autres et procèdent les unes des autres, elles forment
une hiérarchie descendante, celle que Sohrawardî
appelle l' « Ordre longitudinal » (*tabaqat al-Tûl*). Ce sont
ces univers d'Archanges qu'il désigne comme Lumières
souveraines suprêmes (*Osûl A'laûn*), comme le « monde
des Mères » (*Ommahât*, ne pas confondre avec l'usage
de ce terme, quand il est rapporté aux Éléments).
Cette hiérarchie du monde archangélique des Mères
aboutit à un double avènement dans l'être.

D'une part, leurs « dimensions positives » (domination, indépendance, contemplation active) produisent
un nouvel Ordre d'archanges qui ne sont plus causes les
uns des autres, mais à interégalité dans la hiérarchie de
l'Émanation. Ces Lumières forment l' « Ordre latitudinal » (*tabaqat al-'Ard*) ; ce sont les Archanges-archétypes ou « seigneurs des espèces » (*arbâb al-anwâ'*),
identifiés aux archétypes platoniciens, non pas comme

universaux réalisés, s'entend, mais comme hypostases
de Lumière. Les noms des Archanges zoroastriens, ceux
de quelques Anges (*Izad*) sont expressément cités, sous
leur forme authentique, par Sohrawardî. Dans cet
« Ordre latitudinal » figure également l'Ange de l'humanité, l'Esprit-Saint, Gabriel, l'Intelligence agente des
falâsifa.

D'autre part, les dimensions intelligibles « négatives »
de l'« Ordre longitudinal » (dépendance, illumination
passive, amour qui est indigence) produisent le Ciel
des Fixes qui leur est commun, et dont les innombrables individuations stellaires sont (comme dans le
schéma avicennien, chaque orbe céleste l'est à l'égard
de l'Intelligence dont il émane) autant d'émanations
qui matérialisent, en une matière céleste encore toute
subtile, la part de non-être que recèle, si on le considère
fictivement isolé de son Principe, leur être émané de la
Lumière des Lumières.

Enfin, de ce second ordre d'Archanges émane un
nouvel Ordre de Lumières par l'intermédiaire desquelles
les Archanges-archétypes gouvernent et régissent les
Espèces, du moins dans le cas des Espèces supérieures.
Ce sont les Anges-Ames, *Animae cælestes* et *Animæ
humanæ* de l'angélologie avicennienne. Mais Sohrawardî les désigne d'un nom emprunté à l'ancienne
chevalerie iranienne : Lumières *Espahbad* (commandant
d'armée) ; désignation et fonction ne sont pas sans
évoquer l'*hegemonikon* des Stoïciens.

2. Même esquissée ainsi à grands traits, l'angélologie
sohrawardienne se révèle comme bouleversant profondément le schéma du monde (physique, astronomique et
métaphysique) reçu depuis Fârâbî et Avicenne. Ce n'est
plus l'orbe de la Lune qui, comme dans le péripatétisme, marque la limite entre le monde céleste et le
monde matériel en devenir. C'est le Ciel des Fixes qui
symbolise la limite entre l'univers angélique de la

Lumière et de l'Esprit (*Rûhâbâd*) et l'univers matériel
et obscur des *barzakh*. Ce mot typique signifie dans
l'eschatologie l'entre-deux, et en cosmologie l'intermonde (le *mundus imaginalis*). Dans la philosophie
sohrawardienne de l'*Ishrâq*, il prend un sens plus général ;
il désigne en général tout ce qui est corps, tout ce qui est
écran et *intervalle*, et qui par soi-même est Nuit et
Ténèbres.

Le concept que connote le terme de *barzakh* est donc
fondamental pour toute la physique de Sohrawardî.
Le *barzakh* est Ténèbre pure ; il pourrait exister comme
tel, même si la Lumière s'en retirait. Ce n'est donc pas
même une lumière en puissance, une virtualité au sens
aristotélicien ; il est à l'égard de la Lumière négativité
pure (la négativité *ahrimanienne* telle que la comprend
Sohrawardî). Il serait donc aberrant de vouloir édifier
sur cette négativité l'explication causale d'un fait
positif quelconque. Toute espèce est une « icône » de
son Ange, une théurgie opérée par lui dans le *barzakh*
qui par soi-même est mort et nuit absolue. C'est un acte
de lumière de l'Ange ; mais cette lumière n'entre pas en
composition hylémorphique avec la Ténèbre. D'où
toute la critique développée par Sohrawardî contre
les notions péripatéticiennes d'être en puissance, de
matière, de formes substantielles, etc. Sa physique est,
certes, dominée par le schéma de la cosmologie mazdéenne partageant l'univers de l'être en *mênôk* (céleste,
subtil) et *gêtîk* (terrestre, dense), mais son interprétation
est plutôt d'inspiration manichéenne. Cette perception
du monde comporte structurellement, chez Sohrawardî,
une métaphysique qui est une métaphysique des *essences* ;
l'*exister* n'est qu'une manière de considérer (*i'tibâr*)
l'essence, la quiddité, mais ne lui ajoute rien *in concreto*.
On a déjà indiqué que Sadrâ Shîrâzî donnera la version
« existentielle » de l'*Ishrâq*, par sa métaphysique posant
l'antériorité et la préséance de l'*exister* sur l'essence.

3. Le schéma des univers s'ordonne en conséquence selon un quadruple plan : 1) Il y a le monde des pures Intelligences (les Lumières archangéliques des deux premiers Ordres, Intelligences chérubiniques, les « Mères », et Intelligences-archétypes) ; c'est le monde du *Jabarût.* 2) Il y a le monde des Lumières régissant un corps (une « forteresse », *sîsiya*), monde des Ames célestes et des Ames humaines ; c'est le monde du *Malakût.* 3) Il y a le double *barzakh* constitué par les Sphères célestes et le monde des Éléments sublunaires ; c'est le monde du *Molk.* 4) Il y a le *mundus imaginalis* ('*âlam al-mithâl*). C'est le monde intermédiaire entre le monde intelligible des êtres de pure Lumière et le monde sensible ; l'organe qui le perçoit en propre est l'Imagination active. Ce n'est pas le monde des Idées platoniciennes (*Mothol Iflâtûnîya*), mais le monde des Formes et Images « en suspens » (*mothol mo'allaqa*) ; l'expression veut dire qu'elles ne sont pas immanentes à un substrat matériel (comme la couleur rouge, par exemple, est immanente à un corps rouge), mais elles ont des « lieux épiphaniques » (*mazâhir*) où elles se manifestent comme l'image « en suspens » dans un miroir. C'est un monde où se retrouve toute la richesse et la variété du monde sensible, mais à l'état subtil, un monde de Formes et Images subsistantes, autonomes, qui est le seuil du *Malakût.* Là sont les cités mystiques de Jabalqâ, Jâbarsâ et Hûrqalyâ.

Sohrawardî est bien le premier, semble-t-il, à avoir fondé l'ontologie de cet intermonde, et le thème en sera repris et amplifié par tous les gnostiques et mystiques de l'Islam. Son importance est en effet capitale. Il est au premier plan de la perspective qui s'ouvre au devenir posthume de l'être humain. Sa fonction est triple : c'est par lui que s'accomplit la résurrection, car il est le lieu des « corps subtils » ; c'est par lui que sont réellement vrais les symboles configurés par les prophètes aussi bien que toutes les expériences visionnaires ; par conséquent, c'est par lui que s'accomplit le *ta'wîl*, l'exégèse qui « reconduit » à leur vérité « spirituelle littérale » les données de la Révélation qorânique. Sans lui, on ne fait plus que de l' « allégorie ». Par cet intermonde se résout le conflit entre la philosophie et la théologie, le savoir et le croire, le symbole et l'histoire. Il n'y a plus à opter entre la préséance spéculative de la philosophie ou bien la préséance autoritaire de la théologie. Une autre voie s'ouvre, celle de la théosophie « orientale » précisément.

Ce monde de la conscience imaginative, Sadrâ Shîrâzî l'intègre au *Malakût*, et c'est pourquoi la perspective des univers s'ordonne en fait sur un triple plan. Mais l'on discerne dès maintenant ce que peut signifier la perte de cet intermonde, perte qui sera la conséquence de l'averroïsme (*infra* VIII, 6). C'est pourquoi l'on peut y discerner comme la ligne de clivage entre l'Orient où prédomineront l'influence de Sohrawardî et celle d'Ibn 'Arabî, et l'Occident où le « péripatétisme arabe » évoluera en « averroïsme politique ». Tandis que les historiens se sont habitués à voir dans l'averroïsme le dernier mot de la « philosophie arabe », de l' « arabisme », la « philosophie islamique » offre en revanche bien d'autres ressources et richesses.

4. *L'Exil occidental.*

1. C'est sur la perspective de l'intermonde qu'il faut situer le sens et la fonction des Récits symboliques d'initiation spirituelle composés par Sohrawardî. Leur dramaturgie s'accomplit en effet dans le *'âlam al-mithâl*. Le mystique y ressaisit le drame de son histoire personnelle au plan d'un monde suprasensible qui est celui des événements de l'âme, parce que l'auteur, en confi-

gurant ses propres symboles, retrouve spontanément
le sens des symboles des révélations divines. Il ne s'agit
pas d'une suite d' « allégories », mais de la hiérohistoire
secrète, invisible aux sens extérieurs, s'accomplissant
dans le *Malakût*, « avec lequel symbolisent » les événements extérieurs et fugitifs.

Celui de ces Récits qui en fait entendre le plus
clairement la note fondamentale, s'intitule « Récit de
l'exil occidental » (*Qissat al-ghorbat al-gharbîya*). La
théosophie « orientale » doit en effet amener le gnostique
à prendre conscience de son « exil occidental », conscience
de ce qu'est en réalité le monde du *barzakh* comme
« Occident » opposé à l' « Orient des Lumières ». Le Récit
forme donc une initiation reconduisant le mystique à
son *origine*, à son *Orient*. Or, l'événement réel qui
s'accomplit par cette initiation, présuppose l'existence
autonome du *mundus imaginalis* et la valeur noétique
plénière de la conscience imaginative. Ici particulièrement, est à comprendre comment et pourquoi,
si l'on se prive de ce monde et de cette conscience,
l'imaginatif se dégrade en imaginaire, et les récits symboliques ne sont plus que du roman.

2. La grande affaire qui préoccupe le gnostique
« oriental », est de savoir comment l'exilé peut retourner
chez lui. Le théosophe *ishrâqî* est essentiellement un
homme qui ne sépare ni n'isole l'une de l'autre la
recherche philosophique et la réalisation spirituelle.
Mollâ Sadrâ en une page très dense de son vaste commentaire de l'ouvrage de Kolaynî (le *Kâfî*, un des ouvrages
shî'ites fondamentaux, cf. *supra* II, prélim.), caractérise la spiritualité des *Hokamâ Ishrâqîyûn* (les « théosophes orientaux ») comme étant elle-même un *barzakh*,
c'est-à-dire un entre-deux conjoignant et réunissant la
méthode des Soufis, tendant essentiellement à la purification intérieure, et la méthode des philosophes tendant
à la connaissance pure. Pour Sohrawardî, une expé-

rience mystique, sans formation philosophique préalable, est en grand danger de s'égarer ; mais une philosophie qui ne tend ni n'aboutit à la réalisation spirituelle personnelle, est vanité pure. Aussi le livre qui est le vade-mecum des philosophes « orientaux » (le *Kitâb Hikmat al-Ishrâq*) débute-t-il par une réforme de la Logique, pour s'achever sur une sorte de mémento d'extase. Et c'est aussi le plan de beaucoup d'autres livres semblables.

Dès le début, dans le prologue, l'auteur classe les Sages, les *Hokamâ*, selon qu'ils possèdent simultanément la connaissance spéculative et l'expérience spirituelle, ou bien excellent dans l'une, mais sont déficients quant à l'autre. Le *hakîm ilâhî* (étymologiquement, on le rappelle, le *theosophos*, le Sage de Dieu) est celui qui excelle en l'une *et* en l'autre ; il est le *hakîm mota'allih* (l'idée de *ta'alloh* correspond au grec *theôsis*). C'est pourquoi ce sera un adage répété par tous nos penseurs, que la théosophie *ishrâqî* est à la philosophie, ce que le soufisme est au *Kalâm* (la scolastique dialectique de l'Islam). La généalogie spirituelle que se donne Sohrawardî est significative. D'une part, le « levain éternel » passe par les anciens Sages grecs (présocratiques, pythagoriciens, platoniciens) et se transmet aux soufis Dhû-'l-Nûn Misrî et Sahl Tostarî ; d'autre part, le « levain » de la sagesse des anciens Perses se transmet par les soufis Abû Yazîd Bastâmî, Hallâj, Abû'l-Hasan Kharraqânî. Et les deux courants se rejoignent dans la théosophie de l'*Ishrâq*. Sans doute est-ce une « histoire » thématisée par la conscience, mais elle n'en est que plus éloquente. Elle nous confirme (après l'entretien mystérieux avec Aristote) que désormais l'on ne peut plus séparer philosophie et soufisme dans la haute spiritualité de l'Islam, sans même qu'il y ait à envisager une appartenance quelconque à une *tarîqat* (congrégation soufie). Sohrawardî n'a jamais appartenu à aucune.

3. Par là même nous est indiqué ce que signifie l'effort à la fois réformateur et créateur de Sohrawardî en Islam. Si on prétend limiter l'Islam à la religion extérieure, légalitaire et littéraliste, cet effort est une « insurrection ». C'est le seul aspect que certains historiens ont vu dans le cas de Sohrawardî comme dans le cas des Ismaéliens et de tous les gnostiques shî'ites, comme dans le cas d'Ibn 'Arabî et son école. En revanche, si l'Islam intégral est l'Islam spirituel (englobant la *sharî'at*, la *tarîqat* et la *haqîqat*), alors l'effort généreux de Sohrawardî se situe au sommet de cette spiritualité et est alimenté par elle. C'est le sens spirituel de la Révélation qorânique qui explique et transfigure les révélations prophétiques et sagesses antérieures, comme manifestant leur sens caché. Or cet Islam spirituel intégral, c'est cela même que fut le shî'isme dès les origines (*supra* II). Il y a donc un accord préétabli, sinon mieux encore, entre théosophes *ishrâqîyûn* et théosophes shî'ites. Dès avant l'école d'Ispahan avec Mîr Dâmâd et Mollâ Sadrâ, cet accord est sensible chez un penseur shî'ite *ishrâqî* comme Ibn Abî Jomhûr (dont l'influence est sensible dans l'école shaykhie, jusqu'à nos jours). C'est qu'il y a même effort de part et d'autre vers le *bâtin*, l'ésotérique, le sens intérieur et spirituel. D'où aussi la même répulsion pour les discussions abstraites et stériles des *Motakallimîn*. L'effort de Sohrawardî conjoint la philosophie et le soufisme ; l'effort de Haydar Amolî au VIIIe/XIVe s. (comme déjà l'Ismaélisme après Alamût) fait se rejoindre shî'ites et soufis devenus oublieux de leurs origines et de leur vocation. Les concepts de *hikmat ilâhîya* (théosophie) et *'irfân-e shî'î* (gnose shî'ite) se recouvrent.

Sohrawardî met en effet au sommet de sa hiérarchie des Sages, celui qui excelle également en philosophie et en expérience spirituelle. C'est celui-là qui est le *pôle* (le *Qotb*) et sans la présence duquel le monde ne pourrait continuer d'exister, dût-il n'y être qu'*incognito*, complètement inconnu des hommes. Or, c'est là même un des thèmes shî'ites majeurs (cf. un entretien du Ier Imâm avec son familier Komayl ibn Ziyâd). Le « pôle des pôles » en termes shî'ites, c'est l'Imâm. Son existence *incognito* présuppose à la fois l'idée shî'ite de la *ghaybat* (l'occultation de l'Imâm) et l'idée du cycle de la *walâyat* succédant au cycle de la prophétie, postérieurement au « Sceau des prophètes ». Cette *walâyat*, nous le savons (*supra* II A), n'est autre que le nom, en Islam, de la « prophétie ésotérique » (*nobowwat bâtinîya*) permanente. Aussi bien les docteurs de la Loi, à Alep, ne s'y sont pas trompés. Lors du procès de Sohrawardî, la thèse incriminée qui entraîna sa condamnation, fut d'avoir professé que Dieu peut en tout temps, maintenant encore, créer un prophète. Même s'il ne s'agissait pas d'un prophète-législateur mais de la *n. bâtinîya*, la thèse décelait au moins un crypto-shî'isme. Ainsi, par l'œuvre de sa vie et par sa mort en martyr de la philosophie prophétique, Sohrawardî vécut jusqu'au bout la tragédie de l' « exil occidental ».

5. *Les Ishrâqîyûn.*

1. Les *Ishrâqîyûn* forment la postérité spirituelle de Sohrawardî ; elle s'étend, en Iran du moins, jusqu'à nos jours. Le premier en date est Shamsoddîn Shahrazûrî, qui se signale par sa dévotion envers la personne du *shaykh al-Ishrâq*. Un paradoxe veut que la biographie de ce penseur à qui l'on doit une « Histoire des philosophes », soit à peu près complètement inconnue. Nous savons que lorsque Sohrawardî fut emprisonné dans la citadelle d'Alep, un jeune disciple du nom de Shams lui tint compagnie. Mais il est impossible de dire s'il s'agit du même personnage, surtout si l'on admet

que Shahrazûrî, comme il semble, ne mourut qu'au
cours du dernier tiers du VIIᵉ/XIIIᵉ siècle. Quoi qu'il
en puisse être, nous devons à Shahrazûrî deux commentaires prenant l'importance d'amplifications personnelles : le premier est le commentaire du « Livre des
Élucidations » (*Talwîhat*) de Sohrawardî, le second un
commentaire du « Livre de la Théosophie orientale »
(*K. Hikmat al-Ishrâq*). Il semble bien que Shahrazûrî
ait été largement mis à profit par deux de ses successeurs : Ibn Kammûna (ob. 683/1284), dans son commentaire du premier de ces ouvrages, et Qotboddîn Shîrâzî
dans son commentaire du second (terminé en 694/1295).

On doit à Sahrahzûrî trois autres ouvrages : 1) Une
« Histoire des philosophes », comprenant les philosophes antérieurs à l'Islam et les philosophes de l'Islam ; la biographie de Sohrawardî qui y figure est la
plus complète que nous ayons. 2) Un « Livre des symboles » (*K. al-romûz*) où l'auteur insiste sur certains
motifs néopythagoriciens. 3) Une immense encyclopédie philosophique et théologique, récapitulant l'enseignement de ses devanciers, et intitulée « Traités de
l'arbre divin et des secrets théosophiques » (*Rasâ'il
al-shajarat al-ilâhîya wa'l-asrâr al-rabbânîya*). Ikhwan al-
Safâ, Avicenne, Sohrawardî, y sont abondamment cités.
Elle fut achevée en 680/1281 (donc quelque quatre-
vingt-dix ans après la mort de Sohrawardî. Il en existe
six ou sept manuscrits, comprenant plus d'un millier
de pages in-folio).

2. Sohrawardî avait vu très loin. Il se représentait
quelque chose comme un « *Ordre des Ishrâqîyûn* », groupés autour de son livre essentiel (*Hikmat al-Ishrâq*).
Transposant l'expression qorânique *Ahl al-Kitâb* (communauté ayant un Livre révélé du Ciel, *supra* I, 1),
il désigne l' « *Ordre des Ishrâqîyûn* » comme *Ahl hadhâ'l-
Kitâb* (communauté groupée autour du présent livre,
c'est-à-dire le livre de la Théosophie orientale). Un autre

trait est encore plus significatif. Il y aura à la tête de
cette communauté un *Qayyim bi'l-Kitâb*, un « Mainteneur du Livre », auquel il conviendra de recourir pour
le sens caché des pages difficiles (Shahrazûrî se savait
en droit de revendiquer pour lui-même cette qualification). Or l'expression de *Qayyim al-Kitâb* sert
dans le shî'isme à désigner l'Imâm et sa fonction essentielle (*supra* II A, 4). Ce n'est certainement pas un
hasard, si après avoir mentionné dans le prologue de
son grand livre le rôle du *Qotb* (le *pôle*), Sohrawardî
recourt de nouveau à une expression shî'ite caractéristique. En fait, il y a toujours eu des *Ishrâqîyûn* en
Iran ; il n'en manque pas de nos jours, bien que leur
communauté n'ait aucune organisation extérieure et
que l'on ne connaisse pas le *Qayyim bi'l-Kitâb*.

3. Il y eut en effet, tout au long des siècles, ceux que
la pensée du shaykh al-Ishrâq influença à un degré ou
à un autre, et ceux qui furent des *Ishrâqîyûn* tout en
professant une doctrine enrichie d'apports successifs.
Il reste à rechercher l'influence que les thèses de l'*Ishrâq*
eurent, par exemple, sur Nasîr Tûsî, sur Ibn 'Arabî et
sur les commentateurs iraniens shî'ites de ce dernier
(cf. 2e partie). La synthèse de l'*Ishrâq*, d'Ibn 'Arabî
et du shî'isme est chose faite chez Moham. Ibn Abî
Jomhûr. Aux confins de nos xve et xvie siècles se produit un essor extraordinaire. Les œuvres de Sohrawardî
sont amplement commentées. Jalâl Dawwânî (ob.
907/1501) et Ghiyâthoddîn Mansûr Shîrâzî (ob. 949/1542)
commentent le « Livre des Temples de la Lumière ».
Wadûd Tabrîzî commente le « Livre des Tablettes
dédiées à 'Imâdoddîn » (930/1524). Le prologue et
la seconde partie (la plus importante) du grand livre
de la « Théosophie orientale » sont traduits et amplifiés
en persan, ainsi que le commentaire de Qotb Shîrâzî,
par un soufi de l'Inde, Mohammad Sharîf Ibn Harawî
(l'œuvre est datée de 1008/1600). Mîr Dâmâd (ob.

1040/1631), le grand maître de l'école d'Ispahan, prend
comme « nom de plume » *Ishrâq*. Son célèbre disciple,
Mollâ Sadrâ Shîrâzî (ob. 1050/1640) donne toute une série
de leçons très personnelles sur le livre de la « Théosophie
orientale » ; le recueil en forme un ouvrage considérable.

A cette même époque, la pieuse et généreuse initiative de l'empereur mongol Akbar (ob. 1605) suscita
un courant d'échanges spirituels intenses entre l'Inde
et l'Iran, avec de multiples allées et venues de philosophes et de soufis. Tous les collaborateurs d'Akbar
sont imprégnés des doctrines de l'*Ishrâq*. C'est dans ce
« climat » que naît la grande entreprise de traductions
du sanskrit en persan (Upanishads, Bhagavat-Gita, etc.).
Fut également mêlé à la grande tentative et au grand
rêve religieux d'Akbar tout un groupe de zoroastriens
de Shîrâz et des environs, qui, en compagnie de leur
grand'prêtre, Azar Kayvân, émigrèrent dans l'Inde aux
confins des xviᵉ et xviiᵉ siècles. Parmi eux se détache
la personne de Farzâneh Bahrâm-e Farshâd qui, entièrement dévoué aux œuvres de Sohrawardî, en traduit
une partie en persan. C'est ainsi, dans le « climat » créé
par Akbar, que les zoroastriens retrouvaient leur bien
chez Sohrawardî, « résurrecteur de la sagesse de l'ancienne Perse ».

Ces quelques lignes suffiront à suggérer l'influence
extraordinaire de l'œuvre de Sohrawardî au cours des
siècles. Son influence aujourd'hui en Iran est inséparable de celle des penseurs shî'ites qui l'ont assimilée,
avant tout celle de Mollâ Sadrâ et de ses continuateurs
(jusqu'à 'Abdollah Zonûzî, Hâdî Sabzavârî, sans oublier
la position originale de l'école shaykhie). Aujourd'hui
l'on est rarement un *ihsrâqî*, sans être, à un degré ou
l'autre, de l'école de Mollâ Sadrâ Shîrâzî. Ainsi l' « avenir » de Sohrawardî en Iran est lié au renouveau de la
métaphysique traditionnelle qui se dessine autour de
l'œuvre du maître de Shîrâz.

VIII. *En Andalousie*

Nous atteignons maintenant une région tout autre
du monde islamique, celle de son extrême pénétration
en Occident. Le « climat » culturel y diffère de celui
que nous avons rencontré en Orient, nommément en
Iran. Il faudrait le replacer dans le contexte historique
des vicissitudes de l'Islam dans la péninsule ibérique.
On ne peut pas même esquisser ici cette histoire ; on
doit se limiter à signaler quelques noms et quelques
œuvres de première grandeur. Ce simple aperçu permettra d'entrevoir avec quelle facilité les idées et les
hommes circulaient d'un bout à l'autre du *Dâr al-Islam*.

1. *Ibn Masarra et l'école d'Almeria.*

1. L'importance de cette école tient au double fait
qu'elle représente, à l'extrémité occidentale du monde
islamique, cet Islam ésotérique que nous avons déjà
appris à connaître en Orient, et que son influence fut
considérable. Du fait de cette école, nous constatons,
à l'une et l'autre extrémité géographique de l'ésotérisme islamique, le rôle dévolu à l'enseignement d'un
Empédocle transfiguré en héraut de la théosophie prophétique. D'autre part, Asin Palacios se plaisait à voir
dans les disciples d'Ibn Masarra les continuateurs de la

gnose de Priscillien (ɪvᵉ s.). Si l'on en retient les traits
principaux (idée d'une matière universelle coéternelle
à Dieu, origine divine de l'âme, union avec le corps
matériel comme conséquence d'une faute commise dans
l'outre-monde, sa rédemption et son retour à la patrie
comme effets d'une purification rendue possible par
la prédication des prophètes, exégèse du sens spirituel des Écritures), tous ces traits se retrouvent en effet
chez Ibn Masarra et dans son école.

D'après ses biographes, Ibn Masarra, né en 269/883,
n'était pas de race arabe. On note que déjà l'aspect
physique de son père 'Abdallah, bien qu'originaire de
Cordoue, le faisait passer au cours de son voyage en
Orient, à Basra par exemple, pour un normand de
Sicile. Mais ce qui est plus important, c'est que ce
père, passionné de spéculation théologique et ayant
fréquenté en Orient les cercles mo'tazilites et ésotériques,
s'attacha à transmettre à son fils les traits de sa propre
physionomie spirituelle. Malheureusement il mourut,
en accomplissant son pèlerinage à la Mekke, dès 286/899.
Son fils avait à peine dix-sept ans, et était pourtant
déjà entouré de disciples. Il se retira avec eux dans
un ermitage qu'il possédait dans la Sierra de Cordoue.
Très vite les soupçons du petit peuple s'aggravèrent
à son égard. Quand on passe pour enseigner la doctrine
de certain Sage antique du nom d'Empédocle, on peut
évidemment s'attendre à être dénoncé pour athéisme.
De plus, la situation politique de l'émirat de Cordoue
était alors des plus critiques. Ibn Masarra préféra s'exi-
ler en compagnie de deux disciples de prédilection.

Il va jusqu'à Médine et La Mekke, prenant contact
avec les écoles orientales. Il ne revient dans sa patrie
que sous 'Abd al-Rahmân III, dont la politique était
plus libérale. Mais instruit par son contact avec les
cercles ésotériques (*bâtinî*) de l'Orient, Ibn Masarra
garde une extrême prudence. Il retrouve son ermitage

dans la Sierra de Cordoue, et là ne révèle qu'à un petit nombre de disciples le sens de ses doctrines en forme de symboles. Il élabora toute une philosophie et une méthode de vie spirituelle. Malheureusement nous ne connaissons ni le nombre de ses livres ni leur titre exact. Deux seulement peuvent être cités avec certitude : Un « Livre de l'explication pénétrante » (*Kitâb al-tabsira*) qui contenait sans doute la clef de son système ésotérique, et un « Livre des lettres » (*Kitâb al-horûf*) traitant de cette algèbre mystique déjà signalée ici (*supra* IV, 2 et 5). Ces livres circulaient de main en main, échappant à la vigilance des *foqahâ* tout en exacerbant leur colère, et pénétrèrent jusqu'en Orient, où deux soufis « orthodoxes » entreprirent de les réfuter. Il ne semble pas que les choses soient allées jusque devant les tribunaux ni qu'il y eût d'autodafé, au moins du vivant d'Ibn Masarra. Épuisé par sa tâche, le Maître mourut entouré de ses disciples, dans son ermitage de la Sierra, en 319/931 (le 20 octobre), à peine âgé de cinquante ans.

2. On comprend que le voile sous lequel il cachait sa doctrine, le nombre restreint de ses disciples, l'imputation d'hérésie et d'impiété que l'on a attachée à son nom, sont autant de circonstances qui expliquent la pauvreté des moyens dont on dispose aujourd'hui pour reconstituer son système. Cette reconstitution a pourtant été menée à bien par le patient labeur du grand arabisant espagnol Miguel Asin Palacios. La tâche était double. D'une part la doctrine d'Empédocle s'est présentée à Asin Palacios comme l'axe autour duquel grouper les doctrines masarriennes les plus caractéristiques. D'autre part, il fallait reconstituer le système d'Ibn Masarra à l'aide des longues citations qui en sont faites principalement chez Ibn 'Arabî.

La première tâche était relativement facile, grâce aux historiens et aux doxographes (notamment Shahrastânî, Shahrazûrî, Ibn Abî 'Osaybi'a, Qiftî). La lé-

gende hagiographique du néo-Empédocle connu en Islam
(cf. déjà *supra* V, 3 et VII, 2) contient, certes, quelques
traits de la biographie authentique, mais amplifiés et
transfigurés. D'après nos auteurs, Empédocle est le
premier en date des cinq plus grands philosophes de
la Grèce (Empédocle, Pythagore, Socrate, Platon,
Aristote). On se le représente comme un hiérophante,
un prophète, voué à l'enseignement et aux pratiques
spirituelles. Il vit retiré du monde, voyage en Orient,
refuse tous les honneurs. Bref, on voit en lui un de ces
prophètes antérieurs à l'Islam que le cadre de la prophétologie islamique était assez ample pour contenir. Sa
physionomie morale est celle d'un soufi ; on connaît
et l'on cite certains de ses livres.

3. Quant aux doctrines qui lui sont attribuées, elles
ressortissent principalement aux thèmes suivants :
précellence et ésotérisme de la philosophie et de la
psychologie (conduisant à la rencontre de la *rûhânîya*,
la personne ou réalité spirituelle de l'être caché) ; absolue simplicité, ineffabilité, mobile immobilité de l'Être
premier ; théorie de l'Émanation ; les catégories d'âmes ;
les âmes individuelles comme émanations de l'Ame du
monde ; leur préexistence et leur rédemption. L'ensemble est d'une très grande richesse à la fois gnostique
et néoplatonicienne.

Le seul point sur lequel on puisse insister ici, est la
théorie de l'Émanation hiérarchique des cinq substances :
l'Élément primordial ou *Materia prima*, qui est la première des réalités intelligibles (à ne pas confondre avec
la matière corporelle universelle) ; l'Intelligence ; l'Ame ;
la Nature ; la Matière seconde. Si l'on se réfère à la hiérarchie plotinienne (l'Un, l'Intelligence, l'Ame, la Nature, la Matière), on s'aperçoit immédiatement de la
différence entre Plotin et le néo-Empédocle islamique.
La première des hypostases plotiniennes, l'Un, a été
éliminée du schéma et remplacée par l'Élément pre-

mier ou *Materia prima*. Certes, il y a nettement chez
Plotin (*Ennéades* II, 4, 1 et 4) l'idée d'une matière exis-
tant dans le monde intelligible, distincte de notre matière et antérieure à elle, et fournissant le sujet, le *formé*
que présuppose toute forme. Mais il y a cette différence
que le néo-Empédocle pose cette matière intelligible
comme ayant, en tant que telle, une réalité actuelle, et
il en fait la première Émanation divine (on pensera
ici au livre *De Mysteriis Ægyptorum* où Porphyre explique la vertu magique des images et des temples,
parce qu'ils ont été faits de cette matière pure et divine).
Or précisément, l'idée de cette Matière intelligible universelle forme le théorème caractéristique de la doctrine
d'Ibn Masarra. Trois brèves remarques seront faites
ici :

a) L'exhaussement de la première hypostase plotinienne au-dessus du schéma des cinq substances s'accorde avec l'exigence ismaélienne exhaussant le Principe au-dessus de l'être et du non-être. Il vaut la peine
de le souligner, étant donnée l'affinité de l'école et des
doctrines d'Ibn Masarra avec celles de l'ésotérisme islamique connues par ailleurs, nommément les doctrines
shî'ites et ismaéliennes.

b) Avec la théorie de la Matière intelligible reparaît
la notion empédocléenne des deux énergies cosmiques
désignées comme amour (φιλία, φιλότης) et discorde
(νεῖκος). Le premier de ces deux termes a son équivalent dans l'arabe *mahabba*, mais l'équivalent donné au
second en modifie essentiellement la teneur. *Qahr*,
ghalaba (équivalents non pas du grec νεῖκος mais de
κρατεῖν, d'un usage courant en astrologie) connotent l'idée
de domination, victoire, souveraineté. Chez Sohrawardî
qahr et *mahabba* sont deux « dimensions » du monde
intelligible (*supra* VII, 2) ; *qâhir* est la qualification
des « Lumières victoriales », les pures Lumières archangéliques. Bien loin que *qahr* soit l'empreinte que por-

tent en propre les êtres de matière corporelle, Sohrawardî en dérive la qualification du *Xᵥarnah* avestique,
Lumière de Gloire, souveraineté de Lumière. Il y a donc
dans le néo-empédoclisme une différence capitale à
l'égard de l'Empédocle classique ; elle appelle encore
des recherches.

c) La doctrine d'une Matière intelligible primordiale
eut une influence considérable. On ne la retrouve pas
seulement chez le philosophe juif Salomon ben Gabirol
(ob. entre 1058 et 1070), mais dans l'œuvre d'Ibn
'Arabî qui justement permit à Asin Palacios la reconstitution partielle de celle d'Ibn Masarra. Le théorème
métaphysique des cinq substances ou principes de l'être
chez le néo-Empédocle de Ibn Masarra, a pour corollaire
chez Ibn 'Arabî la hiérarchie descendante des cinq significations du terme de « matière » : 1) Matière spirituelle
commune à l'incréé et au créaturel (*haqîqat al-haqâ'iq*,
Essence des essences). 2) Matière spirituelle commune
à tous les êtres créés, spirituels et corporels (*Nafas
al-Rahman*). 3) Matière commune à tout corps, céleste
ou sublunaire. 4) Matière physique (la nôtre), commune
à tout corps sublunaire. 5) Matière artificielle commune
à toutes les figures accidentelles. Finalement l'idée d'une
« matière spirituelle » (cf. la *spissitudo spiritualis* de
Henry More) aura une importance fondamentale dans
l'eschatologie de Mollâ Sadrâ Shîrâzî et de l'école d'Ispahan.

4. On ne peut indiquer ici les vicissitudes par lesquelles passa l'école d'Ibn Masarra qui fut la première des
sociétés mystiques à se constituer en Espagne musulmane. L'école eut à vivre dans une ambiance d'intolé-
rance et de suspicion, de tracasseries et d'anathèmes.
Les « Masarriens », obligés de suivre un ésotérisme strict,
formèrent une organisation hiérarchique secrète ayant
à sa tête un Imâm. Le nom le plus célèbre, au début du
vᵉ/xiᵉ siècle, est celui d'Isma'îl ibn 'Abdillah al-Ro'aynî,

dont la propre fille avait parmi les adeptes la réputation
d'une culture théologique extraordinaire. Malheureusement, du vivant d'Isma'îl, il se produisit un schisme
après lequel on perd la trace de l'école comme sociale-
ment organisée. Quoi qu'il en fût, l'orientation mystique des idées masarriennes ne cessa d'agir en profondeur.

L'attestation la plus probante de l'esprit mystique
d'Ibn Masarra agissant au sein du soufisme espagnol,
est l'énorme influence exercée par le foyer ésotérique
de l'école d'Almeria. Après la mort d'Isma'îl al-Ro'aynî,
et au début du vi^e/xie siècle, en pleine domination almoravide, Almeria devint comme la métropole de tous les
soufis espagnols. Abû'l-'Abbâs ibn al-'Arif composa
une nouvelle règle de vie spirituelle (*tarîqa*) fondée
sur la théosophie d'Ibn Masarra. Trois grands disciples la répandirent : Abû Bakr al-Mallorquin à Grenade ; Ibn Barrajân (dont le nom sera inséparable de
celui d'Ibn 'Arabî) à Séville (mais il est déporté au Maroc
en compagnie d'Ibn al-'Arif ; tous deux y meurent vers
536/1141) ; Ibn Qasyî organise les adeptes de l'école
masarrienne, dans les Algarbes (au sud du Portugal),
en une sorte de milice religieuse portant le nom mystique de *Muridîn*. Doctrine théosophique et organisation présentent des traits significatifs en commun
avec celles de l'Ismaélisme. Pendant dix ans, Ibn Qasyî
règne en Imâm souverain dans les Algarbes. Il meurt
en 546/1151. Quatorze ans après sa mort (560/1165) naît
Ibn 'Arabî, dont un des grands ouvrages sera un commentaire de la seule œuvre d'Ibn Qasyî qui nous soit
parvenue (commentaire théosophico-mystique de l'ordre
perçu par Moïse devant le Buisson ardent : « Retire tes
sandales », Qorân 20/12).

2. *Ibn Hazm de Cordoue.*

1. A Cordoue appartient également l'une des personnalités les plus marquantes de l'Islam d'Andalousie
aux xe et xie siècles, personnalité complexe dont les
aspects multiples sont projetés dans son œuvre. Il y
a Ibn Hazm le poète ; il y a Ibn Hazm le penseur, le
théologien, historien critique des religions et des écoles
philosophiques et théologiques ; il y a le moraliste ; il
y a le juriste. *Vir immensæ doctrinæ*, disait de lui R. Do-
zy. C'est le platonicien et l'historien des religions qui
nous intéressent essentiellement ici. Abû Mohammad
'Alî Ibn Hazm naquit en 383/994, d'une famille jouis-
sant d'un haut rang social ; lui-même se plaisait à
faire remonter son ascendance jusqu'à un certain Persan, Yazîd. Son père étant le vizir du khalife al-Mansûr,
le jeune Ibn Hazm put facilement recevoir l'enseignement des plus célèbres maîtres de Cordoue dans toutes
les disciplines : le *hadîth*, l'histoire, la philosophie, le droit,
la médecine, la littérature.

Malheureusement en 403/1013 (avril), tout un quar-
tier de Cordoue est mis à sac par les Berbères. En juin
de la même année, Ibn Hazm perd son père. La révolte
grondant contre la souveraineté des Omeyyades, Ibn
Hazm est expulsé de Cordoue, ses biens sont confisqués.
Nous le voyons ainsi, lors de sa vingtième année, entièrement engagé dans la politique, prenant rang parmi
les plus fidèles soutiens de la dynastie omeyyade.
Il se réfugie à Almeria, prend la tête du mouvement en
faveur du prince 'Abd al-Rahmân IV, prétendant légitime au khalifat, contre Ibn Hammûd. Mais le prince
est tué au cours d'un combat où son armée est mise en
déroute, tandis qu'Ibn Hazm est fait prisonnier. On
lui rendra cependant la liberté.

Nullement découragé, Ibn Hazm se réfugie à Shâtiba

(Xativa). Là il trouve assez de sécurité et de paix pour
écrire son admirable livre d'amour, le « Collier de la
Colombe » (*Tawq al-Hamâma*), qui est en même temps
un journal de son expérience de la vie, où il révèle,
entre autres, une blessure jusqu'alors gardée secrète,
son amour juvénil pour la fille adoptive de ses parents.
Il reste toujours fidèle à la cause des nobles Omeyyades,
comme seule dynastie légitime. Il est le plus ferme sou-
tien du prince 'Abd al-Rahmân V qui réussit à monter
sur le trône, sous le nom d'al-Mostazhir, en 413/1023,
et Ibn Hazm devient son vizir. Pour peu de temps, hélas !
Deux mois plus tard, en février de la même année,
al-Mostazhir est tué, et Ibn Hazm de nouveau banni
de Cordoue. Tout espoir d'une restauration omeyyade
est désormais perdu. Ibn Hazm renonce à toute activité
politique et se consacre désormais à la science. Il quit-
tera ce monde en 454/1063.

2. Par le livre qu'il intitule le « Collier de la Colombe »,
Ibn Hazm prend rang parmi les adeptes de ce platonisme
de l'Islam où il a pour illustre prédécesseur Mohammad
ibn Dâwûd Ispahânî (ob. 297/909), dont nous avons
signalé ci-dessus (VI, 6) l'admirable *Kitâb al-Zohra*.
Il est probable que dans la bibliothèque du château
de Xativa, Ibn Hazm disposa d'une copie du livre d'Ibn
Dâwûd Ispahânî. Il réfère expressément au passage du
livre où Ibn Dâwûd fait allusion au mythe platonicien
du *Banquet* : « Certains adeptes de la philosophie ont
pensé que Dieu créa chaque esprit en lui donnant
une forme sphérique ; ensuite il le scinda en deux
parts, plaçant chaque moitié dans un corps. » Le secret
de l'amour est la réunion de ces deux membres dans
leur totalité initiale. L'idée de la préexistence des âmes
est d'ailleurs affirmée expressément par un *hadîth* du
Prophète. Ibn Hazm s'y réfère, mais il préfère l'interpréter dans le sens d'une réunion quant à l'élément supérieur des âmes isolées et dispersées en ce monde ; il

s'agit d'une affinité entre les impulsions qui les meuvent et qui sont écloses dès leur préexistence dans le monde supérieur. L'amour est la mutuelle approche de la forme qui les parachève. Le semblable cherche son semblable. L'amour est une adhésion spirituelle, une interfusion des âmes.

Quant à la cause pour laquelle le plus souvent éclôt l'amour, l'analyse qu'en donne Ibn Hazm présente une nette réminiscence du *Phèdre* de Platon. Cette cause « c'est une forme extérieurement (*zâhir*) belle, parce que l'âme est belle et désire passionnément tout ce qui est beau, et incline vers les images parfaites. Si elle voit une telle image, elle se fixe sur elle ; et si elle discerne ensuite dans cette image quelque chose de sa propre nature, elle en subit l'irrésistible attirance, et l'amour au sens vrai se produit. Mais, si elle ne discerne pas au-delà de l'image quelque chose de sa propre nature, son affection ne va pas au-delà de la forme. » Il est important de relever une telle analyse chez Ibn Hazm qui est un *zâhirite* (c'est-à-dire un *exotériste* en matière canonique, attaché à la validation de la lettre, de l'apparence), à côté de réflexions comme celles-ci : « O perle cachée sous la forme humaine ! » « Je vois une forme humaine, mais quand je médite plus profondément, voici qu'elle me semble être un corps venu du monde céleste des Sphères. » Ce sont là des pensées que l'on pourrait rencontrer chez les *ésotéristes* comme Rûzbehân de Shîrâz et Ibn 'Arabî, attentifs à percevoir chaque apparence comme une « forme théophanique ». La limite entre les uns et les autres est donc assez floue ; de part et d'autre l'*apparence* devient *apparition*. Et c'est quelque chose dont il faudra se souvenir dans le cas du *zâhirisme* du théologien Ibn Hazm.

On doit à l'arabisant A. R. Nykl à la fois la première édition du texte arabe du livre d'Ibn Dâwûd, et la première traduction en langue occidentale (anglais)

du livre d'Ibn Hazm. Une question d'un intérêt que
l'on peut dire passionnant, a été également traitée
par A. R. Nykl, à savoir l'étroite ressemblance entre la
théorie de l'amour chez Ibn Hazm et certaines idées qui
apparaissent dans la « Gaie Science » chez Guillaume IX
d'Aquitaine, et en général, jusqu'à la croisade contre
les Albigeois, dans les principaux thèmes du répertoire
des troubadours. On ne peut que signaler ici le problème.
La portée en est très vaste (géographiquement, typo-
logiquement, spirituellement), car il ne s'agit pas seulement de questions de forme et de thématisation, mais
de quelque chose de commun entre les *Fedeli d'amore*
et la religion d'amour professée par certains soufis. Mais
il nous faut alors différencier avec soin les positions
(cf. déjà ci-dessus VI, 6). Pour le platonicien Ibn Dâwûd,
pour Jâhiz, pour le théologien néo-hanbalite Ibn Qayyim, la voie d'amour est sans issue divine ; elle n'*émerge*
pas. Pour le platonisme des soufis, pour Rûzbehân de
Shîrâz comme pour Ibn 'Arabî, elle *est* précisément
cette émergence. Toute la spiritualité de ceux des soufis
qui les suivent, prend une tonalité différente de celle
de leurs prédécesseurs. L'amour *'odhrite* n'est pas simplement le modèle de l'amour de Dieu, car il n'y a pas
à passer d'un *objet* humain à un *objet* qui serait divin.
C'est une transmutation de l'amour humain lui-même
qui se produit, car il est « l'unique pont franchissant
le torrent du *Tawhîd* ».

Le livre d'Ibn Hazm sur « les caractères et les comportements » (*Kitâb al-akhlâq wa'l-siyar*), traduit en espagnol par Asin Palacios, est encore précieux pour la
lecture du livre précédent, car l'auteur y précise la
terminologie technique dont il use pour analyser les
aspects de l'amour. C'est en outre un ouvrage qui,
lui aussi, ressortit plus ou moins au « journal » personnel. L'auteur y consigne, sans aucun plan préétabli, ses
observations, méditations et jugements sur les hommes

et sur la vie. C'est un livre éminemment révélateur de l'homme et de la société andalouse du ve/xie siècle.

3. Comme canoniste, Ibn Hazm se signale par un livre (*Kitâb al-Ibtâl*, partiellement édité par I. Goldziher) où il traite des cinq sources reconnues par les différentes écoles pour établir une décision juridique : l'analogie (*qiyâs*), l'opinion personnelle (*ra'î*), l'approbation (*istihsân*), l'imitation (*taqlîd*), la motivation (*ta'lîl*). Dans un autre livre (*Kitâb al-mohallâ*), il critique sévèrement les principes de l'école shâfi'ite. Ces livres établissent avec la doctrine *zâhirite*, les bases de la discussion avec les autres auteurs.

Mais l'œuvre de beaucoup la plus importante du théologien Ibn Hazm est son traité sur les religions et les écoles de pensée (*Kitâb al-fisal wa'l-nihal*, éd. du Caire, 1321/1923, traduit en espagnol également par Asín Palacios). L'œuvre volumineuse est considérée à juste titre comme le premier traité d'histoire comparée des religions qui ait été écrit tant en arabe que dans une autre langue. Le Maître de Cordoue y donne toute la mesure de son génie et de ses vastes connaissances. Il y expose, avec les diverses religions, les différentes attitudes de l'esprit humain en présence du fait religieux, aussi bien celle du sceptique qui met en doute toutes les valeurs sacrées, que celle du simple croyant de souche populaire.

En fonction de leur attitude, il partage les êtres et les doctrines en plusieurs catégories. Il y a la catégorie des athées, qui englobe également les sceptiques et les matérialistes. Il y a la catégorie des croyants, qui englobe ceux qui croient à une divinité personnelle et ceux qui croient à une divinité impersonnelle, abstraite, sans relation aucune avec l'humanité. Le premier groupe se subdivise en monothéistes et en polythéistes. Parmi les premiers, il faut encore distinguer ceux qui possèdent un Livre révélé du Ciel par un prophète, et

ceux qui n'ont pas de Livre. Ceux qui ont un Livre (les
Ahl al-Kitâb, cf. *supra* I, 1) présentent encore deux cas
différents : il y a ceux qui ont conservé fidèlement au
cours des siècles le texte sacré, sans altération aucune ;
et il y a ceux qui ont altéré le texte. Le critère de la
vérité du fait religieux consiste donc, pour Ibn Hazm,
dans l'attestation de l'Unité divine (*tawhîd*) et dans la
conservation intégrale, à travers les siècles, du texte
de la Révélation. Ainsi compris, le fait religieux est essentiellement fondé sur le sens du divin, du sacré, et l'authenticité de ce sens dépend de l'affirmation de l'Unité
transcendante, elle-même garantie par la Révélation
prophétique. Pour que cette Révélation conserve son
action permanente, il importe donc qu'elle soit conservée
textuellement, de siècle en siècle, puisque ce texte est
le seuil même par lequel le fidèle s'approche du mystère du divin.

Telles sont les grandes lignes de l'univers religieux
tel que le conçoit Ibn Hazm, et en fonction duquel il
fonde son système *exotérique* (*zâhirî*) comme l'unique
voie de la vérité spirituelle. A l'appui de ce qui a été
suggéré plus haut concernant ce zâhirisme, on rappelle
qu'Ibn 'Arabî, un des plus grands *ésotéristes* (*bâtinî*) de
tous les temps, était, lui aussi, un Andalou et juridiquement un *zâhirî*!

3. *Ibn Bâjja* (*Avempace*) *de Saragosse.*

1. Avec Abû Bakr Mohammad ibn Yahyâ ibn al-
Sâyigh ibn Bajja (Aven Bâddja, *Avempace* de nos Scolastiques latins) nous nous transférons, du moins pour
un court moment, dans le nord de la péninsule. Par sa
profondeur de pensée, son influence sur Averroës et
sur Albert le Grand, ce philosophe, dont la courte existence fut traversée de tribulations, mérite une attention

particulière. Il était né à Saragosse, à la fin du ve/xie siècle, mais en 512/1118 Saragosse est prise par Alphonse Ier
d'Aragon. C'est pourquoi l'on retrouve, la même année,
Ibn Bâjja réfugié à Séville, où il exerce la médecine,
puis à Grenade. Il se rend ensuite au Maroc, est tenu
en haute estime à la cour de Fès, où il aurait même
rempli les fonctions de vizir. Mais en 533/1138, les médecins de Fès décidèrent, dit-on, de se débarrasser par
le poison, de ce concurrent jeune et envié. Un de ses
disciples et amis, un certain Abû'l-Hasan 'Alî de Grenade, écrivit dans l'introduction du recueil qu'il avait
composé des traités de son maître, que celui-ci avait
été le premier à faire fructifier réellement en Espagne
l'enseignement des philosophes orientaux de l'Islam.
Il y a peut-être, si l'on pense à Ibn Masarra, quelque
exagération dans cet éloge. En outre le philosophe juif
Salomon ben Gabirol (Avicebron) lui est antérieur; il
est vrai que ses écrits restèrent ignorés des philosophes
musulmans.

2. On cite d'Ibn Bâjja plusieurs commentaires de
traités d'Aristote (Physique, Météorologie, *De generatione*, Histoire des animaux). Ses principaux écrits
philosophiques sont restés inachevés, comme le signale
expressément Ibn Tofayl (*infra* VIII, 5) en rendant
hommage à sa profondeur d'esprit et en déplorant son
destin malheureux. Ils comprenaient divers traités de
Logique, un traité sur l'âme, un traité sur la conjonction de l'intellect humain avec l'Intelligence agente,
thème repris dans la « Lettre d'adieux » (adressée à
l'un de ses jeunes amis, à la veille d'un voyage, l'épître
traitait du véritable but de l'existence et de la connaissance, et est citée dans la version latine des œuvres d'Averroës comme *Epistula expeditionis*); enfin le traité qui
lui valut sa réputation et qui s'intitule le « Régime
du solitaire » (*Tadbîr al-motawahhid*). Comme Fârâbî,
l'Oriental solitaire et contemplatif dont il était prédis-

posé par affinité à subir l'influence, Ibn Bâjja avait un
goût particulier pour la musique et jouait lui-même du
luth.

On note également ses connaissances étendues en
médecine, en mathématiques et en astronomie. C'est
ainsi que par son intérêt pour l'astronomie, il se trouva
mêlé à la lutte contre les conceptions de Ptolémée. On
se rappelle le *status quæstionis* évoqué ci-dessus à
propos d'Ibn al-Haytham (*supra* IV, 8). Tant que les
Sphères célestes sont considérées comme des fictions
mathématiques, à l'usage des géomètres pour calculer
les mouvements des planètes, les philosophes n'ont pas
à intervenir. Mais, dès qu'elles sont considérées comme
des corps concrets, solides ou fluides, les hypothèses
doivent satisfaire aux lois de la physique céleste. Or
la physique céleste généralement professée était celle
d'Aristote ; elle exigeait des Sphères homocentriques,
dont le mouvement circulaire ait pour centre le centre
du monde, ce qui excluait l'idée des épicycles et des
excentriques. Pendant tout le XIIᵉ siècle, les philosophes
les plus éminents de l'Espagne islamique, Ibn Bâjja,
Ibn Tofayl, Averroës, prirent part à la lutte antipto-
léméenne, laquelle finit par produire le système d'al-
Bitrogî (*Alpetragius* des Latins) ; celui-ci aura jusqu'au
XVIᵉ siècle ses défenseurs contre le système de Ptolémée. C'est par le grand philosophe juif Moïse Maïmonide (ob. 1204) que l'on connaît la substance d'un traité
d'astronomie composé par Ibn Bâjja. Pour des raisons
pertinentes, une fois admises, bien entendu, les lois du
mouvement définies par la physique péripatéticienne,
Ibn Bâjja y prend position contre les épicycles et
propose ses propres hypothèses. Elles auront de l'influence sur Ibn Tofayl, dans la mesure où celui-ci, au
témoignage d'Averroës et d'al-Bitrogî lui-même, s'in-
téressa aussi à l'astronomie.

En fait, on l'a souligné ci-dessus (IV, 8), il s'agissait

là d'une *Imago mundi* résultant moins d'exigences expérimentales que de la perception *a priori* de l'univers. Aussi cette perception fait-elle corps avec l'ensemble des conceptions du philosophe, et aide à le situer dans le « plérôme » des philosophes de l'Islam. Cette situation, il l'éclairait lui-même en prenant position à l'égard de Ghazâlî (cf. *supra* V, 7). Celui-ci en effet lui semble avoir simplifié le problème en affirmant que dans la solitude, la contemplation du monde spirituel dispensée par l'illumination divine, lui procurait une douce délectation. C'est qu'en fait encore, le mysticisme essentiellement religieux de Ghazâlî est étranger à Ibn Bâjja ; la contemplation du philosophe tend à quelque chose de plus détaché. Il est exact de dire que, par son influence sur Averroës, Ibn Bâjja imprima à la philosophie en Espagne une direction parfaitement étrangère à l'esprit de Ghazâlî. Seul, l'effort de la connaissance spéculative peut conduire l'homme à la connaissance de soi et de l'Intelligence agente ou active. Il n'en reste pas moins que les termes qui ont la prédilection d'Ibn Bâjja, ceux de *solitaire*, d'*étranger*, ne sont autres que des mots typiques de la gnose mystique en Islam. Ainsi l'on peut plutôt dire qu'il s'agit d'un même type d'homme spirituel, réalisé dans des individualités chez lesquelles la perception du but commun diffère, comme diffère par conséquent l'option concernant les voies permettant de l'atteindre. L'une de ces voies est, en Espagne, celle d'Ibn Masarra ; elle sera suivie par Ibn 'Arabî. Une autre est celle d'Ibn Bâjja ; elle sera reprise par Averroës.

3. S. Munk a donné jadis une longue analyse de l'œuvre majeure d'Ibn Bâjja, dont l'original, resté inachevé, n'a été retrouvé que récemment par Asin Palacios. Heureusement, le philosophe juif Moïse de Narbonne (xive s.) l'avait lui-même analysée et longuement citée dans son commentaire en hébreu sur le *Hayy ibn Yaqzân* d'Ibn Tofayl. Des seize chapitres subsistants de l'œuvre,

d'une densité vraiment peu commune, on ne peut extraire ici (non sans difficulté) que quelques thèses essentielles. L'idée directrice en peut être décrite comme un *itinerarium* menant l'homme-esprit à se conjoindre avec l'Intelligence agente.

Tout d'abord l'auteur s'explique sur les deux mots du titre : le *Régime du solitaire*. Qui dit régime (*tadbîr*) dit « plusieurs actions disposées selon un certain plan et pour un certain but. » Or « le concours réglé d'actions, demandant la réflexion, ne peut se trouver que chez l'homme *seul*. Le régime du solitaire doit être l'image du régime politique de l'État parfait, de l'État modèle. » Ici se fait sentir, avec l'influence de Fârâbî, l'affinité avec Abû'l-Barakât Baghdâdî. Notons bien que cet État idéal n'est posé ni *a priori* ni comme résultant d'un coup d'état politique. Il ne peut résulter que d'une réforme préalable des mœurs, et cette réforme est beaucoup plus qu'une réforme « sociale » ; elle commence vraiment par le commencement, et tend à réaliser tout d'abord dans chaque individu la plénitude de l'existence humaine, celle du solitaire, car, pour reprendre un jeu de mots un peu facile, ce sont les solitaires au sens d'Ibn Bâjja qui, seuls, font des solidaires.

Ces solitaires, ce sont des hommes qui ayant atteint à l'union avec l'Intelligence active, peuvent alors former un État parfait où il n'y ait besoin ni de médecins, parce que les citoyens ne se nourriront que de la manière la plus convenable, ni de juges, puisque chaque individu aura atteint la plus grande perfection dont un être humain soit capable. Pour le moment, dans tous les États imparfaits où ils vivent, les *solitaires*, sans autre médecin que Dieu, ont pour tâche de devenir les éléments de la Cité parfaite, ces *plantes* que doit précisément cultiver et développer le *régime* préconisé par le philosophe Ibn Bâjja, comme devant conduire à la béatitude du *solitaire*. Ce mot, donc, s'applique aussi bien à l'individu isolé qu'à plusieurs à la fois, car tant que la communauté n'aura pas adopté les mœurs de ces solitaires, ils resteront des hommes qu'Ibn Bâjja, en se référant à Fârâbî et aux soufis, désigne comme des *étrangers* dans leur famille et dans leur société, étant les citoyens des républiques idéales que leur audace spirituelle anticipe. L'étranger (*gharîb*), l'allogène! Le mot vient de l'ancienne Gnose, traverse les propos des Imâms du shî'isme, domine le « Récit de l'exil occidental » de Sohrawardî, et nous atteste, chez Ibn Bâjja, que la philosophie en Islam se sépare difficilement de la gnose.

4. Pour expliquer sur quoi est fondé le régime de ces solitaires, il faut tout d'abord classer les actions humaines en fonction des *formes* auxquelles elles visent, et corollairement déterminer les *fins* de ces actions en fonction des formes auxquelles respectivement elles visent. D'où Ibn Bâjja développe, avec une vigueur spéculative extraordinaire, une théorie des *formes spirituelles* que l'on ne peut évoquer ici qu'allusivement. En résumant à l'extrême, on dira qu'elle distingue entre les formes intelligibles qui ont à être abstraites d'une matière, et les formes intelligibles qui, étant essentiellement en elles-mêmes séparées de la matière, sont perçues sans avoir à être abstraites d'une matière. Le régime du solitaire le conduira à percevoir les premières dans un état et dans des conditions qui, finalement, reproduisent l'état et les conditions des secondes.

Les formes qui ont à être abstraites de la matière, c'est ce que l'on appelle les intelligibles hyliques (*ma'qûlât hayûlânîya*). L'intellect possible (ou hylique) de l'homme ne les possède qu'en puissance ; c'est l'Intelligence agente qui les fait passer à l'acte. Une fois qu'elles sont en acte, elles sont perçues dans leur universalité, c'est-à-dire dans le rapport universel qu'une essence entretient avec les individus matériels qui l'exemplifient. Mais le

but ultime du solitaire est sans référence à la matière
(*hylé*). Pour cette raison, il faudra que ce rapport
universel disparaisse lui-même en fin de compte, et que
le solitaire perçoive les formes en elles-mêmes, sans
qu'elles aient immané à une matière, ni qu'elles aient
eu à en être abstraites. Son intellect saisit en quelque
sorte les idées des idées, les essences des essences, y
compris la propre essence de l'homme, grâce à quoi
l'homme se comprend soi-même comme être-intelli-
gence. C'est que les formes devenues intelligibles en
acte, sont alors elles-mêmes intellect en acte, et c'est ce
que désigne ici le terme d'*intellect acquis* ou intellect
émané de l'Intelligence agente. Ces formes sont, comme
celle-ci, sans relation avec la matière (la *hylé*), car c'est
l'intellect en acte qui est lui-même le *substrat* de
l'intellect acquis.

En d'autres termes, lorsque les intelligibles en puissance ont été abstraits de la matière et qu'ils deviennent
désormais objets de la pensée, à ce moment leur être est
celui de formes qui ne sont plus dans une matière ;
intelligibles en acte, ils sont cet intellect acquis qui est
la *forme* de l'intellect en acte. On comprend alors
comment, devenues intelligibles en acte, les formes
des êtres sont le terme suprême de ces êtres et, comme
telles, sont elles-mêmes des êtres. Et l'on admettra
avec Fârâbî que les choses pensées, du fait qu'elles sont
devenues intelligibles en acte, c'est-à-dire intellect en
acte, pensent également à leur tour, en tant qu'intellect
en acte.

Le but du solitaire se dessine nettement. Il est
d'arriver à produire cette opération qui ne consiste
plus à abstraire les formes d'un substrat, c'est-à-dire
de sa matière (*hylé*). « Lorsque l'intellect est en acte par
rapport à toutes les choses intelligibles en acte, il ne
pense d'autre être que lui-même, mais il se pense lui-
même sans abstraction » (c'est-à-dire sans avoir à

abstraire une forme d'une matière. Toute cette théorie serait à comparer avec celle de la « connaissance présentielle » chez les *Ishrâqîyûn, supra* VII).

5. Un dernier pas reste à faire. « Il y a des êtres qui sont de pures formes sans matière, des formes qui n'ont jamais été dans une matière. » D'où ces êtres, quand on les pense, n'ont pas à devenir, mais sont déjà des choses intelligibles pures, tels qu'ils l'étaient avant d'être pensés par cet intellect, sans avoir à être abstraits d'une matière. L'intellect, étant en acte, les trouve eux-mêmes séparés de toute matière et en acte ; il les pense tels qu'ils existent en eux-mêmes, c'est-à-dire comme des choses intelligibles et immatérielles ; leur existence ne subit aucun changement. Il faut alors dire ceci : de même que l'intellect acquis est la forme de l'intellect en acte, de même ces formes intelligibles deviennent des formes pour l'intellect acquis, lequel est alors lui-même comme le substrat (la « matière ») de ces formes, tout en étant lui-même aussi une forme pour l'intellect en acte qui est comme son substrat.

Maintenant, chacune des formes qui se trouvent aujourd'hui *in concreto* immanentes à leur matière, existent dans et pour l'Intelligence agente comme une unique Forme séparée, immatérielle, sans, bien entendu, qu'elles aient dû être abstraites par elle de leur matière respective, mais tel qu'il en est pour l'intellect en acte. C'est pourquoi justement l'homme, en ce qui fait son essence, est ce qu'il y a de plus proche de l'Intelligence agente, car à son tour, on vient de le voir, l'intellect acquis est capable, par lui-même, du même mouvement que l'intellect en acte pour se penser soi-même. Alors éclôt « la véritable conception intelligible, c'est-à-dire la perception de l'être qui, par son essence même, est intellect en acte, sans avoir eu besoin, ni maintenant ni auparavant, de quelque chose qui le fît sortir de l'état de puissance ». On a là-même ce qui définit l'Intelligence agente séparée (*'Aql fa''âl*) comme active et toujours en acte de s'intelliger soi-même, et tel est le terme de tous les mouvements.

Ce bref résumé suffira peut-être à faire pressentir la profondeur de pensée d'Ibn Bâjja. Si l'on se réfère à ce qui a été dit ici de l'Intelligence agente comme Esprit-Saint, à propos de la philosophie prophétique, de l'avicennisme et de Sohrawardî, on peut dire qu'Ibn Bâjja se signale, par sa rigueur admirable, entre tous les philosophes qui ont esquissé comme lui en Islam, quelque chose comme une phénoménologie de l'Esprit. L'œuvre est inachevée ; elle s'arrête avec son chapitre XVI. Averroës, non sans raison, la trouvait obscure, et nous ne saurons jamais comment, de ce chapitre culminant, Ibn Bâjja eût conclu son *Régime du solitaire*.

4. *Ibn al-Sîd de Badajoz.*

1. Ce philosophe contemporain d'Ibn Bâjja a été redécouvert par Asin Palacios, après avoir longtemps passé, par la faute des biographes, pour un grammairien et un philologue. Sa vie se situe dans la période critique de transition entre le règne des petites dynasties locales et l'invasion almoravide. Né en 444/1052 à Badajoz (en Estrémadure, d'où son surnom *al-Batalyûsî*, c'est-à-dire de Badajoz), il fut obligé par la situation de chercher un refuge à Valence, puis à Albarracin où il remplit les fonctions de secrétaire à la petite cour de l'émir 'Abd al-Malik ibn Razin (1058-1102), enfin à Tolède où il se fixa plusieurs années. Il dut également résider à Saragosse, puisqu'il y soutint avec Ibn Bajja une polémique sur des questions de grammaire et de dialectique, qu'il récapitula dans son « Livre des Questions » (*Kitâb al-Masâ'il*). Mais, comme Ibn Bajja, il dut s'enfuir en 1118, lors de la prise de la ville par les

chrétiens. Il mourut en 521/1127, ayant consacré ses dernières années à la rédaction de ses œuvres et à la direction de ses disciples.

Des onze ouvrages mentionnés par Asin, on n'insiste ici que sur le dernier, le *Livre des cercles*, qui vaut à notre auteur de prendre rang parmi les philosophes. Longtemps le livre ne fut connu que chez les philosophes juifs, parce que déjà le célèbre Moïse ibn Tibbon (1240-1283) en avait donné une version en hébreu, initiative qui témoigne de l'estime dans laquelle il tenait l'œuvre d'Ibn al-Sîd. On peut dire de celle-ci qu'elle reflète admirablement l'état des connaissances et des problèmes philosophiques en Espagne musulmane, à l'époque même où Ibn Bâjja rédigeait ses propres œuvres, et plusieurs années avant qu'Ibn Tofayl et Averroës n'eussent projeté les leurs. Déjà dans son « Livre des Questions », Ibn al-Sîd avait été amené à prendre une position typique de ce qui se passe lorsque, l'ésotérisme (celui de l'école d'Almeria, par exemple) étant laissé à l'écart, religion et philosophie tâchent de s'accommoder de leur tête-à-tête : pour notre philosophe, religion et philosophie ne diffèrent ni quant à leur objet ni quant à la fin de leurs doctrines respectives ; elles cherchent et enseignent la même vérité par des méthodes différentes et en s'adressant à des facultés différentes chez l'homme.

2. C'est de cette philosophie qu'Ibn al-Sîd donne un exposé dans le « Livre des cercles ». Une philosophie émanatiste, certes, mais qui, à la différence de celle des avicenniens, ne se contente pas de reproduire la hiérarchie des hypostases plotiniennes comme principes premiers ; elle la systématise avec des arguments d'ordre mathématique, ce qui donne à tout le système, comme l'a relevé Asin, une certaine résonance néopythagoricienne. Les nombres sont les symboles du cosmos ; le rythme de la durée des choses a son explication géné-

tique dans la décade, essence de tout nombre ; l'Un
pénètre tous les êtres, en est la vraie essence et la fin
ultime. Il n'est pas douteux qu'intervienne ici l'influence
des *Ikhwân al-Safâ* (*supra* IV, 3), dont les écrits circulaient en Andalousie depuis déjà plus d'un siècle. Aussi
bien Ibn al-Sîd semble-t-il professer pour les diagrammes
la même inclination que les Ismaéliens.

Trois cercles symbolisent les trois étapes de l'Émanation : 1) La décade des Intelligences ou Formes pures
sans matière, dont la dixième est l'Intelligence agente.
2) La décade des Ames, à savoir neuf pour les Sphères
célestes, plus l'Ame universelle, émanation directe de
l'Intelligence agente. 3) La décade des êtres matériels
(la forme, la matière corporelle, les quatre éléments,
les trois règnes naturels, l'Homme). Dans chacun des
cercles, le dixième rang est donc occupé respectivement
par l'Intelligence agente, par l'Ame universelle, par
l'Homme. Le premier chapitre du livre a pour titre :
« Explication de la thèse des philosophes énonçant que
l'ordre dans lequel les êtres procèdent de la Cause
première, ressemble à un cercle idéal (*dâ'ira wahmîya*),
dont le point de retour à son principe est dans la forme
de l'Homme. »

5. *Ibn Tofayl de Cadix.*

1. Ce philosophe a déjà été nommé ci-dessus (VIII, 3)
à propos de la lutte des Péripatéticiens contre l'astronomie de Ptolémée ; Averroës et al-Bitrogî reconnais-
saient sa compétence. Abû Bakr Mohammad ibn'Abd
al-Malik Ibn Tofayl était né à Cadix (*Wâdî-Ash*) dans
la province de Grenade et dans les premières années de
notre xiie siècle. Il fut, comme tous ses confrères, un
savant encyclopédique, médecin, mathématicien et
astronome, philosophe et poète. Il exerça les fonctions

de secrétaire auprès du gouverneur de Grenade, puis passa au Maroc où il fut l'ami intime, le vizir et le médecin du second souverain de la dynastie des Almohades, Abû Ya'qûb Yûsof (1163-1184). Peu d'autres détails extérieurs sont connus sur sa vie. On signale cependant qu'il fit confier à son ami Averroës le soin d'entreprendre, sur le désir du souverain, une analyse des œuvres d'Aristote. Averroës a même laissé un récit circonstancié de la première entrevue avec le souverain. Ibn Tofayl mourut à Maroc en 580/1185.

Nos Scolastiques latins, pour qui le nom d'Abû Bakr était devenu *Abûbacer*, ne l'ont connu que par une critique d'Averroës (*De anima*, V) reprochant à Ibn Tofayl d'identifier l'intellect possible de l'homme avec l'imagination. Ibn Tofayl professait que l'imagination, convenablement exercée, a l'aptitude à recevoir les intelligibles, sans qu'il soit nécessaire de supposer encore un autre intellect. On déplore la disparition d'une œuvre qui eût permis non seulement de mieux comprendre les intentions de son « roman philosophique », mais aussi d'instituer des comparaisons fructueuses avec la théorie de l'imagination amplement développée chez les penseurs de l'Islam oriental.

2. Mais c'est surtout à ce « roman philosophique » intitulé *Hayy ibn Yaqzân*, resté inconnu des Scolastiques latins, qu'Ibn Tofayl dut ensuite sa célébrité. L'ouvrage fut traduit en plusieurs langues (en hébreu d'abord, par Moïse de Narbonne, au xive siècle ; en latin au xviie siècle par E. Pococke, sous le titre de *Philosophus autodidactus; cf. in fine* bibliographie). Comme on a pu le constater, toute la vie spéculative de nos philosophes est ordonnée à cet être spirituel qui est l'Intelligence agente, dixième Ange de la première hiérarchie spirituelle, Esprit-Saint de la philosophie prophétique. Mais la théorie est si profondément vécue par eux jusqu'aux limites, disons de leur transconscience

(*sirr*) plutôt que de leur subconscience, qu'elle éclôt
en une dramaturgie dont les personnages sont les
propres symboles du philosophe dans l'*itinerarium*
le conduisant à cette Intelligence. Ainsi en fut-il pour
Avicenne (*supra* V, 4), ainsi en fut-il pour Sohrawardî
(*supra* VII, 4). Or, Ibn Tofayl est contemporain de
Sohrawardî, et leur dessein respectif offre un parallélisme
frappant. D'une part, Sohrawardî puise l'inspiration de
ses récits symboliques dans une expérience qui le
conduit à réaliser cette « philosophie orientale » jusqu'à
laquelle, selon lui, Avicenne n'avait pu atteindre.
D'autre part, Ibn Tofayl, dans le prologue de son roman
philosophique, réfère à la « philosophie orientale » et
aux récits avicenniens, parce qu'il sait que la première,
dans l'état des textes d'Avicenne, est à chercher dans
les seconds. Un même thème est commun à nos philosophes ; chacun le développe en suivant la vocation de
son génie propre.

Ce qu'Ibn Tofayl doit à Avicenne, ce sont essentiellement les noms des personnages, les *dramatis
personæ*. Il y a tout d'abord le récit avicennien de
Hayy ibn Yaqzân (*Vivens filius Vigilantis*). On ne
signale que pour mémoire une hypothèse qui s'est
rapidement effondrée. Égarés par un *lapsus* d'Ibn
Khaldûn, quelques chercheurs suggérèrent qu'il y aurait
eu un troisième roman du même titre, œuvre d'Avicenne
également, et qui aurait servi de modèle à Ibn Tofayl.
Non. La tradition iranienne, remontant à l'entourage
même d'Avicenne, est sans équivoque sur ce point.
Le récit avicennien, tel que nous le connaissons, est bien
celui auquel réfère Ibn Tofayl. Seulement, chez Ibn
Tofayl, Hayy ibn Yaqzân typifie non plus l'Intelligence
agente, mais le *solitaire* selon le cœur d'Ibn Bâjja, dont
l'idée est alors poussée jusqu'à l'extrême limite. Le
récit d'Ibn Tofayl est une œuvre originale ; il n'est
nullement une simple amplification du récit avicennien.

Les noms de deux autres personnages proviennent du récit avicennien de *Salâmân et Absâl*. Sous ce même titre figure d'une part, un récit hermétiste traduit du grec : c'est la version amplifiée par le poète Jâmî (ob. 898/1492) en une vaste épopée mystique en persan. Et d'autre part, figure le récit avicennien que nous ne connaissons plus que par les citations et le résumé qu'en a donné Nasîroddîn Tûsî (ob. 672/1274). Nous savons aussi que, selon les propres termes d'Avicenne, « Salâmân ne fait que te typifier toi-même, tandis qu'Absâl typifie le degré que tu as atteint en gnose mystique. » Ou, selon l'interprétation de Nasîr Tûsî, ce sont les deux faces de l'âme : Salâmân est l'intellect pratique, Absâl est l'intellect contemplatif. On verra que c'est précisément ce sens qu'Ibn Tofayl, de son côté, avait déjà retenu.

3. La scénographie de son roman philosophique, disons plus exactement de son « récit d'initiation », est constituée principalement par deux îles. Sur l'une de ces îles, l'auteur fait vivre une société humaine avec ses lois et ses conventions ; sur l'autre, un *solitaire*, un homme qui a atteint la pleine maturité spirituelle sans le secours d'aucun maître humain et en dehors de tout milieu social. Les hommes composant la société de la première île, vivent sous la contrainte d'une Loi qui leur reste tout extérieure, une religion dont le mode d'expression se maintient au niveau du monde sensible. Deux hommes cependant se distinguent parmi eux ; ils se nomment Salâmân et Absâl (en accord avec la majorité des manuscrits et d'après la référence même d'Ibn Tofayl, il importe de préférer la forme authentique *Absâl* à la forme mutilée *Asâl*). Ces deux hommes donc, s'élèvent à un niveau de conscience supérieure. Salâmân, esprit pratique et « social », s'adapte à la religion populaire et s'arrange pour gouverner le peuple. Mais Absâl, nature contemplative et mystique, ne peut s'adapter

(on trouve ici la réminiscence du récit avicennien trans-
posé). Exilé en son propre pays, Absâl décide d'émigrer
dans l'île d'en face qu'il croit complètement inhabitée,
afin de s'y vouer à la vie spéculative et aux exercices
spirituels.

En fait, cette île inhabitée est « peuplée » par un solitaire, Hayy ibn Yaqzân. Il y est apparu de façon mystérieuse : par génération spontanée d'une matière rendue
spirituellement active par l'Intelligence agente, ou parce
que, tout petit enfant abandonné sur les eaux, il aborda
miraculeusement en cette île. Toujours est-il que le
petit enfant trouve son premier secours en une gazelle
qui, vivant exemple de la sympathie unissant tous les
êtres vivants, le nourrit et l'élève. Commence alors une
mystérieuse pédagogie, sans maître humain visible,
rythmée en semaines d'années, et qui de septenaire
en septenaire conduit Hayy ibn Yaqzân jusqu'à la
maturité du parfait philosophe (on résume ici à l'extrême). Ibn Tofayl décrit comment le solitaire acquiert
les premières notions de la physique ; apprend à distinguer la matière de la forme ; à partir de la notion
de corps, s'élève jusqu'au seuil du monde spirituel ;
s'interroge, en contemplant les Sphères, sur l'éternité
du monde ; découvre la nécessité du Démiurge ; en réfléchissant sur la nature et les états de son propre intellect, prend conscience de la véritable et inépuisable
essence de l'homme, et de ce qui est pour lui la source
de la souffrance ou de la félicité ; s'efforce, pour ressem-
bler à Dieu, de ne laisser subsister que la pensée seule ;
puis, de conséquence en conséquence, est conduit jusqu'à l'état indicible où il perçoit l'universelle Théophanie. Le solitaire perçoit l'apparition divine resplen-
dissant dans les Intelligences des plus hautes Sphères,
s'affaiblissant graduellement jusqu'au monde sublunaire ; enfin, descendant jusqu'au fond de soi-même,
il perçoit qu'il existe une multitude d'essences indivi-

duelles semblables à la sienne, les unes entourées de
lumière et de pureté, les autres dans les Ténèbres et
les tourments.

4. C'est au sortir de cette vision d'extase, alors que
sept septenaires, sept fois sept années ont passé, le
solitaire étant entré dans sa cinquantième année, que
Absâl le rejoint dans son île. La première approche est
difficile. Il y a des méfiances réciproques. Mais Absâl
réussit à apprendre la langue de Hayy, et voici l'éton-
nante découverte qu'ils font ensemble : Absâl s'aperçoit
que tout ce qui, dans l'île des hommes, lui fut enseigné
en fait de religion, Hayy, le philosophe solitaire, sous
la seule conduite de l'Intelligence agente, le connaît
déjà, mais le connaît sous une forme plus pure. Absâl
découvre ce que c'est qu'un symbole, et que toute la
religion est le symbole d'une vérité et d'une réalité spirituelle inaccessible aux hommes, sinon sous ce voile,
parce que la vision intérieure des hommes est para-
lysée, autant par leur attention tournée exclusivement vers le monde sensible, que par les habitudes
sociales.

Mais en apprenant que sur l'île en face, il y a des
hommes qui vivent dans l'aveuglement spirituel, Hayy
éprouve le noble désir d'aller leur faire connaître la
vérité. Absâl accepte de l'accompagner, mais avec
regret. Les deux solitaires, grâce à un navire qui par
hasard aborde le rivage de leur île, se rendent donc dans
l'île autrefois habitée par Absâl. Ils y sont tout d'abord
reçus avec de grands honneurs, mais au fur et à mesure
que progresse leur prédication philosophique, ils s'aper-
çoivent que l'amitié fait place à la froideur, puis à une
hostilité croissante à leur égard, tant les hommes sont
incapables de comprendre. En revanche, les deux amis
comprennent, eux, que la société humaine est incurable ;
ils retournent dans leur île. Ils savent maintenant par
expérience que la perfection, par conséquent le bonheur,

n'est accessible qu'à un petit nombre : ceux qui ont la
force d'être des renonciateurs.

5. De nombreuses opinions ont été exprimées quant
à la signification du récit et l'intention profonde d'Ibn
Tofayl. Il n'y a pas à les recenser ici, car le propre des
symboles est de recéler des sens inépuisables ; à chaque
lecteur d'extraire sa vérité. Il est faux d'y chercher un
roman à la Robinson Crusoé. Tout épisode extérieur
doit être compris ici sur le plan spirituel. Il s'agit de
l'autobiographie spirituelle du philosophe, et l'intention d'Ibn Tofayl concorde avec celle d'Avicenne comme
avec celle de tous ses confrères. La pédagogie qui conduit à la pleine conscience des choses, n'est pas l'œuvre
d'un maître humain extérieur. Elle est l'illumination
de l'Intelligence agente, mais celle-ci n'illumine le philosophe qu'à la condition qu'il se dépouille de toutes les
ambitions profanes et mondaines, et vive, au milieu même
du monde, la vie du solitaire selon le cœur d'Ibn Bâjja.
Solitaire, car le sens dernier du récit d'Ibn Tofayl semble
être celui-ci : le philosophe peut comprendre l'homme religieux, mais la réciproque n'est pas vraie ; l'homme religieux tout court ne peut pas comprendre le philosophe.

De ce point de vue, Averroës classera les hommes en
trois catégories d'esprits (les hommes de la démonstration apodictique, les hommes de la dialectique probable,
les hommes de l'exhortation). Le retour de Hayy ibn
Yaqzân et d'Absâl en leur île signifie-t-il que le conflit
entre philosophie et religion, en Islam, est désespéré
et sans issue ? Peut-être est-ce ce que l'on a l'habitude
d'envisager avec l'averroïsme, lorsque l'on en parle comme
du « dernier mot » de la philosophie en Islam. Mais il
n'y a là qu'une petite partie du champ de la philosophie islamique. Pour en embrasser l'ensemble et comprendre ce qui en sera l'avenir, il faut se reporter à ce
qui a été esquissé ici au début (chap. II) : le shî'isme
et la philosophie prophétique.

6. *Averroës et l'averroïsme.*

1. En prononçant le nom d'Averroës, on évoque une
puissante personnalité, certes, et un philosophe authentique dont tout le monde en Occident a, peu ou prou,
entendu parler. Le malheur est justement que l'optique
occidentale ait ici manqué de perspective. Comme nous
l'avons déjà déploré, on a répété et recopié qu'Averroës
était le plus grand nom, le plus éminent représentant
de ce que l'on appelait la « philosophie arabe », et qu'a-
vec lui, celle-ci avait atteint son apogée et sa fin. On
perdait ainsi de vue ce qui se passait en Orient, où précisément l'œuvre d'Averroës passa autant dire ina-
perçue. Ni Nasîr Tûsî, ni Mîr Dâmâd, ni Mollâ Sadrâ,
ni Hâdî Sabzavârî, n'ont soupçonné le rôle et la signification que nos manuels attribuent à la polémique
Averroës-Ghazâlî. En les leur expliquant on aurait provoqué leur étonnement, comme on provoque aujour-
d'hui celui de leurs successeurs.

Abû'l-Walîd Mohammad ibn Ahmad ibn Mohammad
ibn Roshd (Aven Roshd, devenu *Averroës* pour les
Latins) est né à Cordoue en 520/1126. Son aïeul et son
père avaient été des juristes célèbres, investis de la
dignité de juge suprême (*qâdi al-qodât*) et personnages
politiques influents. Le jeune Averroës reçut, bien entendu, une formation complète : théologie et droit (*fiqh*),
poésie, médecine, mathématiques, astronomie et philosophie. En 548/1153 il est au Maroc, puis en 565/1169-
1170 on le trouve *qâdi* de Séville. Il achève cette année-
là son « Commentaire sur le Traité des animaux » et son
« Commentaire moyen sur la Physique » ; ce fut dans
sa vie une période de productivité intense. En 570/1174,
il achève ses « Commentaires moyens sur la Rhéto-
rique et sur la Métaphysique », et tombe gravement
malade. Guéri, il reprend les voyages auxquels l'obli-

geaient ses fonctions. En 574/1178 il est au Maroc, d'où il date le traité traduit plus tard en latin sous le titre *De substantia orbis*, et en 578/1182 le souverain almohade, Abû Ya'qûb Yûsof (à qui il avait été présenté par Ibn Tofayl), le nomme son médecin, puis lui confère la dignité de Qâdî de Cordoue. Averroës jouit de la même faveur auprès du successeur du souverain, Abû Yûsof Ya'qûb al-Mansûr.

Mais déjà à cette époque, bien qu'il observe extérieurement toutes les prescriptions de la *sharî'at*, ses opinions philosophiques lui attirent les soupçons des docteurs de la Loi. Il semble qu'en avançant en âge, Averroës se soit retiré des affaires publiques pour se vouer entièrement à ses travaux philosophiques. Cependant ses ennemis réussirent à le perdre dans l'esprit d'al-Mansûr qui, lors de son passage à Cordoue en 1195, l'avait encore comblé d'honneurs. Il fut mis en résidence surveillée à Lucena (Elisâna), près de Cordoue, où il eut à subir les affronts, les satires, les attaques des « orthodoxes », théologiens et populace. S'il est vrai qu'al-Mansûr le rappela au Maroc, ce ne fut pas pour lui rendre sa faveur, car c'est autant dire dans un état de réclusion que le philosophe mourut, sans avoir revu l'Andalousie, le 9 Safar 595/10 décembre 1198, à l'âge de 72 ans. Ses restes mortels furent transférés à Cordoue. Ibn 'Arabî, qui tout jeune avait connu Averroës, assista aux funérailles et en a laissé une relation pathétique.

2. L'œuvre d'Averroës est considérable ; on ne peut entrer ici dans le détail. Il a écrit des commentaires sur la plupart des ouvrages d'Aristote, le but de sa vie de philosophe ayant été de restaurer la pensée d'Aristote dans ce qu'il estimait en être l'authenticité. Pour certains traités il y a même trois séries de commentaires : grand commentaire, commentaire moyen, paraphrase. D'où le mot de Dante : *Averrois che'l gran comento feo*.

Parfois l'exposé est plus libre, et Averroës parle en son propre nom, comme dans son « *Epitome* de la métaphysique ». Outre ses commentaires, il a écrit un certain nombre d'autres œuvres d'importance majeure.

Avant tout l'on nommera le *Tahâfot al-Tahâfot*, monumentale réplique aux critiques par lesquelles Ghazâlî pensait ruiner la philosophie, et dont on a dit ci-dessus (V, 7) pourquoi on préférait en traduire le titre par « Autodestruction de l'autodestruction » (la traduction latine de Kalo Kalonymos donne *Destructio Destructionis*.) L'ouvrage est maintenant parfaitement accessible même aux philosophes non orientalistes, grâce à la traduction de M. Simon van den Berg (cf. bibliographie), enrichie de notes dévoilant le détail des références, implications et allusions. Averroës y suit pas à pas le texte de Ghazâlî et le réfute au fur et à mesure, prenant parfois un malin plaisir, en référant à ses autres livres, à le mettre en flagrante contradiction avec lui-même. Il faut beaucoup d'optimisme pour recueillir de ce livre l'impression que, telles étant les positions assumées respectivement par les philosophes et les théologiens devant les mêmes problèmes, ils sont plutôt séparés par des formules que par l'essence des choses. On ne peut en outre signaler ici que les dissertations de physique réunies (dans les éditions latines) sous le titre de *Sermo de substantia orbis* (cf. déjà ci-dessus) ; deux traités sur le problème central pour nos philosophes, de la conjonction de l'Intelligence agente séparée (c'est-à-dire immatérielle) avec l'intellect humain ; trois traités concernant l'accord de la religion avec la philosophie.

On relèvera, avec S. Munk, que si un bon nombre des œuvres d'Averroës sont venues jusqu'à nous, on en est redevable aux philosophes juifs. Les copies arabes en furent toujours très rares, car l'acharnement avec lequel les Almohades traquèrent la philosophie et les philosophes, en empêcha la multiplication et la diffusion. En revanche, les savants rabbins de l'Espagne chrétienne et de la Provence les recueillirent, en firent des versions en hébreu, voire des copies de l'original arabe en caractères hébreux. Quant à l'averroïsme latin, les origines en remontent aux traductions latines des commentaires d'Averroës sur Aristote établies par Michel Scot, probablement pendant son séjour à Palerme (1228-1235), en qualité d'astrologue de la cour de l'empereur Frédéric II Hohenstauffen.

3. Ces indications sommairement rappelées, disons qu'il est d'autant plus redoutable d'avoir à traiter d'Averroës en quelques lignes que, semble-t-il, le souci dominant de chaque historien a été très souvent de montrer qu'Averroës appartenait à son propre camp, dans le grand débat mettant en cause les rapports de la philosophie et de la religion. Renan fit de lui un libre penseur avant la lettre ; par réaction, des travaux plus ou moins récents tendent à le montrer comme un apologiste du Qorân, voire comme un théologien, le plus souvent sans prendre le soin de s'expliquer sur la portée précise de ce dernier mot. Or, on ne redira jamais trop que certains problèmes qui ont absorbé la chrétienté (après avoir été posés par les traductions de l'arabe en latin), n'ont pas forcément la même forme ni leur équivalent exact en Islam. On doit avant tout préciser quel terme arabe l'on traduit, dans le cas présent, par théologien, sans jamais oublier que la situation du philosophe-théologien en Islam connaît à la fois des facilités et des difficultés différentes de celles que rencontre son « homologue » dans le christianisme.

En fait, le propos d'Averroës est déterminé par un rigoureux discernement des esprits. Il suffit de se reporter au début de la présente étude, pour constater qu'Averroës n'est pas le premier en Islam à affirmer que le texte du Livre divin révélé par le Prophète comporte une lettre exotérique (*zâhir*) et un ou plusieurs sens

ésotériques (*bâtin*). Comme tous les ésotéristes, Averroës
a la ferme certitude que l'on provoquerait les pires
catastrophes psychologiques et sociales, en dévoilant
intempestivement aux ignorants et aux faibles le sens
ésotérique des prescriptions et des enseignements de
la religion. Nonobstant cette réserve, il sait qu'il s'agit
toujours d'une même vérité se présentant à des plans
d'interprétation et de compréhension différentes. Il
était donc abusif d'attribuer à Averroës lui-même l'idée
qu'il pût y avoir là deux vérités contradictoires ; la
fameuse doctrine de la « double vérité » fut en fait
l'œuvre de l'averroïsme politique latin.

Pour confondre cette doctrine avec l'ésotérisme d'Averroës, il faudrait tout ignorer des caractères de cette
opération mentale qui s'appelle le *ta'wîl*, c'est-à-dire
cette exégèse spirituelle que nous avons située ici au
début comme l'une des sources de la méditation philosophique en Islam (I, 1). Vérité ésotérique et vérité
exotérique ne sont nullement deux vérités contradictoires. Plus précisément dit, on ne peut étudier et apprécier le *ta'wîl* pratiqué par Averroës, sans connaître
comment il fut mis en œuvre ailleurs, chez un Avicenne,
chez un Sohrawardî, dans le soufisme et dans le shî'isme,
par excellence dans l'Ismaélisme. Il y a quelque chose
de commun de part et d'autre, certes, mais aussi des
différences fondamentales dans la mise en œuvre du
ta'wîl, celles-là même qui font que la situation du philosophe Averroës et de l'averroïsme en Occident, n'est
pas celle de l'ésotérisme en Islam oriental.

4. La comparaison technique et détaillée reste à faire.
Sur un point essentiel, elle dégagerait non seulement les
motifs mais les conséquences de la cosmologie d'Averroës, en tant que cette cosmologie aboutit à détruire la
seconde hiérarchie de l'angélologie avicennienne, celle
des *Angeli* ou *Animæ cælestes*. En effet, ce monde
des *Animæ cælestes*, le *Malakût*, c'était, comme y in*

siste toute la tradition de l'*Ishrâq*, le monde des Images
autonomes perçues en propre par l'Imagination active.
C'est le monde par lequel sont authentifiées les visions
des prophètes et des mystiques, aussi bien que le sens
de la Résurrection et la pluralité des sens de la Révélation symbolisant les uns avec les autres. Avec la
disparition de ce monde intermédiaire, qu'en adviendra-
dra-t-il de la nouvelle naissance de l'âme dont l'événement est lié, nommément dans la gnose ismaélienne, à
la progression de l'âme dans la nuit des symboles ?
Peut-être le *ta'wîl* dégénérera-t-il en une pure technique ?
En tout cas, il ne convient pas de s'interroger sur le
« rationalisme » d'Averroës, en présupposant chez lui
les données qui furent propres aux conflits internes
de la pensée chrétienne. Il importe de rapporter la
question au seul contexte qui lui donne son sens
vrai.

Parce que son propos est de restaurer une cosmologie qui soit dans le pur esprit d'Aristote, Averroës
reproche à Avicenne son schéma triadique qui interpose
l'*Anima cælestis* entre la pure Intelligence séparée et
l'orbe céleste (cf. *supra* V, 4). Le moteur de chaque
orbe est une vertu, une énergie finie, acquérant une
puissance infinie par le désir qui le meut vers un être
qui n'est ni un corps, ni une puissance subsistant dans
un corps, mais une Intelligence séparée (immatérielle),
laquelle meut ce désir comme en étant la cause finale.
C'est par homonymie, pure métaphore, selon Averroës,
que l'on peut donner le nom d'*âme* à cette énergie
motrice, à ce désir qui est un acte d'intellection pure.
Ce qui motive cette critique, c'est une prise de position
fondamentale contre l'émanatisme avicennien, contre
l'idée d'une procession successive des Intelligences à
partir de l'Un. Car il y a encore quelque chose qui apparente l'idée d'émanation à l'idée de création. Or, cette
idée de création est inintelligible pour un péripaté-

ticien de stricte observance ; pour lui il n'y a pas de
cause créatrice.

5. S'il existe une hiérarchie dans la cosmologie,
c'est parce que le moteur de chaque orbe désire non
seulement l'Intelligence particulière à son Ciel, mais
désire également l'Intelligence suprême. Celle-ci peut
alors en être dite la cause, non point comme cause éma-
natrice, mais au sens où « ce qui est compris » (intelligé)
est cause de « ce qui le comprend » c'est-à-dire comme
cause finale. De même que toute substance intelligente
et intelligible peut en ce sens être cause de plusieurs
êtres, puisque chacun de ces êtres le comprend à sa
manière, de même le *Primum movens* le peut-il être,
puisque de Ciel en Ciel le moteur de chaque orbe le
comprend différemment, c'est-à-dire à sa manière
propre. Ainsi donc il n'y a ni création ni procession
successive ; il y a simultanéité dans un commencement
éternel.

Le principe rigoureux *Ex Uno non fit nisi Unum*,
qui régit le schéma néoplatonicien d'Avicenne, est
désormais dépassé, superflu et aboli (il avait été ébranlé
d'autre part par la métaphysique de la lumière de
Sohrawardî, mise à profit dans le même sens par Nasîr
Tûsî). Corollairement Averroës rejette l'idée avicennienne de l'Intelligence agente comme *Dator formarum*.
C'est que les formes ne sont pas des réalités idéales
extrinsèques à leur matière. Ce n'est pas l'agent qui les
y insère ; la matière a en elle-même en puissance ses
innombrables formes ; celles-ci lui sont inhérentes (cette
position est cette fois à l'antipode de celle de Sohrawardî).

6. Maintenant une fois abolie la notion d'*Anima
cælestis*, qu'en sera-t-il du principe qui était au fondement de l'anthropologie avicennienne : l'homologie
entre *Anima cælestis* et *anima humana* ? l'homologie
entre le rapport de l'âme humaine avec l'Intelligence

angélique active et le rapport de chaque *Anima cælestis*
avec l'Intelligence vers laquelle la meut son désir? Comment serait encore possible le voyage mystique vers
l'Orient en compagnie de Hayy ibn Yaqzân? Il faut ici
encore remonter jusqu'aux options décisives. Averroës
maintient, en accord avec Alexandre d'Aphrodise, l'idée
d'une Intelligence séparée, mais refuse, contrairement
à lui, l'idée que l'intelligence humaine en puissance
soit une simple disposition liée à la complexion organique. C'est pourquoi averroïsme et alexandrisme vont
départager les esprits en Occident, comme si le premier
représentait une idée religieuse, et le second l'incrédulité.
Pour la première des deux thèses, Averroës sera accablé
d'injures (lui, le péripatéticien!) par les antiplatoniciens
de la Renaissance (Georges Valla, Pomponazzi). Mais,
après tout, ceux-ci ne prolongeaient-ils pas le refus
opposé par Duns Scot, rejetant l'idée que l'Intelligence
agente soit une substance séparée, divine et immortelle,
qui se peut conjoindre à nous par l'Imagination,
et d'une manière générale le refus déjà opposé à
l'avicennisme latin et à son idée de l'Intelligence
agente?

D'autre part, cette intelligence humaine en puissance, dont l'indépendance à l'égard de la complexion
organique est affirmée contre Alexandre d'Aphrodise,
n'est pas pour autant celle de l'individu personnel.
A celui-ci, en tant que tel, ne reste qu'une disposition
à recevoir les intelligibles, et cette disposition disparaîtra avec l'existence du corps. Tandis que Mollâ Sadrâ
Shîrâzî, par exemple, avicennien *ishrâqî*, démontre
encore avec force que le principe d'individuation est
dans la forme, Averroës accepte que la matière soit le
principe d'individuation. Dès lors, l'individuel s'identifie au corruptible, l'immortalité ne peut être que
générique. Tout ce que l'on peut dire, c'est qu'il y a de
l'éternité dans l'individu, mais ce qu'il y a d' « éter-

nisable » en lui appartient totalement à la seule Intelligence agente, non pas à l'individu.

On sait combien fut médité par chaque gnostique et
mystique de l'Islam le verset qorânique 7:139, dans
lequel Moïse demande à Dieu de se montrer à lui et
reçoit cette réponse : « Tu ne me verras pas ; regarde
plutôt cette montagne ; si elle reste immobile à sa place,
tu me verras. Mais lorsque Dieu se manifesta sur la
montagne, il la réduisit en poussière, et Moïse tomba
évanoui. » Rien de plus significatif que le *ta'wîl* averroïste
de ce verset, tel que le dégage Moïse de Narbonne (en
commentant la version hébraïque du traité sur la
possibilité de l'union avec l'Intelligence agente).
L'intellect hylique de l'homme n'a pas, *ab initio*, la
possibilité de percevoir l'Intelligence agente. Il doit
devenir intellect en acte, alors seulement « tu me verras ».
Mais dans cette union, ce n'est finalement que l'Intelligence agente qui se perçoit elle-même en se particu-
larisant momentanément dans une âme humaine,
comme la lumière se particularise dans un corps. Cette
union marque l'effacement de l'intellect passif (comme
la montagne de Moïse) ; elle n'est pas le gage et la
garante de la surexistence individuelle. Ce qui nous
met très loin de l'avicennisme, où la garantie inaliénable
de l'individualité spirituelle est précisément dans cette
conscience de soi qu'elle réussit à atteindre par son
union avec l'Intelligence agente.

Transition.

1. Tandis que l'avicennisme, en Occident pour une
courte durée, en Iran jusqu'à nos jours, tendait à
fructifier en vie mystique, l'averroïsme latin aboutis-
sait à l'averroïsme politique de Jean de Jandun et de
Marsile de Padoue (xive siècle). De ce point de vue, les

noms d'Avicenne et d'Averroës pourraient être pris comme les symboles des destinées spirituelles respectives qui attendaient l'Orient et l'Occident, sans que la divergence de celles-ci soit imputable au seul averroïsme.

On a vu comment Abû'l-Barakât Baghdâdî (*supra* V, 6) poussait à la limite la gnoséologie avicennienne, en reconnaissant pour chaque individu, ou tout au moins pour les individus composant une même famille spirituelle, une Intelligence agente distincte, qui est une entité spirituelle « séparée ». Les solutions données au problème de l'Intelligence agente, nous l'avons déjà relevé, sont hautement significatives. Lorsque saint Thomas d'Aquin, par exemple, accorde à chaque individu un intellect agent, mais sans que cet intellect soit une entité spirituelle « séparée », du même coup se trouve brisée la relation immédiate de l'individu avec le monde divin, telle qu'elle était fondée par la doctrine avicennienne de l'Intelligence agente, celle-ci identifiée avec l'Esprit-Saint ou l'Ange de la Révélation. Une fois brisée cette relation qui, sans intermédiaire terrestre, établissait l'autonomie de l'individualité spirituelle, l'autorité de l'Église se substitue à la norme personnelle de Hayy ibn Yaqzân. Au lieu que la norme religieuse, en tant qu'initiation essentiellement individuelle, signifiât liberté, c'est désormais contre elle, parce que socialisée, que se dresseront les insurrections de l'esprit et de l'âme. Il arrivera que cette norme, une fois socialisée, cesse d'être religieuse, vire du monothéisme au monisme, de l'idée d'Incarnation divine à celle d'Incarnation sociale. Alors ici surtout, il faut être attentif aux différences.

S'il convient d'insister sur le fait que la religion islamique est dépourvue des organes d'un Magistère dogmatique, c'est parce qu'elle ne peut léguer l'idée ni la chose à la société laïcisée qui prendrait sa suite, comme il arrive là où, pour une « orthodoxie » laïcisée, le « dévia-

tionisme » se substitue à l' « hérésie ». En chrétienté,
ce fut la philosophie qui mena la lutte contre le Magistère, lequel avait peut-être bien préparé les armes qui
se retournèrent contre lui. En revanche, ce n'est pas
quelque chose comme un averroïsme politique qui
pouvait conduire les Spirituels de l'Islam à se libérer
d'une orthodoxie opprimante, du littéralisme légalitaire
de la *sharî'at*, mais cette voie du *ta'wîl* dont il faudrait
analyser toutes les implications dans l'ésotérisme
islamique en général, pour en situer les analogues en
Occident.

2. En citant ce mot d'Averroës : « O hommes! je ne
dis pas que cette science que vous nommez science
divine soit fausse, mais je dis que, moi, je suis sachant
de science humaine », on a pu dire que c'était là tout
Averroës et que « l'humanité nouvelle qui s'est épanouie
à la Renaissance est sortie de là » (Quadri). Peut-être.
Dans ce cas, il serait vrai pour autant de dire que
quelque chose a fini avec Averroës, un quelque chose qui
ne pouvait plus vivre en Islam, mais qui devait orienter la
pensée européenne, à savoir cet averroïsme latin qui
récapitule tout ce que l'on désigna jadis sous le nom
d' « arabisme » (ce terme a pris de nos jours une tout
autre signification). En revanche, si la carrière du
péripatétisme averroïste était terminée en Islam occidental, la méditation philosophique avait encore
longue carrière devant elle en Orient, nommément en
Iran. Là même, si ce que l'effort spéculatif a poursuivi
jusqu'à nos jours, la *hikmat ilâhîya* (*philosophia divina*),
mérite mieux, nous l'avons rappelé, quant à l'étymologie et au concept, le nom de théosophie, c'est parce
qu'en fait on y a ignoré la laïcisation métaphysique
entraînant la séparation de la théologie comme telle et
de la philosophie comme telle. Cette séparation fut
accomplie en Occident par la Scolastique elle-même.
D'autre part, comme on a pu le constater tout au long

de ces pages, la conception fondamentale qui prévaut chez nos philosophes, est moins une conception éthique ressortissant à une norme sociale, que l'idée d'une perfection spirituelle, une τελείωσις; celle-ci, l'individu humain ne peut l'atteindre en suivant le sens *horizontal* de la chose politique et sociale, mais en suivant le sens *vertical* qui le relie à des hiérarchies transcendantes, suprêmes garanties de son destin personnel. C'est pourquoi le « régime du solitaire » inspiré à Ibn Bâjja par Fârâbî, reste fort loin de l'averroïsme politique latin.

3. En s'arrêtant à la mort d'Averroës, la première partie de cette étude n'est pas en synchronisme avec les divisions généralement adoptées pour l'histoire de la philosophie occidentale, où le xve siècle est considéré comme un « tournant décisif ». Mais cette périodisation familière à l'Occident, n'est pas transposable dans le calendrier de l'ère islamique. L'état des choses, tel que nous le laissons à la fin du vie/xiie siècle, est marqué d'une part en Islam occidental par la mort d'Averroës (595/1198), d'autre part en Orient par celle de Sohrawardî (587/1191). Mais déjà, à ce moment, Ibn'Arabî est entré en scène, et l'influence de son œuvre colossale sera décisive. C'est pourquoi la dernière décennie de notre xiie siècle nous montre la naissance d'une ligne de partage, de part et d'autre de laquelle se développeront, en Occident chrétien, l'alexandrisme et l'averroïsme politique ; en Orient islamique, nommément en Iran, la théosophie de la Lumière, celle de Sohrawardî, dont l'influence se conjuguant avec celle d'Ibn 'Arabî, se perpétue jusqu'à nos jours. Ici, rien qui appelât quelque chose comme le thomisme, que l'on juge celui-ci comme un triomphe ou comme un échec.

Dans la mesure où il peut être vrai de typifier l'opposition entre Ghazâlî et Averroës comme l'opposition

entre la philosophie du cœur et la pure philosophie
spéculative (tout en prenant garde que l'équivalent
du mot arabe *'aql* n'est pas *ratio*, mais *intellectus*,
Noûs), l'opposition en tout cas, ne pouvait être sur-
montée que par quelque chose qui ne renoncerait ni à
la philosophie ni à l'expérience spirituelle du soufisme.
Telle fut en son essence, nous l'avons vu, la doctrine
de Sohrawardî. Ne disons pas qu'il a voulu surmonter
le conflit Ghazâlî-Avicenne, Ghazâlî-Averroës. C'est
seulement aux yeux d'un Occidental, que ce conflit
peut apparaître aussi décisif que le conflit Kant-Aris-
tote ; Sohrawardî, comme les penseurs iraniens, se situe
au-delà de ce conflit. Et nous avons déjà relevé combien
il est remarquable qu'en conjoignant les noms de
Platon et de Zarathoustra, il ait devancé de trois siècles
le dessein du grand philosophe byzantin Gémiste
Pléthon.

4. On a fait allusion plus haut à la présence
d'Ibn 'Arabî assistant au transfert des cendres d'Averroës à Cordoue. Le souvenir qu'il en garda est poignant.
D'un côté de la monture on avait chargé le cercueil ;
de l'autre, les livres d'Averroës. « Un paquet de livres
équilibrant un cadavre ! » Pour comprendre le sens de la
vie spéculative et scientifique de l'Orient islamique
traditionnel, il faut avoir présente à l'esprit cette image,
à la façon d'un symbole inverse de sa quête et de son
option : « une science divine » qui triomphe de la mort.

Il est déplorable que la philosophie islamique ait été
si longtemps absente de nos histoires générales de la
philosophie, ou du moins qu'elle y ait été considérée
le plus souvent sous l'angle de ce qui fut connu de nos
Scolastiques latins. Comme nous l'avons annoncé au
début, il nous reste, pour achever la présente étude, à
considérer deux périodes : l'une conduira, à travers la
« métaphysique du soufisme », depuis Ibn 'Arabî jusqu'à
la Renaissance safavide en Iran ; l'autre, depuis celle-ci

jusqu'à nos jours. Nous serons amenés à nous poser
cette question : quel est, dans le monde islamique,
l'avenir de la métaphysique traditionnelle? Et partant,
quel est son sens pour le monde tout court?

Le type de philosophie prophétique esquissé ici au
début, nous a fait pressentir le sens qu'il convient
d'attacher au fait que ce soit en Islam shî'ite, non pas
ailleurs, que se soit produit le grand essor de pensée
qui s'est prolongé en Iran depuis la période safavide.
L'interroger sur son avenir, c'est d'abord l'interroger à
titre de témoin. C'est ce témoin que nos histoires de la
philosophie n'ont guère appelé jusqu'ici à témoigner.
Il aurait à nous apprendre pourquoi ce qui se dessinait
en Occident dès le XIIIᵉ siècle, ne s'est pas produit chez
lui, alors qu'il est lui aussi, comme nous nous glorifions
de l'être, un fils de la Bible et de la sagesse grecque.
Une science capable de la conquête illimitée du monde
extérieur, mais exigeant pour rançon la crise effroyable
de toute philosophie, la disparition de la personne et
l'acceptation du néant, cette science pèsera-t-elle plus
lourd, devant ce témoin, qu'un « paquet de livres équilibrant un cadavre? »

Fin de la Iʳᵉ partie.

Éléments de bibliographie

Par nécessité d'abréger, et pour en faciliter l'usage aux chercheurs non orientalistes, ne figurent pas dans la présente bibliographie, sauf exception, les ouvrages orientaux ou les publications de textes, arabes ou persans, ne comportant pas au moins une introduction dans une langue occidentale. Le classement chronologique est adopté dans chaque section, mais les travaux d'un même auteur sont groupés.

I,1. I. GOLDZIHER, *Die Richtungen der islamischen Koran-auslegung.* Neudruck. Leiden, 1952. — H. CORBIN, *L'inté-riorisation du sens en herméneutique soufie iranienne* (Eranos-Jahrbuch XXVI). Zürich, 1958. — F. SCHUON, *Comprendre l'Islam.* Paris, Gallimard, 1962.

I,2. A. MÜLLER, *Die griechische Philosophie und die arabische Ueberlieferung.* Halle, s. d. — *Die sogenannte Theologie des Aristoteles aus dem Arabischen übersetzt...* von F. Dieterici. Leipzig 1882 (rééd. A. Badawî, Le Caire, 1955, avec éléments de vocabulaire arabe-grec et arabe-latin). — O. BARDENHEWER, *Die pseudo-aristotelische Schrift über das reine Gute, bekannt unter dem Namen Liber de Causis.* Freiburg im Breisgau, 1882. — M. STEINSCHNEIDER, *Die arabischen Uebersetzungen aus dem Griechischen* (XII. Beiheft z. Centralblatt f. Bibliothekwesen). Leipzig, 1893. — A. BAUMSTARK, *Aristoteles bei den Syrern von V. bis VIII. Jahrh.* Leipzig, 1900. — S. HOROWITZ, *Ueber den Einfluss des Stoizismus auf die Entwicklung der Philosophie im Islam* (Zeitsch. d. Deutschen Morgenl. Ges. LVII) 1903. — C. SAU-

TER, *Die peripatetische Philosophie bei den Syrern und den Arabern* (Archiv f. d. Geschichte der Philosophie XVII) 1904. — F. GABRIELI, *La Risâlah di Qustâ ben Lûqâ sulla differenza tra lo spirito e l'anima* (Rendic. d. R. Accad. dei Lincei, XIX). Roma, 1910. — J. RUSKA, *Das Steinbuch des Aristoteles.* Heidelberg, 1912. — C. BERGSTRAESSER, *Hunain ibn Ishaq und seine Schule.* Leiden, 1913. — I. POLLAK, *Die Hermeneutik des Aristoteles in der arabischen Uebersetzung des Ishak ibn Honain.* Leipzig, 1913. — C. A. NALLINO, *Tracce di opere greche giunte agli Arabi per trafica pehlevica.* (Orient. Studies pres. to E. G. Browne). Cambridge, 1922. — I. TKATSCH, *Die arabische Uebersetzung der Poetik des Aristoteles und die Grundlage der Kritik des griechischen Textes.* Wien, 1928-1932. — M. MEYERHOF, *Von Alexandrien nach Baghdad* (Stzber. d. Preuss. Akad. d. Wiss. phil. hist. Klasse, XXIII, 1930). — I. MADKOUR, *L'Organon d'Aristote dans le monde arabe.* Paris, 1934. — A. MINGANA, *Encyclopædia of philosophical and natural sciences, as taught in Baghdad about A. D. 817, or Book of Treasuries, by Job of Edessa,* syr. text. ed. and transl. Cambridge, 1935. — P. KRAUS, *Plotin chez les Arabes* (Bull. de l'Institut d'Égypte, XXIII). Le Caire, 1941. — A. BADAWI, *Aristû 'inda'l-'Arab,* Le Caire, 1947 (contient, entre autres, la version arabe de dix traités d'Alexandre d'Aphrodise) ; — *Neoplatonici apud Arabes:* Procli *Liber* (*Pseudo-Aristotelis*) *de Expositione bonitatis puræ* (*Liber de Causis*). Procli *de Aernitate mundi.* Procli *Quæstiones naturales.* Hermetis *de Castigatione animæ.* Pseudo-Platonis *Liber Quartus* (sic pour *Quartorum,* ou Livre des Tétralogies). Le Caire, 1955 (avec éléments d'un vocabulaire arabe-latin). — Kh. GEORR, *Les Catégories d'Aristote dans leurs versions syro-arabes.* Beyrouth, 1948. — Plotini *Opera* ediderunt P. Henry et H. R. Schwyser. Paris, Desclée de Brouwer, 1950-1959 (le vol. II contient une traduction, en anglais, par G. Lewis, de la *Théologie* dite d'*Aristote*). — Galeni *Compendium Timæi Platonis aliorumque Dialogorum synopsis* quæ extant fragmenta ediderunt P. Kraus et R. Walzer (Præfatio. Pars latina. Pars arabica). Londini, in ædibus Instituti Warburgiani, 1951 (Plato Arabus, vol. I). — F. ROSENTHAL, *Al-Shaykh al-Yûnânî and the Arabic Plotinus Sources* (in Orientalia 1952-1953,

1955). — R. Walzer, *New Light on the Arabic Translations
of Aristotle* (revue *Oriens*, 1953). — S. Pinès, *Une version
arabe de trois propositions de la « Stoicheiosis theologikè »
de Proclus* (revue *Oriens*, 1955) ; — *La longue recension de la
« Théologie d'Aristote » dans ses rapports avec la doctrine ismaélienne* (Rev. des études islamiques, 1955) ; — *Un texte inconnu
d'Aristote en version arabe* (Archives d'hist. doctr. et litt. du
Moyen Age, année 1956). Paris, 1957. — G. C. Anawati,
Prolégomènes à une nouvelle édition du « De Causis » arabe
(Mélanges Louis Massignon, I). Damas, 1956.

II, A. Aucune traduction en langue occidentale n'a encore
été publiée pour les œuvres auxquelles réfère notre exposé :
corpus des hadîth des Imâms constitué par Kolaynî (éd. Téhéran, 1955), commentaires de Mîr Dâmâd, Mollâ Sadrâ Shîrâzî (lith. Téhéran s. d.), œuvres de Haydar Amolî, etc. (public. en préparation). — R. Strothmann, *Die Zwölfer-
Schî'a. Zwei religionsgeschichtliche Charakterbilder aus der
Mongolenzeit* (Nasîroddîn Tûsî et Radîoddîn Tâ'ûsî). Leipzig, 1926. — L. Massignon, *Salmân Pâk et les prémices spirituelles de l'Islam iranien* (Public. de la Soc. des Études iraniennes, 7). Paris 1934. — Ibn Babuyeh de Qomm
(Shaykh Sadûq), *A Shî'ite Creed, a translation of « Risâ-
latu'l-I'tiqâdât »* by A. A. Fyzee. London, 1952. — J. N. Hol-
lister, *The Shî'a of India*. London 1953 (Aperçu sommaire,
historique et doctrinal, sur le shî'isme duodécimain et l'ismaélisme). — H. Corbin, *Confessions extatiques de Mîr Dâmâd,
maître de théologie à Ispahan, ob. 1041/1631* (Mélanges Louis
Massignon, I). Damas 1956 ; — *L'Ecole shaykhie en théologie
shî'ite* (Annuaire de l'École des Hautes-Études, Section des
Sciences religieuses, année 1960-1961) ; — *L'Imâm caché et
la rénovation de l'homme en théologie shî'ite* (Eranos-Jahrbuch XXVIII, 1959). Zürich, Rhein-Verlag 1960 ; — *Pour
une morphologie de la spiritualité shî'ite* (ibid. XXIX, 1960) ;
— *Le Combat spirituel du shî'isme* (l'œuvre de Haydar Amolî)
(ibid. XXX, 1961) ; — *De la philosophie prophétique en Islam
shî'ite* (ibid. XXXI, 1962) ; — *Au « pays » de l'Imâm caché*
(ibid. XXXII, 1963) ; — *Terre céleste et corps de résurrection :
de l'Iran mazdéen à l'Iran shî'ite*. Paris, Buchet-Chastel,
1961 (textes de onze auteurs traduits pour la première fois) ;
— *La place de Mollâ Sadrâ Shîrâzî dans la philosophie ira-*

nienne (Studia islamica, fasc. XVIII). Paris, 1963 ; — *Ueber die philosophische Situation der Shi'itischen Religion*, uebers. v. H. Landolt (Antaios, V, 2). Stuttgart, 1963.

II B1. W. IVANOW, *Ismaili Literature, a Bibliographical Survey* (A second amplified edition of « A Guide of Ismaili Literature ». London, 1933). Téhéran, 1963 ; — *Ismaili Tradition concerning the Rise of the Fâtimids* (Islamic Research Association, 10). London, 1942 ; — *Studies in Early Persian Ismailism*. Bombay 1955 ; — R. STROTHMANN, *Gnosis-Texte der Ismailiten*. Göttingen, 1943. — ABU YA'QUB SEJESTANI, *Kashf al-Mahjûb* (*Le Dévoilement des choses cachées*). Traité ismaélien en persan du IVe s. de l'hégire, éd. et introd. H. Corbin (Bibl. Iranienne, vol. 1). Paris, Adrien-Maisonneuve, 1949. — NASIR-E KHOSRAW, *Le* « *Livre réunissant les deux sagesses* » *ou harmonie de la philosophie grecque et de la théosophie ismaélienne*, texte persan et introd. en français par H. Corbin et Moh. Mo'in (Bibl. Iranienne, vol. 3). Ibid. 1953 ; — *Il Libro dello scioglimento e della liberazione* (Introd. et trad. du texte original persan du *Kitâb-e Goshâyesh wa Rahâyesh*, par P. Filippani-Ronconi). Napoli, 1959. — *Commentaire de la Qasîda ismaélienne d'Abû'l-Haytham Jorjânî*, texte persan, éd. et introd. par H. Corbin et Moh. Mo'in (Bibl. Iranienne, vol. 6). Paris, Adrien-Maisonneuve, 1955. — H. CORBIN, *Le Temps cyclique dans le mazdéisme et dans l'ismaélisme* (Eranos-Jahrbuch XXI, 1951). Zürich, Rhein-Verlag 1952 ; — *Épiphanie divine et naissance spirituelle dans la Gnose ismaélienne* (ibid. XXIII, 1954). Ibid. 1955 ; — *De la gnose antique à la gnose ismaélienne* (Accad. Naz. dei Lincei, XII Congreso Volta, 1956). Roma, 1957 ; — *Trilogie ismaélienne :* 1. Abû Ya'qûb Sejestânî, *Le Livre des Sources* (IVe/Xe s.) 2. Sayyid-nâ al-Hosayn ibn 'Alî, *Cosmogonie et eschatologie* (VIIe/XIIIe s.) ; 3. *Symboles choisis de la* « *Roseraie du Mystère* » de Mahmûd Shabestarî (VIIIe/XIVe s.). Ed. trad. et comment. par H. Corbin (Bibl. Iranienne, vol. 9). Paris, Adrien-Maisonneuve, 1961 (textes appartenant à trois époques de l'ismaélisme ; esquisse comparative entre shî'isme duodécimain, ismaélisme, soufisme).

II B2. *Kalâmi Pîr, a Treatise on Ismaili Doctrine* (texte persan et trad. anglaise par W. Ivanow). Bombay, 1935. — L. MASSIGNON, *Die Ursprünge und die Bedeutung des Gnos-*

tizismus im Islam (Eranos-Jahrbuch V, 1937). Zürich, 1938.
— KHAYR-KHWAH-e HERATI, *On the Recognition of the Imâm*
(engl. transl. by W. Ivanow). Bombay, 1947. — NASIRODDIN
TUSI, *The Rawdatu't-Taslim* commonly called *Tasawwurât*
(texte persan et trad. anglaise par W. Ivanow). Leiden, 1950.
— ABU ISHAQ QUHISTANI, *Haft Bâb or « Seven Chap-
ters »* (texte persan et trad. anglaise par W. Ivanow). Bombay,
1959. — *Works of Khayr-Khwâh-e Herâtî* (texte persan et
introd. par W. Ivanow). Téhéran, 1961. — SAYYED SOHRAB
WALI BADAKHSHANI. *Thirty six epistles* (texte persan éd.
par H. Ujaqi, introd. par W. Ivanow). Téhéran 1961. —
H. CORBIN, *Trilogie ismaélienne*, 3e partie, cf. *supra* II B1.

III,1. STEINER, *Die Mu'taziliten oder die Freidenker im
Islam*. Leipzig, 1865. — M. GUTTMANN, *Das religionsphiloso-
phische System der Mutakallimûn nach dem Berichte des
Maimonides*. Leipzig, 1885. — W. PATTON, *Ahmad ibn Hanbal and the Mihna*. Leiden, 1897. — D. B. MACDONALD,
*Development of Muslim theology, jurisprudence and constitu-
tional theory*. New York, 1903. — GALLAND, *Essai sur les
Mo'tazilites*. Paris, 1906. — S. HOROWITZ, *Ueber den Einfluss
der griechischen Philosophie auf die Entwicklung des Kalâm*.
Breslau, 1909. — I. GOLDZIHER, *Le dogme et la loi de l'Islam*,
trad. par A. Arin. Paris, 1920. Nouveau tirage, Paris, 1958. —
ABU'L HASAN al-ASH'ARI, *Maqâlât al-Islâmîyîn. Die dogma-
tischen Lehren der Anhaenger des Islam*, hrsgb. v. H. Ritter
(Bibl. Islamica, 1). Istanbul-Leipzig, 1929-1930. — A. I.
WENSINCK, *The Muslim Creed, its genesis and historical Deve-
lopment*. Cambridge, 1932. — L. GARDET et M.-M. ANAWATI,
Introduction à la théologie musulmane. Paris, 1948. — A. N.
NADER, *Le système philosophique des Mo'tazilites*. Beyrouth,
1956. — ABU'L-HOSAYN al-KHAYYAT. *Kitâb al-Intisâr. Le
Livre du triomphe et de la réfutation d'Ibn al-Râwandî l'héré-
tique* (éd. et trad. par A. N. Nader). Beyrouth, 1957. (L'édi-
tion *princeps* fut donnée par H. S. Nyberg, Le Caire, 1925.
Cet important ouvrage est la réfutation de la réfutation d'un
livre mo'tazilite). — A. J. ARBERRY, *Revelation and reason
in Islam*. London, 1957. — Abû Sa'id 'Othmân al-DARIMI,
Kitâb al-radd 'alâ'l-Jahmîya (éd. introd. et comment. par
G. Vitestam). Leiden, 1960 (Polémique « orthodoxe » anti-
mo'tazilite). — F. ROSENTHAL, *The Muslim Concept of Free-*

dom. Leiden, 1960. — IBN QUDAMA's, *Censure of speculative
theology*, by G. Makdisî (Gibb Memorial Series N. S. XXII).
London, 1962 (critique hanbalite du *Kalâm* par un précurseur
d'Ibn Taymîya).

III, 2. W. SPITTA, *Zur Geschichte... al'Ash'arî's.* Leipzig,
1876. — A. F. MEHREN, *Exposé de la réforme de l'Islamisme*
(texte partiel et trad. abrégée du *Tabyîn*, ou Apologie d'al-
Ash'arî, par Ibn 'Asâkir), *in* Travaux du IIIᵉ Congrès inter-
nat. des Orientalistes, vol. II, Saint-Pétersbourg, 1879. —
D. B. MACDONALD, *Continuous recreation and atomic time
in Muslim Scholastic Theology* (Isis, IX, 1927). — IMAM al-
HARAMAYN (al-Jowaynî), *El-Irshâd*, éd. et trad. par J. Lu-
ciani. Paris, 1938. — W. C. KLEIN, *The Elucidation of Islam's
Foundation* (American Oriental Series, 19). New Haven, 1940
(trad. anglaise du *K. al-Ibâna* d'al-Ash'arî). — A. S. TRIT-
TON, *Muslim Theology*, London, 1947. — W. M. WATT, *Free
Will and Predestination in Early Islam.* London, 1948. —
R. J. MAC-CARTHY, *The Theology of al-Ash'arî...* Beyrouth,
1953 (Texte arabe de deux traités. Traductions : *Highlights
of the polemic against deviators and innovators*, a transl. of
the *Kitâb al-Luma'.* 2) *A vindication of the science of Kalâm*, a
transl. of the *Risâla...* En appendice : *Ibn 'Asâkir's Apology*).

IV. S. H. NASR, *Introduction to Islamic Cosmological Doctrines.* Cambridge, Harvard Univ. Press, 1963 ; — *Science
and Civilisation in Islam* (Mentor History of Science, II).
New York, 1963.

IV, 1. D. CHWOLSOHN, *Die Ssabier und der Ssabismus.*
St-Petersburg, 1856. — O. BARDENHEWER, *Hermetis Trisme-
gisti qui apud Arabes fertur de Castigatione animæ libellus*
(texte et trad. latine). Bonnae, 1873. — H. RITTER, *Pica-
trix, ein arabisches Handbuch hellenistischer Magie* (Vorträge
der Bibl. Warburg, 1921-1922). — J. RUSKA, *Tabula Smarag-
dina, ein Beitrag zur Geschichte der hermetischen Literatur.*
Heidelberg, 1926. — Pseudo-MAJRITI, *Das Ziel des Weisen.*
I. Arab. Text hrsgb. von H. Ritter (Studien der Bibliothek
Warburg). Leipzig, 1933. — L. MASSIGNON, *Inventaire de la
littérature hermétique arabe* (Appendice III à Festugière, *La
Révélation d'Hermès Trismégiste*, vol. I). Paris, 1944. — H.
CORBIN, *Le récit d'initiation et l'hermétisme en Iran* (Eranos-
Jahrbuch XVII, 1949). Zürich, 1950.

IV, 2. Ibn al-Nadim, *Kitâb al-Fihrist* (Catalogue) éd. Fluegel, 1871. — J. Ruska, *Arabische Alchemisten*, I. II : *Ja'far al-Sâdiq, der sechste Imâm.* Heidelberg, 1924 ; — *Turba philosophorum, ein Beitrag zur Geschichte der Alchemie.* Breslau, 1931. — P. Kraus, *Jâbir ibn Hayyân, contribution à l'histoire des idées scientifiques dans l'Islam* (Mémoires de l'Institut d'Égypte, vol. 44 et 45). Le Caire, 1942-1943. — H. Corbin, *Le « Livre du Glorieux » de Jâbir ibn Hayyân* (alchimie et archétypes) (Eranos-Jahrbuch, XVIII). Zürich, 1950 (trad. et comment.).

IV, 3. F. Dieterici, *Die Anthropologie der Araber.* Leipzig, 1871 ; — *Die Lehere von der Weltseele bei den Arabern im X. Jahrhundert.* Leipzig, 1872 ; — *Die Naturanschauung und Naturphilosophie der Araber im X. Jahrhundert.* Leipzig, 1876. — M. Plessner, *Der Oikonomikos des Neupythagoreers Bryson und sein Einfluss auf die islamische Wissenschaft* (Orient und Antike, 5). Heidelberg, 1928. — A. Awa, *L'esprit critique des « Frères de la Pureté », encyclopédie arabe du* ive/xe *siècle.* Beyrouth, 1948. — H. Corbin, *Rituel sabéen et exégèse ismaélienne du rituel* (Eranos-Jahrbuch XIX, 1950). Zürich, 1961.

IV, 4. J. Ruska, *Al-Bîrûnî als Quelle für das Leben und die Schriften al-Râzîs* (Isis, V). Bruxelles, 1922 ; — *Al-Râzî's Buch Geheimnis der Geheimnisse*, Berlin, 1937. — S. Pinès, *Beitraege zur islamischen Atomenlehre.* Berlin, 1936. — H. Corbin, *Étude préliminaire pour le « Livre réunissant les deux sagesses » de Nâsir-e Khosraw* (Bibl. Iranienne, 3a). Paris, Adrien-Maisonneuve, 1953 (V, 6 : *Nâsir-e Khosraw et Rhazès*).

IV, 5. Abû'l-Barakât Ibn al-Anbari, *Die grammatischen Sreitfragen der Basrer und Kûfer*, hrsgb., erklärt und eingeleitet von Gotthold Weil. Leiden, 1913.

IV, 6. Biruni, *Chronology of the Ancient Nations*, ed. and transl. by E. C. Sachau. London, 1879 ; — *An Account of the religion, philosophy, literature, chronology, astronomy, customs, laws and astrology in India about 1030*, éd. E. C. Sachau. London, 1887 (English Transl. London, 1910) ; — *The Book of Instructions in the Elements of the Art of Astrology*, ed. Ramsay Wright. London, 1934. — *Bîrûnî Commemoration Volume.* Calcutta, 1951.

IV, 7. Khwarezmi, *Liber Mafâtih al-'Olûm* (les Clefs des

Sciences) explicans vocabula technica scientiarum tum arabum quam peregrinorum, ed. G. van Vloten. Leiden, 1895.

IV, 8. (Ibn al-Haytham = Alhacen) *Perspectiva* (trad. latine de Riesner in *Opticæ Thesaurus*, Basileæ 1572) ; — *Ueber das Licht* (texte et trad. allemande de Baarman, in Zeitschr. d. Deutschen Morgenl. Ges. XXXVI, 1882). — P. DUHEM, *Le système du monde… de Platon à Copernic*, vol. II (chap. XI). Paris, 1914. — H. BAUER, *Die Psychologie Alhacens auf Grund von Alhacens Optik* (Beitraege z. Geschichte d. Philos. d. Mittelalters X, 5). — C. A. NALLINO, *Raccolta di scritti editi ed inediti…* vol. V. Roma, 1944.

V. S. MUNK, *Mélanges de philosophie juive et arabe*. Paris, 1859. Nouv. éd. Paris, 1955 (pour V, 1, 2, 4, 7 et VIII, 3, 5, 6). — T. I. DE BOER, *Geschichte der Philosophie im Islam*. Stuttgart, 1901. — *The History of Philosophy in Islam*, 3rd ed., transl. by E. J. Jones. London, 1961 (Aperçu d'ensemble, clair mais très sommaire ; s'arrête à Ibn Khaldûn, xive s.). — M. HORTEN, *Die philosophischen Systemen der spekulativen Theologie im Islam*, 2te Ausg. Bonn 1912. — E. GILSON, *Histoire de la philosophie au Moyen Age*. 2e éd. Paris, Payot, 1947 (le chap. VI, 1). — G. QUADRI, *La philosophie arabe dans l'Europe médiévale*, trad. R. Huret. Paris, Payot, 1947 (Ces deux derniers ouvrages concernent ceux des philosophes de l'Islam qui ont été connus de la Scolastique latine).

V,1. *Die philosophischen Abhandlungen des Ja'qûb ben Ishaq al-Kindî*, éd. A. Nagy (Beitraege z. Gesch. d. Philos. d. Mittelalters II). Münster, 1897. — T. J. DE BOER, *Zu Kindi und seiner Schule* (Archiv f. d. Gesch. d. Philos. XIII, 1900). — Sur les traités d'al-Kindî redécouverts depuis trente ans : H. RITTER, in *Archiv Orientalni* IV (1932), et P. SBATH, *Al-Fihris*, Catalogue de manuscrits arabes, Le Caire 1938. Quinze ont été édités par M. Abû Rîdah, *Rasâ'il al-Kindi al-falsafiya*, Le Caire, 1950. — H. RITTER et R. WALZER, *Uno scritto morale di al-Kindi* (Épître sur l'art de repousser les tristesses) *in* Mem. R. Accad. Naz. dei Lincei ser. VI, vol. 3, fasc. 1. Roma, 1938. — F. ROSENTHAL, *Ahmad ibn at-Tayyib as-Sarakhshi* (American Oriental Series, vol. 26). New Haven (Connecticut), 1943.

V,2. F. Dieterici, *al-Fârâbî's philosophische Abhandlungen*
(texte arabe, Leiden, 1890. Trad. allemande, Leiden, 1892.
Recueil de huit traités dont le premier est le traité sur l'accord d'Aristote avec Platon) ; — *al-Fârâbî's Abhandlung
Der Musterstaat* (texte arabe, Leiden, 1895. Trad. allemande,
Leiden, 1900). — M. Horten, *Das Buch der Ringsteine
Fârâbî's mit dem Kommentare des Emîr Isma'îl al-Hoseinî
al-Fârânî*, uebersetzt und erlaeutert (Beitraege z. Gesch.
d. Philos. d. Mittelalters, V). Münster i. W., 1906. — P. Du-
hem, *Le Système du monde...* vol. IV (3ᵉ partie, chap. II),
Paris, 1916. — C. Baeumker, *Alfârâbî Ueber den Ursprung
der Wissenschaften (De ortu scientiarum)*. Münster i. W., 1916.
— E. Gilson, *Les sources gréco-arabes de l'augustinisme
avicennissant* (Archives d'hist. doctr. et litt. du Moyen
Age IV, 1930. Contient la trad. latine médiévale du traité
De intellectu et intellecto). — A. Gonzalez Palencia, *Al-
fârâbî. Catalogo de los ciencias*. Madrid, 1932. — I. Madkour,
La place d'al-Fârâbî dans l'école philosophique musulmane.
Paris, 1934. — *Liber exercitationis ad viam felicitatis* ed.
H. Salman, *in* Rech. de Théol. ancienne et médiévale XII,
1940. (Trad. du *Kitâb al-tanbîh 'alâ tahsîl sabîl al-sa'âda*,
Haydarabad, 1345-1927). — Alfarabius *de Platonis philo-
sophia* ed. F. Rosenthal et R. Walzer. Londini, 1943 (Plato
Arabus, vol. II). — Al-Farabi, *Talkhîs Nawâmîs Aflâtûn.
Compendium Legum Platonis* ed. et latine vertit F. Gabrieli
(Plato Arabus, vol. III). — Article *on Vacuum*,. ed. and transl.
by N. Lugal and A. Sayili (Türk. Tar. Kur. Yay. XV, 1).
Ankara, 1951 (texte arabe, trad. anglaise et turque). — *Commentary in Aristotle's Peri hermeneias (De interpretatione)*
ed. with introd. by W. Kutsch and S. Marrow. Beyrouth, 1960
(Rech. Inst. Lettres orient., 13). — Al-Fârâbî's, *Philosophy
of Aristotle (Falsafat Aristûtâlis)*. Arabic Text ed. with an
introd. by Muhsin Mahdî. Beirut, Dâr Majallat al-Shi'r,
1961. — *The Fusul al-Madanî. Aphorisms of the Statesman
of al-Fârâbî*, ed. with an english transl., introd. and notes
by D. M. Dunlop. Cambridge, Univ. Press, 1961. — Al-
Fârâbî's *Philosophy of Plato and Aristotle*, transl. with an
introd. by Muhsin Mahdi. New York, The Free Press of Glen-
coe, 1962. — A. Perier, *Yahyâ ben Adî, un philosophe
arabe chrétien du Xᵉ siècle*. Paris 1920. — S. Pinès, *A Tenth*

Century philosophical correspondence (in Proc. of the Amer.
Acad. for Jewish Res. XXIV). New York, 1955 (correspondance entre Yahyâ ben 'Adî et Ibn Abî Sa'îd Mawsilî) ;
— *La doctrine de l'intellect selon Bakr al-Mawsilî* (Stud.
orient. in on. di G. Levi della Vida, II). Roma, 1956. — *La
loi naturelle et la société : la doctrine théologico-politique
d'Ibn Zur'a, philosophe chrétien de Bagdad* (Scripta hierosolymitana, vol. IX). Jerusalem, 1961 (Ibn Zur'a est un
disciple de Yahyâ ben 'Adî et, comme lui, chrétien jacobite
et philosophe).

V,3. Abû'l-Hasan al-'Amiri, *Kitâb al-sa'ada wa'l is'âd*,
éd. Mojtaba Minovi. Wiesbaden-Teheran, 1957-1958.

V,4. Avicennæ *Opera... Logyca. Sufficiencia. De cælo
et mundo. De Anima. De Animalibus. Philosophia prima.*
Venetiis 1495 ; 1508 ; 1546. — *Die Metaphysik Avicennas
enthaltend die Metaphysik, Theologie, Kosmologie und Ethik*,
uebersetzt und erlaeutert von Max Horten. Halle, 1907-
1909 (trad. d'une partie du *Kitâb al-Shifâ'*, Le livre de la
Guérison de l'âme). — Dj. Saliba, *Etude sur la métaphysique d'Avicenne.* Paris, 1926. — N. Carame, *Avicennæ
Metaphysices compendium.* Roma 1926. — E. Gilson,
Avicenne et le point de départ de Duns Scot (Archives d'hist.
doctr. et litt. du Moyen Age, vol. II, 1927). — A. M. Goichon, *Lexique de la langue philosophique d'Ibn Sînâ* (Avicenne). Paris, Desclée de Brouwer, 1938. — G. C. Anawati,
Essai de bibliographie avicennienne (Ligue arabe. Direction
culturelle. Millénaire d'Avicenne). Le Caire. 1950. — L. Gardet, *La pensée religieuse d'Avicenne*, Paris, Vrin, 1951.
— G. Vajda, *Les Notes d'Avicenne sur la « Théologie d'Aristote »*, *in* Revue thomiste 1951, II. — *Ibn Sînâ (Avicenne)
Livre des directives et remarques (Kitâb al-ishârât wa'l-tan-
bîhât)*, trad. avec introd. et notes par A. M. Goichon. Paris,
Vrin, 1951. — F. Rahman, *Avicenna's psychology*, Oxford,
1952. — S. Pinès, *La « philosophie orientale d'Avicenne »
et sa polémique contre les Bagdadiens* (in Archives d'hist.
doct. et litt. du Moyen Age, 1952). Paris, Vrin, 1953 ; — *La
conception de la conscience de soi chez Avicenne et chez Abû'l-
Barakât al-Bagdâdî* (ibid. 1954). Ibid. 1955. — *Le Livre du
millénaire d'Avicenne*, vol. I, par Z. Safâ, S. Naficy. Vol. IV.
Conférences des membres du Congrès d'Avicenne (pronon-

cées en langues occidentales). Téhéran, 1954-1956 (Société
des Monuments nationaux de l'Iran. Collection du millénaire d'Avicenne, nᵒˢ 27 et 33). — Y. Mahdavi, *Bibliographie d'Ibn Sînâ* (Public. de l'Univ. de Téhéran, nᵒ 206).
Téhéran, 1954 ; — H. Corbin, *Avicenne et le Récit visionnaire.*
T. I. *Etude sur le cycle des Récits avicenniens.* T. II. *Le
Récit de Hayy ibn Yaqzân,* texte arabe, version et commentaire en persan attribués à Jûzjânî, trad. française, notes
et gloses (Bibl. Iranienne, vol. 4 et 5). Paris, Adrien-Maisonneuve, 1954 ; — *Avicenna and the Visionary Recital,* transl.
by Willard R. Trask (Bollingen Series LXVI). New York,
Pantheon Books, 1960. — Avicenne. *Le Livre de science
(Dânesh-Nâmeh)* trad. du persan par M. Achena et H. Massé.
I. *Logique, Métaphysique.* II. *Physique, Mathématiques.*
Paris, Les Belles-Lettres, 1955-1958. — J. Bakos, *Psychologie d'Ibn Sînâ (Avicenne),* texte arabe et trad. française
(Travaux de l'Acad. tchécoslovaque des sciences). Prague,
1956. 2 vol. — *Kitâb al-Shifâ : al-Ilâhîyât (La Métaphy-
sique).* T. I. éd. par G. C. Anawati et S. Zâyed. T. II. éd.
par M. Y. Mûsâ, S. Donyâ et S. Zâyed. Introd. par I. Mad-
kour. Le Caire, 1960. — S. H. Nasr, *Three Muslim Sages*
(Avicenne, Sohrawardî, Ibn 'Arabî). Cambridge, Harward
Univ. Press, 1963.

V,5. Ibn Fatik, *Mokhtar al-hikam wa mahâsin al-kalim
(Los Bocados de oro),* éd. introd. et notes par A. Badawî.
Madrid, 1958.

V,6. S. Pinès, *Etudes sur Awhad al-Zamân Abû'l-Barakât
al-Baghdâdî (in* Revue des études juives III, 1938) ; — *Nouvelles études...* (Mémoires de la Société des études juives, 1).
Paris, 1955 ; — *La conception de la conscience de soi... (*cf.
supra V, 4) ; — *Studies in Abû'l-Barakât al-Baghdâdîs
Poetics and Metaphysics* (Scripta hierosolymitana, VI).
Jérusalem, 1960.

V,7. D. B. Macdonald, *The Life of Ghazâlî, with special
reference to his religious experience and opinion* (Journ. of
the Amer. Orient. Soc. XX) 1899. — M. Asin Palacios,
Algazel, dogmatica, moral, ascetica. Zaragoza, 1901 ; — *Algazel. El justo medio en la creencia* (trad. du *K. al-Iqtisâd
fî'l-I'tiqâd*). Madrid, 1929 ; — *La Espiritualidad de Algazel
y su sentido cristiano.* Madrid 1934-1941. 5 vol. — I. Gold-

ziher, *Streitschrift des Ghazâlî gegen die Bâtiniyya Sekte.*
Leiden, 1916. Neudruck, 1956. — J. Obermann, *Der philosophische und religiöse Subjektivismus Ghazâlis.* Wien-
Leipzig 1921. — W. H. T. Gairdner, *al-Ghazâlî's Mishkât
al-anwâr (The Niche for lights),* transl. and introd. London,
1924. — O. Pretzl, *Die Streitschrift des Ghâzâlî gegen die
Ibâhîya* (Stzber. d. Bayer. Akad. d. Wiss. ph.-h. Abt. 1933,
Heft 7). — R. Chidiac, *Réfutation excellente de la divinité
de Jésus-Christ d'après les Evangiles,* texte trad. et comment.
(Bibl. de l'École des Hautes-Études, Sc. relig., LVI). Paris,
1939. — A. J. Wensinck, *La pensée de Ghazzâlî.* Paris,
1940. — Al-Ghazâlî. *O jeune homme!* (*Ayyuhâ'l-walad,*
opuscule d'éthique religieuse) trad. fr. Beyrouth-Paris,
1951 (Coll. Unesco). — M. A. H. Abu Ridah, *Al-Ghazâlî
und seine Widerlegung der griechischen Philosophie (Tahâfut
al-Falâsifa)* (Inaug. Diss. Basel). Madrid, 1952. — W. M.
Watt, *The Faith and practice of al-Ghazâlî.* London, 1953;
— *The Study of Ghazâlî* (revue *Oriens,* vol. 13-14, 1960).
— F. Jabre, *La notion de certitude selon Ghazâlî, dans ses
origines psychologiques et historiques.* Paris, Vrin, 1958.
— G. Vajda, *Isaac Albalag, Averroïste juif traducteur et
annotateur d'al-Ghazâlî.* Paris, Vrin, 1960. — Mac-Kane,
al-Ghazâlî's Book of Fear and Hope, transl. and introd.
London, 1962. — L. Zolondek, *al-Ghazâlî's Ihyâ 'Ulûm
al-Dîn, Book XX,* transl. and annot. London, 1963.

VI. R. A. Nicholson, *Studies in Islamic Mysticism.*
Cambridge, 1921. — L. Massignon, *La Passion d'al-Hallâj.*
Paris, 1922; — *Essai sur les origines du lexique technique de
la mystique musulmane.* Paris, 1922. Nouv. éd. 1954; — Al-
Hallâj. *Dîwân,* trad. fr. (Documents spirituels, 10). Paris,
1955. — Margareth Smith, *Rabi'a the Mystic and her Fellow-
Saints in Islam.* Cambridge, 1928; — *An Early Mystic of
Baghdâd, a Study of the Life and Teaching of Hârith ibn
Asad al-Muhâsibî* (781-857 A. D.). London, 1935. — Huj-
wiri, *The Kashf al-Mahjûb, the oldest Persian treatise on
Sufismus,* transl. by R. A. Nicholson. New ed. London,
1936. — Hellmut Ritter, *Das Meer der Seele, Mensch,
Welt und Gott in den Geschichten des Fariduddîn 'Attâr.*
Leiden, 1955. — Fritz Meier, *Die Fawâ'ih al-jamâl wa
Fawâtih al-jalâl des Najmad-Dîn al-Kubrâ, eine Darstel-*

*lung mystischer Erfahrung im Islam aus der Zeit um 1200 n.
Chr.* Wiesbaden, 1957. — Ruzbehan Baqlî Shîrâzî. *Le
Jasmin des Fidèles d'amour (K. 'Abhar al-'Ashiqîn). Traité
de soufisme en persan,* éd. introd. et trad. par H. Corbin et
M. Mo'in (Bibl. Iranienne, vol. 8). Paris, Adrien-Maisonneuve,
1958 ; — H. Corbin, *L'intériorisation du sens...* (*supra*,
I, 1) ; — *L'Imagination créatrice dans le soufisme d'Ibn
'Arabî.* Paris, Flammarion, 1958 ; — *La Physiologie de l'homme
de lumière dans le soufisme iranien* (Acad. Septentr. I.
Ombre et Lumière). Paris, Desclée de Brouwer, 1961 (Autour
de Sohrawardî, Najm Kubrâ, Shams Lâhîjî, Semnânî) ;
— *Haydar Amolî théologien shî'ite du soufisme* (Mélanges
Henri Massé, Univ. de Téhéran, 1963). — Sulami, *Kitâb
Tabaqât al-sûfiyya,* texte arabe avec introd. par J. Pedersen.
Leiden, 1960 (Notices sur 105 soufis, du IIe/VIIIe s. au
IVe/Xe s.). — 'Alî Hassan 'Abdel-Kader, *The Life, Person-
ality and Writings of al-Junayd* (Gibb Mem. Series N. S.
XXII). London, 1962. — Hakim Tirmidhî, *Kitâb Khatm
al-Awliyâ*, éd. par Osman Yahya. Beyrouth (sous presse).

VII. Sohrawardi, shaykh al-Ishrâq. *Le Familier des
amants (récit mystique),* trad. du persan par H. Corbin, *in*
Recherches philosophiques, vol. II. Paris 1933 ; — *Le Bruis-
sement de l'Aile de Gabriel, traité philosophique et mystique,*
texte persan éd. et traduit par H. Corbin et P. Kraus, *in*
Journal Asiatique, juil.-sept. 1935 ; — *Deux épîtres mystiques
(La modulation de Sîmorgh, La langue des fourmis)* trad. du
persan par H. Corbin, *in* revue *Hermès* IIIe série, n° 3.
Bruxelles-Paris, nov. 1939 ; — *Opera metaphysica et mystica I,*
edidit H. Corbin (Bibliotheca Islamica, 16). Istanbul, 1945
(Texte arabe de la partie métaphysique de trois grands traités
de Sohrawardî ; longue introd. en français) ; — *Œuvres philosophiques et mystiques (Opera metaphysica II.* Bibl. Iranienne vol. 2). Paris, Adrien-Maisonneuve, 1952 (Texte arabe
du « Livre de la Théosophie orientale », du « Symbole de foi
des philosophes » et du « Récit de l'exil occidental » ; longue
introd. en français) ; *L'Archange empourpré, récit mystique,*
trad. du persan par H. Corbin *in* revue *Hermès* I. Paris, prin-
temps 1963. — H. Corbin, *Sohrawardi d'Alep, fondateur
de la doctrine illuminative* (Public. de la Soc. des Éudes
iraniennes, 16). Paris, 1939 ; — *Les motifs zoroastriens dans*

la philosophie de Sohrawardî. Téhéran, 1946 ; — *Le thème de la
résurrection dans le commentaire de la « Théosophie orientale »
de Sohrawardî par Mollâ Sadrâ Shîrâzî*, (*in* Mollâ Sadrâ
Commemoration Volume, Calcutta, The Iran Society, sous
presse) ; — Mollâ Sadrâ Shîrâzî, *Le Livre des pénétrations
métaphysiques*, texte arabe, version persane, trad. française
et comment. (Bibl. Iranienne, vol. 10). Paris, Adrien-Maisonneuve, 1964 ; *Terre céleste et corps de résurrection...* (*supra*
II A ; textes traduits de Sohrawardî et de Mollâ Sadrâ).

VIII, 1. Miguel Asín Palacios, *Ibn Masarra y su escuela,
origenes de la filosofia hispano-musulmana*. Madrid, 1914.
2e éd. Madrid, 1946 (in *Obras escogidas* I) ; — *El mistico Abû'l-
'Abbâs Ibn al-'Arif y su Mahâsin al-Majâlis* (*Obras escogidas*,
I) ; — Ibn al-'Arif (ob. 536/1141). *Mahâsin al-Majâlis*. Texte
arabe, trad. et comment. Paris, 1933. — I. Goldziher, *Le
Livre de Mohammed ibn Toumert, Mahdi des Almohades*,
texte arabe accompagné de notes biographiques et d'une
introd., trad. par M. Gaudefroy-Demombynes. Alger, 1903.

VIII, 2. I. Goldziher, *Die Zâhiriten, ihr Lehrsystem und
ihre Geschichte*. Leipzig, 1884. — M. Asín Palacios, *Los
caracteres y la conducta, tratado de moral practica por Abenhazam de Cordoba*. Madrid, 1916 ; — *Abenhazam de Cordoba
y su historia critica de las ideas religiosas*. Madrid, 1927-1932
(trad. espagnole du grand ouvrage d'Ibn Hazm, *al-Fisal
fi'l milal*). — A. R. Nykl, *A Book containing the Risâla
known as « the Dove's Neck-Ring about Love and Lovers »*.
Paris, 1932 (Trad. anglaise du *Tawq al-Hamâma*. Trad. française par L. Bercher, Bibliothèque arabe-française, VIII.
Alger, 1949. A comparer avec Rûzbehân, *supra* VI) ; — *His-
pano-arabic poetry and its relations with the old provençal
Troubadours*. Baltimore, 1946. — Sa'id al-Andalusî, *Tabaqât
al-umam*, texte arabe par L. Cheikho, Beyrouth, 1912 ; trad.
française par R. Blachère (Public de l'Inst. des Hautes-Études
marocaines). Paris, 1935. — H. Pérès, *La poésie andalouse
en arabe classique au XIe siècle, ses aspects généraux, ses principaux thèmes et sa valeur documentaire*. 2e éd. Paris, Adrien-
Maisonneuve, 1953. — R. Arnaldez, *Grammaire et théologie chez Ibm Hazm de Cordoue*. Paris, Vrin, 1956.

VIII, 3. S. Munk, *Mélanges...* (*supra* V). — P. Duhem,
Le système du monde... vol. II (*supra* IV, 8). — M. Asín

Palacios, *El filosofo zaragozano Avempace* (Revista de Aragon, août 1900) ; — *Avempace. El régimen del solitario*, edición y traducción de Miguel Asin Palacios. Madrid-Granada, 1946.

VIII, 4. M. Asin Palacios. *Ibn al-Sîd de Badajoz y su « Libro de los cercos »* (*Kitâb al-Hadâ'iq*) *in* al-Andalus V, 1, 1940 (2e éd. de la trad. seule *in Obras escogidas* II, Madrid, 1946).

VIII, 5. Ed. Pocock, *Philosophus autodidactus sive Epistola Abi Jaafar ibn Thofail de Hai ebn Yoqdhan* (sic), in qua ostenditur quomodo ex Inferiorum contemplatione ad Superiorum notitiam Ratio humana ascendere possit, ex arabica in linguam latinam versa. Oxonii, 1671. — J. Eichhorn, *Der Naturmensch oder Geschichte des Haï Ebn Yoktan* (sic). Berlin, 1783 — L. Gauthier, *Ibn Thofaïl, sa vie, ses œuvres.* Paris, 1909. — *Hayy ben Yaqdhân, roman philosophique d'Ibn Thofaïl, texte arabe et trad. française,* 2e éd. Paris, 1936 (Sur le récit d'Avicenne portant le même titre, cf. *supra* V, 4). — A. Gonzalez Palencia, *El filosofo autodidacto* (trad. espagnole du texte arabe). Madrid, 1934. — P. Bronnle, *Ibn Tufail. The Awakening of the Soul*, rendering from the arabic with introd., s. d.

VIII, 6. Il y a eu plusieurs éd. de la trad. latine des comment. d'Averroës jusqu'à l'éd. de Venise, 1560 en 11 vol. E. Gilson, *Histoire...* (*supra* V). — E. Renan, *Averroës et l'averroïsme,* Paris, 1852. 8e éd. Paris, 1925. — M. J. Muller, *Philosophie und Theologie von Averroes.* München, 1851-1875 (éd. et trad. allemande du *Fasl al-Maqâl*). — J. Hercz, *Drei Abhandlungen über die Conjunktion des separaten Intellektes mit dem Menschen.* Berlin, 1869. — F. Lasinio, *Il commento medio di Averroes a la Poetica di Aristotele.* Pisa, 1872. — L. Hannes, *Des Averroes Abhandlungen Ueber die Möglichkeit der Conjunktion und Ueber den materiellen Intellekt.* Halle, 1892. — M. Asin Palacios, *El averroismo teologico de Santo Tomas de Aquina* (*in* Homenaje a Don Fr. Codera). Zaragoza, 1904. — L. Gauthier, *Accord de la religion et de la philosophie,* traité d'Ibn Rochd (Averroës) trad. et annot. Alger, 1905. (2e et 3e éd. sous le titre : *Traité décisif* (*Façl al-maqâl*) *sur l'accord de la religion et de la philosophie.* Alger, 1942 et 1948 ; — *La théorie d'Ibn Rochd sur les rapports de la* *religion et de la philosophie*. Paris, 1909. — M. HORTEN, *Die Metaphysik des Averroes*. Halle, 1912 ; — *Die Hauptlehren des Averroes nach seiner Schrift « Die Widerlegung des Gazâli »*. Bonn, 1913. — C. QUIRO RODRIGUEZ, *Averroes. Compendio de Metafisica*. Madrid, 1919. — S. VAN DEN BERG, *Die Epitome der Metaphysik des Averroes*. Leiden, 1924 ; — *Averroes' Tahâfut al-Tahâfut* (*The Incoherence of the Incoherence*), transl. from the arabic with an introd. and notes (Unesco Coll. of Great Works, Arabic series). Oxford, 1954, 2 vol. — Averroës. *Tafsîr mâ ba'd al-Tabî'at* (Commentaire de la Métaphysique d'Aristote). Texte arabe inédit, établi par M. Bouyges (Bibliotheca Arabica Scholasticorum). Beyrouth, 1938-1948. — M. ALONSO, *Teologia de Averroes* (*estudios y documentos*). Madrid-Granada, 1947. — F. ROSENTHAL, *Averroes' Commentary on Plato's Republic*, ed., introd. et annot. Cambridge, 1956. — G. F. HOURANI, *Ibn Rushd* (*Averroes*) *Kitâb Fasl al-Maqâl...* Arabic text. Leiden, 1959 ; — *Averroes On the harmony of religion and philosophy*, a transl. with introd. and notes of *K. Fasl al-Maqâl* (Gibb Mem. Series N. S. XXI). London, 1961.

Index

Table des matières

ACHEVÉ D'IMPRIMER LE
12 MARS 1964, SUR LES
PRESSES DE L'IMPRIMERIE
BUSSIÈRE, SAINT-AMAND (CHER)

— No d'édit. 10102. — No d'imp. 920 —
Dépôt légal : 1er trimestre 1964
Imprimé en France